UM SONHO AMERICANO

NORMAN MAILER

UM SONHO AMERICANO

Tradução de Lia Wyler

www.lpm.com.br

L&PM POCKET

Coleção **L&PM** Pocket, vol. 572

Primeira edição na Coleção **L&PM** POCKET: janeiro de 2007

Título original: *An American Dream*

Tradução: Lia Wyler
Capa: Ivan Pinheiro Machado sobre foto Thomas Hoepker (Magnum Photos)
Revisão: Bianca Pasqualini, Jó Saldanha e Renato Deitos

CIP-BRASIL. CATALOGAÇÃO-NA-FONTE
SINDICATO NACIONAL DOS EDITORES DE LIVROS, RJ.

M19a Mailer, Norman, 1923-
Um sonho americano / Norman Mailer ; tradução Lia Wyler. – Porto Alegre, RS : L&PM, 2007
276p.; 18cm – (L&PM pocket ; v.572)
Tradução de: *An American Dream*
ISBN 978-85-254-1522-6
1. Romance americano. I. Wyler, Lia. II. Título. III. Série.

06-4630. CDD 813
CDU 821.111(73)-3

Porto Alegre: Rua Comendador Coruja 314, loja 9 – 90220-180
Floresta – RS / Fone: 51.3225.5777
Pedidos & Depto. comercial: vendas@lpm.com.br
Fale conosco: info@lpm.com.br
www.lpm.com.br

Impresso no Brasil
Verão de 2007

Prefácio

Norman Mailer é uma ave rara entre os escritores de hoje pela variedade de seus interesses: romancista, jornalista, político-amador, poeta, aspirante a filósofo e árbitro autoproclamado de maneiras e costumes da sociedade americana. A tendência da maioria dos escritores de seu país é a especialização: escolhem um nicho e dedicam o resto de suas vidas a decorá-lo interiormente. Mailer, judeu de New York, é um espírito internacional, mais próximo de Sartre e de outros intelectuais europeus do que de Hemingway, a que ele escolheu como ídolo.

Mailer é um realista à procura de um estilo mais flexível e variado do que o de sua formação, capaz de captar na plenitude o que William Carlos Williams chamava de *pesadelo-América*, o país-continente que hoje domina a atenção e outras áreas vitais do mundo. É um homem culto, fluente em Marx, Freud, Kierkegaard e demais chefes do pensamento moderno. Seus livros refletem essa mistura cultural, assim como reproduzem fielmente a obsessão americana por sexo e violência. *Um sonho americano* foi descrito por um crítico como "uma história em quadrinhos às avessas", isto é, a conversão da matéria absurda e brutal dos heróis das *comic strips*, os super-homens com que está intoxicada a imaginação americana, numa crítica picaresca da sociedade americana. Há mais: ecos do impressionismo de Céline, a fascinação excremental de Burroughs e a desunidade proposital de estilo que caracteriza os mais avançados experimentos literários de hoje. Definir o romance como "bom" ou "ruim" é supérfluo. Mailer está a meio caminho de uma pesquisa. Devemos esperar que ele termine para, conhecendo o todo, avaliarmos o peso específico das partes. O leitor não se entediará com *Um sonho americano* se tiver a paciência e o senso crítico suficientes para buscar na literatura um complemento e uma elucidação do fermento confuso de nossa era, em que nada se fixa e tudo se transforma, e de que só a sensibilidade sismográfica de artistas como Mailer pode dar-nos uma impressão razoavelmente nítida.

O herói, se podemos chamá-lo assim, de *Um sonho americano*, desce a profundezas de experiência psíquica e sensorial que poucos homens partilharam. Sua postura de herói de história em quadrinhos, que apenas emoldura o que Mailer quer dizer, não deve impedir o leitor de examinar e entender o quadro que o autor preparou do homem contemporâneo dos Estados Unidos, de sua desintegração em face da realidade que nega suas ilusões e pretensões de ser o centro de uma sociedade humanista.

Paulo Francis, 1966

Agradecimentos

"Deep Purple" – música de Peter DeRose, letra de Mitchell Parish. Copyright 1934 (renovado) por Robbins Music Corporation, Nova York. Permissão de uso concedida pelo proprietário dos direitos autorais.

Variante da letra original de "Hong Kong Blue", copyright 1939 de Larry Spier, Inc., permissão de uso concedida por Larry Spier, Inc.

"Love for Sale", copyright 1930 de Harms Inc. Copyright renovado. Permissão de uso concedida.

"That's Why the Lady is a Tramp", copyright 1937 de Chappell & Co. Inc., Nova York. Permissão de uso concedida.

Sumário

1
As enseadas da lua

Conheci Jack Kennedy em novembro de 1946. Éramos ambos heróis de guerra e tínhamos acabado de ser eleitos deputados. Saímos certa noite juntos em companhia de duas moças, e foi uma noite promissora para mim. Seduzi uma moça que teria se entediado com um diamante tão grande quanto o Hotel Ritz.

Seu nome era Deborah Caughlin Mangaravidi Kelly, primeiro da família dos Caughlin, banqueiros anglo-irlandeses, financistas e padres; e dos Mangaravidis, um ramo siciliano dos Bourbons e dos Habsburgs; a família dos Kellys era apenas Kelly; mas tinha ganhado duzentas vezes um milhão. Então havia uma imagem de riqueza, sangue de longa linhagem e medo. Na noite em que a conheci, passamos noventa minutos alucinantes no banco traseiro do meu carro estacionado atrás de um caminhão-reboque em uma rua de fábricas deserta na cidade de Alexandria, estado da Virgínia. Uma vez que o pai de Deborah era dono de parte da terceira maior empresa de caminhões no meio-oeste e no oeste americanos, talvez tenha sido um golpe de gênio tentar ganhar sua filha ali. Perdoem-me. Achei que o caminho para a presidência talvez começasse na entrada de seu coração irlandês. Ela, porém, ouviu a serpente rastejar no *meu* coração; na manhã seguinte, ao telefone, chamou-me de malvado, horrível e malvado, e voltou ao convento em Londres onde, no passado, já morara outras vezes. Eu ainda não sabia que ogros guardavam a porta das herdeiras. Agora, recordando, posso afirmar com alegria: foi o mais perto que cheguei da presidência. (Quando reencontrei Deborah – sete anos depois em Paris –, ela já não era a filhinha do papai e nos casamos em uma semana. Como qualquer história que poderia encher dez livros, é melhor concluí-la com um parêntese – menos de dez volumes poderiam faltar com a verdade.)

Jack, naturalmente, progrediu um pouco desde aquele tempo, e eu viajei para cima e para baixo e subi e desci na vida, mas lembro-me de haver lua cheia na noite em que saímos os quatro, e, para ser fenomenologicamente exato, havia também lua cheia na noite em que comandei minha patrulha até o topo de um certo morro na Itália, e lua cheia na noite em que conheci outra garota, e lua cheia... Às vezes gosto de pensar que ainda faço parte da associação dos intelectuais, mas pelo visto me juntei à horda dos medíocres e loucos que ouvem música *pop* e agem por instinto. A verdadeira diferença entre o presidente e eu talvez seja que acabei dando exagerada importância à lua, pois vi o abismo na primeira noite em que matei: quatro homens, quatro alemães diferentes, mortos à lua cheia – enquanto Jack, pelo que sei, jamais viu o abismo.

É claro que não tive a menor ilusão de que o meu heroísmo se igualasse ao dele. Eu me saí bem para uma noite. Era um jovem segundo-tenente, empertigado, estafado e nervoso, recém-saído de Harvard, onde me formara um ano depois do príncipe Jack (nunca nos encontramos – não lá). Eu entrara para o exército com um jeitão suado quase adolescente, metade Harvard ("Raw-Jock" Rojack foi o apelido que ganhei no futebol entre fraternidades), fora um atleta mediano e um aluno excessivamente inteligente: Phi Beta Kappa, *summa cum laude*, diretor.

Não é de admirar que eu me empenhasse para manter alguma ordem entre os sulistas intratáveis e os jovens mafiosos do Bronx que compunham o duplo núcleo do meu pelotão, e me empenhasse tanto que naquela noite a morte me pareceu uma possibilidade bem mais agradável do que a minha posição em um futuro conflito. Já não me importava se continuaria vivo ou não. Quando conduzi o grupo morro acima e me vi cercado em uma linha longa e vulnerável a trinta metros do topo, um modesto cume gêmeo, com uma metralhadora alemã em uma elevação e outra metralhadora igual na elevação próxima, eu estava tão pronto a morrer para expiar meus pecados que nem me apavorei.

Mesmo acuados sob as rajadas roucas das metralhadoras – elas ainda não tinham localizado a mim nem aos demais com exatidão –, a lua cheia tingindo os nossos sentimentos mais à flor da pele (que eram o medo, a covardia e um odor de morte), não pude deixar de sentir o perigo se afastar de mim como um anjo, recuar como uma onda em mar calmo, afundando-se silenciosa na areia, fiquei de pé e corri, corri morro acima para uma faixa de segurança que senti abrir-se para mim e que faz parte do feito que me rendeu aquela importante condecoração, porque o caminho que tomei estava sob o fogo de metralhadoras cruzadas, e, juntas, elas podiam nos transformar em suco. O fogo, porém, era irregular, descontínuo, e quando corri, atirei a carabina uns dez metros à frente, cruzei os braços para pegar uma granada em cada bolso da camisa, arranquei as argolas com os dentes, coisa que quase não conseguia fazer durante o treinamento (estragava os dentes), soltei as alavancas, a espoleta agora acesa e faiscando, abri os braços, um Y humano. As granadas voaram pelo ar separadamente e tive tempo de parar, virar e mergulhar para resgatar a carabina que deixara para trás.

Anos mais tarde li *A arte cavalheiresca do arqueiro Zen* e entendi. Porque, àquela noite no morro sob o luar, não fui eu que lancei as granadas, *algo interior* lançou-as, e esse *algo* fez um trabalho quase perfeito. As granadas explodiram entre cinco e dez metros acima de cada metralhadora, *trrá, trrá*, no ritmo compassado de um boxeador, e fui ferido na nádega por um estilhaço de minha própria granada, fustigado por uma dor gostosa e inocente como a mordida incisiva de uma amante no traseiro, então o cano do meu fuzil girou como uma antena longa e precisa e apontou para o ninho à minha direita, de onde a cara grande de um alemão, terna e ensangüentada, uma cara saudável, jovem e mimada, mimadíssima, o amor da mãe visível em sua conformação, dono daquela boca curvilínea que somente bichonas jovens, gordas e ternas têm quando o seu reto é amaciado e apreciado desde a adolescência, saiu chorando, escorregando, sorrindo do ninho, "Olá, morte!", o sangue e a lama como o anúncio da sodomia em seu peito, e eu puxei o gatilho como se estivesse apertando o peito mais macio do pombo mais macio que já voou, o seio de uma mulher ainda me transporta por vezes ao pombo naquele gatilho, e o tiro estalou como um galhinho de bétula na palma da minha mão, *teque!*, penetrou na base do seu nariz e se espalhou, e vi seu rosto ser chupado para dentro sob o impacto da bala, ele pareceu de repente um velho, desdentado, astuto, com um ar de luxúria. Ele choramingou "*Mutter*", um vagido da primeira lembrança uterina, e desabou ensangüentado no momento exato, cronometrado como o intervalo em uma galeria de tiro, pois o próximo se ergueu, seu companheiro de ninho, um espectro inflexível e vingativo com uma pistola na mão e um braço decepado pela explosão, a retidão como um fio de saliva no contorno reto de seus lábios, os lábios mais retos que vi na minha vida, a retidão protestante alemã. *Pam!*, fez a minha carabina, e o furo apareceu em seu coração, e ele dobrou o comprido braço armado e cruzou-o sobre o peito para cobrir o novo buraco e caiu direto com a profunda tristeza de um palhaço, como se estivesse escorregando por um cano comprido e fino, em seguida me virei, sentindo alguma coisa se romper em meu ferimento, uma dor gostosa, um sangue bom escorrendo livre, e cuidei dos outros dois que emergiam do segundo ninho, um coitado atarracado que lembrava um macaco de costas curvas, como se tivesse uma falsa corcunda que fora arrancada da omoplata pelos estilhaços da granada: atirei, ele caiu e eu nunca soube onde acertei nem vi direito o seu rosto; então o último se ergueu empunhando uma baioneta e me convidou a avançar. Ele sangrava abaixo do cinto. Limpa e passada estava sua camisa, nivelada a borda do seu capacete, e nada além de sangue e carnificina abaixo do cinto. Comecei a me levantar. Queria atacar como se aquele fosse o nosso contrato, mas hesitei, por que não consegui encarar seus olhos, eles encerravam tudo, as duas granadas, o sangue em minha coxa, a bichona gorda, o espectro com a pistola, o corcunda, o sangue, aqueles gritos lancinantes que jamais ecoavam, estava tudo em seus olhos, olhos que eu reveria, mais tarde, em uma mesa de autópsia em uma cidadezinha do Missouri, olhos que pertenciam a um agricultor fanático de uma estrada no coração dos montes Ozarks, olhos azuis, tão perfeitamente azuis e loucos que penetram as profundezas da abóbada celeste, olhos que remontam a Deus, acho que foi o que ouvi dizer uma vez no Sul, e fraquejei diante daquele olhar, claro como o gelo sob a lua, e parei apoiado em um joelho, sem saber se agüentaria erguer a nádega, e súbito tudo desapareceu, a presença pura daquele *algo*, da graça, me abandonou no instante em que hesitei, e não tive coragem de prosseguir, não conseguia mais investir contra sua baioneta. Então atirei. E errei. E tornei a atirar. E errei. Então ele lançou a baioneta contra mim. Não me atingiu. Estava fraco demais. A arma bateu em uma pedra e produziu um som tremido como o uivo de um gato saltando. E parou entre nós. A luz foi desaparecendo de seus olhos. Começou a aglutinar, a coagular como a grossa gelatina que se forma na pupila de um cão recém-morto, e então ele morreu, e caiu de bruços. Como uma árvore de madeira nobre e raízes podres. E o pelotão me rodeou, disparando uma tempestade de balas naqueles dois ninhos, gritavam de alegria, zumbiam, beijando minha boca (com certeza um dos italianos), me dando fortes palmadas nas costas. "Larguem ele, está ferido", gritou alguém, o sargento, e eu me senti como um jogador de futebol americano, de meio de campo, que agarrou um passe de 45 metros e correu outros 43 para fazer o *touch down* mais longo na história da escola, mas cuja excelência do feito me foi roubada porque a bola escapuliu dos meus braços quando ultrapassei a linha de fundo do adversário. Consegui marcar, mas, sem a bola sob o corpo, apenas seis pontos. E aqueles olhos azuis continuaram a fitar a pele nova da minha memória até eu cair com um baque surdo, uma onda saída do ferimento me levando de volta, forçando minha cabeça contra o chão com uma vontade própria. "Paramédicos", ouvi alguém gritar.

Mais tarde, fui levado em uma maca, uma radiografia revelou uma pequena fissura e uma fratura na cintura pélvica. Fui evacuado para o hospital de base, depois despachado para Nova York, onde me condecoraram com a Cruz de Mérito em Combate (Distinguished Service Cross), não fizeram por menos, e fui destacado no último ano para promover boas relações públicas para o exército. Assim fiz, exibindo uma discreta mas meritória coxeadura. Herói em meados de 1944, herói durante todo o ano de 1945, sobrevivendo até o dia da vitória sobre o Japão, pude escolher as oportunidades e aproveitei-as bem. Durante algum tempo, viajei discursando com a sra. Roosevelt, uma honrosa ocasião após outra, e ela gostou de mim. Encorajou-me a pensar na política. Aqueles foram os anos em que as engrenagens giravam juntas, os contatos e as intuições, o estilo e a fabricação da própria pessoa. Tudo funcionou muito bem, afinal eu era uma curiosidade, um produto muito especial: era o único intelectual na história dos Estados Unidos detentor de uma Cruz de Mérito em Combate e falava em público com o modesto charme de um guerreiro.

Na época em que a máquina do partido no condado de Nova York estava repescando o refugo e me fazendo convites inesperados para almoçar com o cardeal e o bispo ("Uma pergunta, filho", disse a primeira eminência, "você acredita em Deus?" "Sim, eminência"), a sra. Roosevelt estava me apresentando à elite protestante e à judaica e, sim, tudo começou a se encaixar e tão bem que, no final, saí candidato ao Congresso e fui eleito. O deputado democrata Stephen Richard Rojack, de Nova York.

Ora, eu poderia entrar em maiores detalhes sobre a seqüência dos passos que me transformaram em um jovem parlamentar em 1946 aos 26 anos de idade, mas isso apenas descreveria as aventuras do personagem que eu, como jovem ator, estava interpretando. Há numerosos astros de cinema que arrebatam o amor de mulheres que nunca viram – e os pobres maridos delas competem com um homem que não podem enfrentar. Mas penso especificamente nos poucos astros que não são apenas perfis de grandes amantes, mas homossexuais e discretos em suas vidas. E são obrigados a conviver com a insanidade a cada hausto. E algo equivalente ocorria comigo. Onde muitos outros jovens atletas ou heróis poderiam ter tido um vasto e contínuo prazer com o sexo, eu estava perdido em um caleidoscópio privativo da morte. Não conseguia esquecer o quarto soldado. Seus olhos tinham visto o que o esperava do outro lado, e eles me diziam que a morte era uma criação mais perigosa do que a vida. Eu poderia ter feito carreira na política se ao menos tivesse sido capaz de pensar que a morte era zero, a morte era o vazio de todos nós. Mas eu sabia que não era. Eu continuava ator. Minha personalidade fora construída sobre um vazio. Assim, abandonei o meu lugar na política quase tão rápido quanto o ganhara porque, por volta de 1948, preferi abandonar o Partido Democrático e concorrer na chapa progressista. Henry Wallace, Glen Taylor e eu. Tinha minhas razões para fazer essa escolha, alguma honradas, outras espúrias, mas um motivo agora me parece claro – queria sair da política antes que me separasse para sempre do meu eu pela distância que existia entre a minha imagem pública na televisão, que se tornara vital, e o meu romance secreto e alarmante com as fases da lua. No mês em que a pessoa decide que não vai fazer um discurso porque é a semana da lua cheia, ela sabe também, se ainda está mentalmente sã, que a política não foi feita para ela e ela não foi feita para a política.

Mas isso foi há muito tempo. Desde então, como já disse, tive altos e baixos certamente bem baixos, e novos altos e baixos. Eu estava agora em uma universidade em Nova York, professor de psicologia existencial com a tese nada irrelevante de que a magia, o medo e a percepção da morte eram as raízes da motivação; era uma celebridade na televisão e uma espécie de autor; tinha conseguido publicar um livro de sucesso, *A psicologia do carrasco*, um estudo psicológico dos modos de execução em diferentes estados e nações – morte por decapitação, fuzilamento, enforcamento, eletrocussão, por inalação de gás –, um livro interessante. Tinha também – conforme mencionei – me tornado marido de uma herdeira, no que fui muito malsucedido. Na verdade eu chegara ao fim de uma rua muito comprida. Chame-a de avenida. Por que acabei concluindo que, afinal, era um fracasso.

O último ano fora muito ruim e por algum tempo continuou piorando; é melhor admitir que pela primeira vez na vida percebi que eu seria capaz de cometer suicídio. (De homicídio eu já sabia ser capaz de longa data.) Foi a pior das descobertas, esse suicídio. Afinal o homicídio traz em si euforia. Não estou dizendo que seja um estado a contemplar; a tensão que cresce em seu corpo deixa-o doente por um período, e eu já estava farto de andar por aí com o peito cheio de ódio e um cérebro a ponto de explodir, mas há alguma coisa máscula no esforço de conter a raiva, é tão difícil, é como carregar um cofre de cem quilos morro acima. A euforia vem, suponho, de possuir tal força. Além disso, o homicídio oferece a promessa de imenso alívio. Nunca é alheia à sexualidade.

Mas há pouca sexualidade no suicídio. É uma paisagem solitária iluminada com a luz pálida de um sonho, e alguma coisa o chama, uma voz trazida pelo vento. Certas noites eu me sentia chumbado de pavor porque ouvia a demorada afinação de uma música de câmara quase chegar lá. (Sim, o homicídio lembra uma sinfonia em sua cabeça, o suicídio é um simples quarteto.) Aproximava-se o meu quadragésimo quarto ano, mas pela primeira vez eu sabia por que alguns dos meus amigos e as muitas mulheres que eu pensei ter compreendido não suportavam ficar sós à noite.

Eu passara o último ano me separando de minha mulher. Tínhamos estado casados de modo íntimo e muitas vezes muito infeliz durante oito anos, e nos últimos cinco estivera tentando evacuar o meu exército expedicionário, aquela força de esperanças, total necessidade, simples desejo viril e entrega que eu gastara com ela. Era uma batalha perdida, e eu queria bater em retirada, contar os meus mortos e procurar amor em outras terras, mas ela era uma grande filha-da-puta, Deborah, a leoa da espécie: a rendição incondicional era a sua única carne crua. Afinal uma Grande Filha-da-Puta tem perdas a calcular se o cavalheiro for embora. Porque idealmente uma Grande Filha-da-Puta dispensa exterminação a qualquer rapagão que tenha a coragem de conhecê-la carnalmente. Ela *fracassa em seu papel* (como diriam os psicanalistas, aqueles frustrados diretores de cena) se o amante fugir sem ter sido aleijado pelo açoite ou pregado ao mastro. E Deborah cravara seus ganchos em mim, havia oito anos que firmara seus ganchos que tinham dado origem a outros ganchos. Vivendo com ela me senti homicida; tentando me separar considerei o suicídio. Iniciou-se um bombardeio psíquico da vontade de viver, revelou-se uma nova partícula do misterioso átomo do amor – a tentação de saltar no espaço. Encontrava-me em uma varanda no décimo andar conversando com o meu anfitrião, o coquetel terminara, e estávamos parados olhando para baixo, para Sutton Place, sem falar no nome de Deborah – que mais havia para calar sobre este último e longo ano? –, e eu estava pensando, como sempre fazia, se esse velho companheiro, confortavelmente embriagado comigo, um garanhão de 46 anos e boa aparência, com uma cintura modelada pelo frontão no New York Athletic Club e um ar malandro nos olhos avivado pelos atalhos que tomava para fazer sua pequena corretora prosperar (sem falar nas mulheres com quem almoçava – tinha talento esse amigo), bom, pensando se sua preocupação por mim seria tão genuína quanto o timbre de sua voz, ora sincero, ora façam suas apostas, ou se andara transando com a minha bendita Deborah cinco vezes por ano, cinco vezes em cada um dos últimos oito anos, quarenta gloriosas bimbadas diante do horror inconsciente de minhas costas (algo tão escaldante que eles mal conseguiam se conter, e reduziram os encontros para cinco a cada doze meses por delicadeza, por uma correção que reconhecia que, se algum dia eles se liberassem, tudo iria pelos ares), bom, como digo, fiquei parado ali, sem saber se o Amigão estava nos Prazeres Carnais ou era um leal espadachim e amigo ou até ambos – afinal havia umas duas esposas com as quais eu fizera este número das cinco vezes durante oito anos, e a recompensa fora doce – nenhuma oferenda se compara a uma mulher tão decidida a dilacerar seu homem que os meses de ódio se convertem em Instantânea Doçura para o garanhão de passagem, e senti todos os sintomas da verdadeira compaixão ao conversar com o seu *marido* na próxima vez que nos vimos. Portanto, tudo era possível – ou esse cara à minha frente concebivelmente experimentava verdadeira preocupação por um velho amigo e sua difícil mulher, ou era parte da dificuldade, ou, sim, de fato era ambos, ambos, exatamente como eu tantas vezes fora, e, diante da evidente complexidade da dúvida, a simples dificuldade incalculável de jamais saber o que é verdadeiro com uma mulher interessante, eu me senti perdido. Digo-lhe envergonhado que nesses oito anos poderia apontar com certeza apenas cinco infidelidades reais confessadas por Deborah; de fato ela as anunciara a mim, cada qual uma marca, uma transição, um passo concreto no declínio do nosso casamento, uma cortina para cada ato em uma peça de cinco atos: mas além, no vasto desconhecido, havia de duzentas a exatamente nenhuma infidelidade, porque Deborah era uma artista na grande dialética da incerteza em que as mentiras levam à verdade, e a verdade produz o brilho difuso das mentiras. "Você *enlouqueceu*?, ela perguntava quando lhe revelava minhas suspeitas sobre um dado homem ou rapaz. "Ora, ele é um garoto", ou "Você não sabe que o acho *repulsivo*?", frases que dizia com a sua melhor entonação londrina, cinco anos de escola católica na Inglaterra haviam contribuído muito para as partes patrícias de sua língua americana. Sim, diante dessas incertezas, me sentindo como um cientista do amor cujos instrumentos de detecção ou eram totalmente imprecisos ou extremamente inverificáveis, me levantei no meio da minha conversa com o velho amigo malandro e simplesmente vomitei todos os gins-tônicas, pastas de anchovas, salsichas *en croûte*, coquetéis de camarão e as últimas seis doses de *bourbon* por cima do peitoril da varanda em uma cascata escaldante de muco e ruídos glotais, um rebanho trovejante dos cascos envenenados do amor.

– Ah, Deus – exclamou o amigo, esquecendo a malandragem uma vez na vida.

– Pode parar – grunhi.

– Ah, Deus – repetiu ele –, caiu no segundo andar.

Tínhamos ambos naturalmente esperado – o acesso fora tão espontâneo – que o meu despejo fosse parar nos ouvidos do porteiro. Caso contrário, algum morador não tardaria a reclamar. A simples mecânica da coisa quase me fez rir – como é que se mandava um toldo para a lavanderia?

– Presumo que eu tenha de contar a eles – disse o amigo.

– Deixe a chuva lavar o que o luar deixou de abençoar – respondi com uma entonação que passei a detestar, um jeito melado à moda de Connecticut, formando frases poéticas que não tinham poesia, algo em parte resultante da convivência com as canções quase inglesas de Deborah e do número excessivo de classes durante um número excessivo de horas frustrantes.

– Na verdade, velho amigo, me deixe. Se conseguir.

Fiquei então na varanda sozinho e contemplei a lua, que estava cheia e muito baixa no horizonte. Tive um momento então. Porque a lua me respondeu. Não quero dizer com isso que tenha ouvido vozes, ou que Luna e eu tenhamos nos permitido a fantasia de um diálogo, não, na verdade foi pior do que isso. Alguma coisa nas profundezas da lua cheia, uma radiação terna e não tão inocente viajou rápido como o pensamento de um raio pelo céu noturno, das profundezas dos mortos naquelas cavernas da lua, voou pelo espaço e entrou em mim. E de repente compreendi a lua. Acredite se quiser. A única viagem verdadeira é aquela das profundezas de um ser para o coração de outro, e eu não era nada exceto profundezas abertas em carne viva naquele instante sozinho na varanda, olhando para a Sutton Place, o espírito dos alimentos e bebidas que eu ingerira arrancados do meu estômago e intestinos, deixando o meu ser nu, havia rachaduras e furos que atravessavam como falhas geológicas o chumbo e o concreto e a paina e o couro do meu ego, aquele pedaço mutilado de isolamento, eu sentia o meu eu bastante ridículo, sabe? Podia sentir luzes piscando dentro de mim, flutuando como vapores sobre as rochas despedaçadas do meu ego enquanto uma floresta de pequenos nervos vibrava, exalando um odor ruim, cheirando exatamente como o abalo podre de um dente cariado. Meio bêbado, meio enjoado, meio na varanda, meio fora dela, porque passara a perna por cima do peitoril como se eu pudesse respirar melhor com o dedão do pé apontando para a lua, eu espiei para dentro do meu ser, toda aquela luz bonita e aquele nervo em decomposição, e me dispus a escutar. O que equivale a dizer, espiei as profundezas daquele bruxuleio de morte antiga e loucura nova, aquela dama platinada com sua luz de prata, e ela estava no meu ouvido, eu ouvia sua melodia: “Venha a mim” dizia. “Venha agora. Agora!”, e senti o meu outro pé passar por cima do peitoril, e fiquei de pé do lado externo da varanda, somente os meus dedos (os polegares estavam para cima apontando como chifres para a lua), somente os meus oito dedos me impediam de mergulhar no espaço. Mas era ainda pior. Porque eu sabia que voaria. Meu corpo cairia como um saco, edifício abaixo, roupas, ossos e tudo, mas eu me reergueria, a parte de mim que falava e pensava e vislumbrava a paisagem do meu ser pairaria, se elevaria, venceria os quilômetros de trevas até a lua. Como um leão eu me reuniria às legiões do passado e compartiria seu poder. "Venha a mim", dizia a lua, "chegou a sua hora. Que alegria voar". E eu cheguei a soltar uma das mãos. A esquerda. O instinto estava me aconselhando a morrer.

Que instinto e onde? A mão direita apertou com mais força o peitoril e eu me virei rápido para a varanda, quase batendo no parapeito, minhas costas agora voltadas para a rua e o céu. Somente se girasse a cabeça poderia ver a Senhora Lua.

"Caia", disse ela mais uma vez, mas o momento passara. Agora, se eu caísse, todo o meu corpo cairia. Não haveria viagem.

"Você ainda não pode morrer", disse a parte formal do meu cérebro, "ainda não terminou sua tarefa."

"Verdade", disse a Lua, "mas viveu sua vida, e morreu com ela." "Não me deixe morrer completamente", exclamei de mim para mim e tornei a passar por cima do parapeito e me larguei em uma cadeira. Estava nauseado. Afirmo que estava nauseado de um jeito que nunca estivera antes. Em profundezas febris ou cruzando aos solavancos as corredeiras de uma forte náusea, a alma da pessoa sempre poderia falar com a pessoa: "Veja só o que este mal-estar está fazendo conosco, seu covarde", a voz poderia dizer, e a pessoa tremeria e se contorceria febril, mas isso pelo menos era um pesadelo. O mal-estar de agora, aninhado na espreguiçadeira, era uma extinção. Eu sentia o que era bom em mim se afastar, talvez ir embora para sempre, subindo afinal à lua, minha coragem, meu espírito, ambição e esperança. Nada além de mal-estar e fezes restava no saco que era meu tronco. E a lua retribuiu o meu olhar, agora funesta em seu fulgor. Você me entenderá se eu disser que naquele instante senti a outra doença sobrevir, que percebi então que se levasse vinte ou quarenta anos para eu morrer, que se eu morresse de uma rebelião nas células, um tumor que contrariasse o desenho dos meus órgãos, que nesse momento é que tudo começara, fora nesse momento que as células tinham extrapolado? Eu jamais conhecera tal mal-estar – a vingança da lua foi completa. Que completo sufocamento das minhas faculdades, como se eu tivesse desapontado uma dama e agora devesse comer os vermes frios do seu desprazer. Nenhuma nobreza parecia ter restado em mim.

Muito bem, me levantei daquela espreguiçadeira e voltei à sala, que dava a sensação de uma piscina térmica. Tão pesado de vapor o ar na minha barriga, tão ultravioleta pareceu a luz. Eu devia estar muito mal, porque havia uma auréola em torno de cada luz, cada lâmpada se destacava como um personagem, e lembro-me de pensar: claro, é assim que deve ter parecido a Van Gogh no final.

– Você não parece muito bem – comentou o anfitrião.

– Bem, amigo, estou me sentindo ainda pior do que pareço. Me serve um pouco de sangue?

O *bourbon* teve gosto de óleo de linhaça e produziu uma fumacinha nas cavernas figadais da minha barriga. Eu percebia uma radiosidade lunar através da janela, e o medo voltou como a vaia de um valentão lá fora na rua.

– É uma grande noite para a raça – falei.

– Que raça? – perguntou meu anfitrião. Era óbvio que ele queria me ver pelas costas.

– A raça humana. Ho. Ho. Ho – esclareci.

– Steve!

– Já estou indo.

Minha mão lhe estendeu o copo como se lhe ofertasse uma maçã reluzente, então fui embora, fechando a porta do meu anfitrião com tanto cuidado que ela não fechou. Virei-me para puxá-la mais uma vez e senti em mim uma força palpável como um campo magnético. "Dá o fora daqui", dizia uma voz no meu cérebro. O elevador demorou demais. Apertei o botão e tornei a apertá-lo, mas não ouvi o menor som de cabo ou de cabine. Desatei a suar profusamente. “Se você não estiver longe daqui em trinta segundos”, disse a mesma voz, “sua nova doença vai avançar mais um pouco. As metástases são feitas de momentos como este, garotão.” Então precipitei-me escada abaixo. Foram dez andares com dois lances a cada andar, vinte lances de degraus de concreto, paredes de blocos de cimento pintadas de verde abacate, gradis de cano vermelho-sangue, e eu voei perseguido pelo pânico, porque perdera a noção de estar vivo e aqui na terra, parecia mais que estava morto e pouco consciente disso, talvez fosse assim na primeira hora após a morte se a pessoa escolhesse morrer na cama – talvez ficasse errando sem parar, acreditando estar vivo.

A porta para o hall de entrada estava chaveada. Naturalmente. Cansei de lhe dar socos – estava quase convencido de que morrera – e me apoiei em um pé, tirei o sapato e comecei a bater nela com força. O porteiro a abriu enfurecido.

– Qual é o problema? – indagou. – Subo no elevador e o senhor não está lá. – Era italiano, um massa bruta rejeitado pela Máfia – tinham lhe dado este emprego ao concluírem que era imprestável para servir mesas em bares imprestáveis. – Não tem consideração? – perguntou.

– Vai tomar no cu, meu amigo – calcei o sapato e saí andando. Quando fui chegando à rua ele resmungou às minhas costas:

– Vai você.

Caminhando rápido distanciei-me dois quarteirões até perceber que esquecera do sobretudo. Era uma noite de fins de março, fazia frio, estava bem mais frio agora do que estivera na varanda, e estremeci ao perceber o vento atingindo a floresta de nervos em minhas entranhas. Sentia agora esses nervos se torcerem como uma colônia de vermes; encolhiam-se quando o vento passava. Uma familiar infelicidade se instaurou em mim. Eu chegava a ficar afastado de Deborah uma semana ou duas de cada vez, mas sobrevinha um momento, sempre sobrevinha um momento, depois que todo o resto desaparecia, em que era impossível não telefonar para ela. Em momentos assim eu tinha a sensação de ter cometido haraquiri e estar andando com o tronco separado do ventre. Era um momento fisicamente insuportável, eram as ruínas do meu amor por ela, o amor escorrendo da ferida, deixando para trás seu senso de desolação como se todo o amor que eu possuía estivesse se perdendo e uma catástrofe cujas dimensões eu sequer podia vislumbrar estivesse se armando em decorrência. A esta altura meu ódio era maior do que o não-ódio, minha vida com ela tinha sido uma série de sucessos anulados por rápidos fracassos, e eu sabia até onde era possível confiar que ela se esforçara ao máximo para parir cada perda, ela era uma artista em sugar a medula de um osso partido, trabalhava cada lado da rua com a perícia compartilhada apenas pelas melhores prostitutas e as herdeiras mais profissionais. Certa vez, por exemplo, em uma festa, um amigo dela, um homem de quem eu jamais conseguira gostar, um homem que jamais gostara de mim, resolveu implicar comigo só porque eu era uma celebridade televisiva e acabou se excedendo. Convidou-me a boxear. Ora, estávamos ambos bêbados. Mas, em se tratando de boxe, eu era um bom *torero de salón*. Eu não era ruim com quatro copos de bebida e mobília para rodear. Então lutamos para feroz divertimento e histérica consternação das senhoras e a avaliação sóbria dos cavalheiros. Eu estava me sentindo malvado. Atraquei-me com ele e lhe dei uns socos, golpeei-o no queixo o quanto quis, mantendo a mão aberta mas batendo para valer, ele era tão idiota, e passado um minuto, ele começou a revidar o mais forte (e ferozmente) que pôde, enquanto eu aprofundava minha concentração. O que é a primeira recompensa do boxe. Comecei a desviar conforme o seu olhar e sua troca de punhos, me acomodei à calmaria de um tufão volumoso, a vitória era doce e crescia em mim, senti sua aproximação vinte lances antes, ele ia terminar com três socos na barriga e os braços abertos, bastaria isso para mim, seus olhos estavam suados e os meus, mais aguçados. Nesse instante sua mulher interferiu.

– Parem! – gritou. – Parem imediatamente! – e se interpôs entre nós.

Ele era do tipo insistente.

– Por que nos interrompeu? Estava começando a ficar divertido.

– Divertido! – retorquiu ela. – Você ia acabar morto.

Bem, a conclusão da história é que quando me virei para dar uma piscadela para Deborah – ele sempre me ouvira falar muito de boxe mas nunca me vira lutar –, descobri que se retirara da sala.

– Claro que me retirei – disse mais tarde. – Foi horrível, você abusando daquele coitado.

– Coitado? Ele é maior do que eu.

– E dez anos mais velho.

Aquilo estragou o meu prazer. Na próxima vez que um amigo de passagem me convidou para lutar em uma festa – acho que foi um ano depois, nem *todas* as festas terminavam em luta –, recusei. Ele fez tudo para me convencer. Continuei a recusar. Quando chegamos em casa, ela disse que eu estava com medo. Não adiantou me referir ao primeiro episódio.

– Esse homem pelo menos era mais moço que você.

– Eu poderia tê-lo enfrentado.

– Não acredito. Você estava com a boca frouxa e suando.

Quando me examinei no íntimo não tive mais certeza de que não sentira medo. Então isso ganhou importância para mim. Eu já não sabia.

Podia-se multiplicar essa agulhada por mil; Deborah era uma artista com a agulha e nunca espetava a pessoa duas vezes no mesmo lugar. (A não ser que o furo tivesse ulcerado.) Por isso eu a odiava, odiava mesmo, mas meu ódio era uma jaula em que eu prendia o meu amor, e sem saber se teria forças para me libertar. O casamento com ela era a armadura do meu ego; removia-se a armadura e talvez eu desmoronasse como barro. Quando estava totalmente deprimido comigo mesmo tinha a impressão de que ela era a única realização que eu poderia apontar, afinal eu fora o homem com quem Deborah Caughlin Mangaravidi Kelly vivera em casamento, e uma vez que em seu tempo ela fora famosa por escolher e rejeitar uma galeria de namorados: políticos de primeira linha, pilotos de corrida, magnatas e um bom número de *playboys* qualificados do mundo ocidental, ela fora o meu passe para a primeira divisão. Eu a amara com a fúria do meu ego, e ainda a amava assim, mas amava-a do modo que uma tamborileira amava o poder da banda pela importância que ela dava a cada passo empertigado. Se eu era um herói de guerra, um ex-congressista, um professor de reputação popular, embora meio duvidosa, e uma espécie de astro de programa televisivo que não suporto sequer explicar aqui, se tinha também defendido uma tese em psicologia existencial, uma tarefa hercúlea de seis a vinte volumes que (idealmente) deixaria Freud de ponta-cabeça (mas continuava em minha própria cabeça), guardava também a secreta ambição de voltar à política. Tinha idéia de algum dia concorrer ao senado, uma operação que não seria possível sem as vastas conexões do clã de Deborah. Naturalmente nunca recebêramos um centavo *deles* – vivíamos com o dinheiro que *eu* ganhava, ainda que Deborah tivesse acumulado gostos e hábitos compatíveis com a fortuna que Barney Oswald Kelly fizera. Ela alegava que o pai parara de sustentá-la quando se casou comigo – o que é possível –, mas eu sempre achei que mentia. Era mais provável que ela não confiasse suficientemente em mim para me mostrar o produto do saque que enterrara. Herdeiras têm uma balança: entregam seu coração um quarto de século antes de soltarem os cordões de sua bolsa. Eu não ligava para o dinheiro em si, em parte odiava-o, talvez até tivesse desprezado o dinheiro se não tivesse ficado evidente como era irrealizado e pouco viril o núcleo de minha força. Era como estar casado com uma mulher que não abria mão de seu primeiro amante.

Em todo o caso, essas eram as minhas fichas. Sem Deborah elas representavam apenas mais um nome nas conversas de bar e colunas de fofocas de Nova York. Com ela ao meu lado, porém, eu tinha uma alavanca, era uma das figuras mais ativas da cidade – ninguém podia concluir que eu nunca faria nada de bom. Mas para mim mesmo os indícios não se traduziam em um bom caso: provavelmente eu não tinha força para me manter em pé sozinho.

O problema é que pintei um retrato inexato de Deborah e com isso me diminuí. Ela possuía, na melhor das hipóteses, a força de uma vencedora, e quando ela me amava (o que em média ocorria em dias alternados ou a cada três dias) sua força parecia então passar para mim e minha argúcia reavivava, eu tinha vitalidade, podia depender do meu vigor, tinha o meu estilo. O problema era que essa dádiva era apenas um empréstimo. No momento em que ela parava de me amar – o que poderia acontecer por um erro grave como não ter aberto uma porta com uma certa encenação, lembrando-lhe assim de todos os espadachins, os humoristas e árbitros que tinham aberto portas para ela passar em melhores noites –, então a minha psique era arrebatada do palco e enfiada no poço. Um contrato diabólico, e durante todo o ano que passou, sem viver juntos, mas jamais separados, porque embora pudesse passar umas duas semanas em que eu mal pensava nela, ainda assim de repente chegava uma hora em que toda a substância do meu eu se esvaía e eu tinha que vê-la. Sentia uma necessidade física de vê-la tão incisiva quanto o pânico de um viciado à espera da droga – se fosse obrigado a suportar muitos minutos mais, quem sabe que dano intolerável poderia resultar?

Era o que ocorria agora. Andando pela rua nessa noite fria de março, começaram os horrores da privação. Nessas ocasiões em que tinha de vê-la, meu instinto me alertava que se esperasse mais meia hora, ou até mais dez minutos, poderia perdê-la para sempre. Não fazia sentido, quase sempre me enganava ao prever o seu humor, eu andava confuso demais esses meses para conseguir adivinhar o estado de espírito em que poderia estar, contudo eu sabia que o modo mais provável de acabar perdendo-a era esperar demais por uma noite excepcional em que ela estivesse desejando que eu telefonasse. Porque uma vez passado um certo momento, uma vez que Deborah dissesse a si mesma "Livrei-me dele, enfim livrei-me dele para sempre", então tudo terminaria. Tudo com ela era definitivo, levava uma eternidade para se decidir, mas chegado o momento não olharia para trás.

Então entrei em uma cabine telefônica, e tremendo no ar frio ali dentro, disquei seu número. Ela estava em casa – era uma agonia nas noites em que eu telefonava e ela saíra –, mas essa noite ela estava em casa, e foi gentil. O que era um péssimo sinal.

– *Querido* – exclamou –, onde esteve? Você precisa vir depressa. – Ela era uma mulher bonita, Deborah, era grande. De saltos altos ela era no mínimo dois centímetros mais alta do que eu. Tinha uma vasta cabeleira negra e admiráveis olhos verdes suficientemente arrogantes e por vezes suficientemente risonhos para pertencerem a uma rainha. Tinha um nariz grande de irlandês e uma boca larga que assumia muitas formas, mas sua pele era sua reivindicação à beleza, branco-leitosa, as faces levemente rosadas, séculos de névoa irlandesa tinham produzido aquela pele. Era, porém, sua voz que primeiro nos seduzia. Seu rosto era grande e tudo menos honesto; sua voz era uma obra-prima de perfídia. Clara como um sino, mas resvalava insinuações, saltava como uma gazela, deslizava como uma cobra. Não conseguia pronunciar uma frase sem atribuir uma nuance a uma palavra inocente. Talvez fosse a voz de uma mulher em quem não se podia confiar por um instante, mas eu não sabia se poderia esquecê-la.

– Já estou chegando – respondi.

– Corra. Você precisa *correr*.

Quando nos separamos, foi ela quem se mudou. Nosso casamento fora uma guerra, uma boa guerra do século XVIII, travada segundo muitas regras, a maioria desrespeitada se o prêmio em jogo fosse bastante vistoso, mas tínhamos desenvolvido o respeito cordial de um general inimigo pelo outro. Assim, pude admirar a estratégia brilhante de me deixar em nosso apartamento. Ele a sufocava, explicou-me, era uma fonte de muita infelicidade. Se íamos nos separar, não era muito lógico que ela continuasse a viver em um apartamento de que não gostava, não, era melhor me deixar lá, afinal eu gostava do apartamento. Não gostava, jamais gostara, mas tinha fingido gostar. Portanto herdei sua infelicidade. Agora, o apartamento, a arena vazia do nosso casamento, sufocava *a mim,* mas eu não tinha a coragem, o tempo, nem o simples desespero para me mudar. Usava-o como um lugar onde largar minhas camisas sujas. Nesse meio-tempo, ela pulava de uma boa suíte para outra; sempre havia um amigo viajando para a Europa e nenhum estava disposto a lembrar a Deborah que o aluguel atrasara demais. (Como eram covardes os seus amigos!) No final eu receberia a conta, seria uma cacetada, 2.700 dólares por três meses de aluguel – eu a guardaria, nem pensar em pagar. Parte do desgaste das minhas reservas militares tinham sido essas despesas. Deborah recebia quatrocentos dólares por semana – não tinha sentido lhe dar menos, ela simplesmente penduraria as contas, e eu andava ralando e dando pulos, aceitando trezentos dólares por uma aparição em programa de televisão, e setecentos e cinqüenta por uma palestra apimentada para umas tais Ladies Auxiliary em Long Island – "uma abordagem existencial do sexo". É, as dívidas estavam acabando comigo. Eu já estava dezesseis mil dólares no buraco e provavelmente até mais – não me dava o trabalho de somar.

O apartamento que ela ocupava no momento era um pequeno dúplex suspenso uns trinta metros ou mais sobre o East River Drive, cada superfície vertical de seu interior revestida de papel texturizado, que devia ter custado uns 25 dólares o metro; uma estufa de aveludadas salpiglossas chilenas bidimensionais, magníficas, sinistras, cultivadas em ramos delgados farfalhavam de cada parede, no andar de cima e de baixo. Tinha a densidade específica de uma selva concebida por Rousseau, e era entre os apartamentos de que se apropriara o que Deborah mais gostava. "Eu me sinto bem aqui", diria, "bem e *quente*".

A empregada abriu a porta para mim.

– Madame está lá em cima no quarto – informou com um sorriso. Era uma jovem alemã que devia ter tido uma vida interessante nas ruínas de Berlim desde os cinco anos de idade, porque nada fugia à sua atenção. Ultimamente dera para sorrir para mim com um ar vingativo e engraçado de fingida compaixão que prometia arquivos de detalhes se algum dia eu fosse rico o bastante para fazê-la falar ao menos uma vez. Por vezes eu me sentia tentado a começar, a agarrá-la no hall e me apossar de sua boca apimentada, sobrepor minha língua à dela e tanger com uma carícia aquela melodia maliciosa que poderia cantar. O que madame fazia comigo ela sabia muito bem, porque eu ainda passava uma noite com Deborah de tempos em tempos, mas o que madame fazia com os outros... isso teria de ser comprado.

Subi a escada, um corredor fofo e perfumado com paredes floridas. Deborah estava deitada. Seu corpo não era apenas grande, mas indolente, e ela se enfiava na cama sempre que não lhe ocorria outra coisa a fazer.

– Meu Deus – exclamou –, você está com uma aparência horrível. – Os cantos de sua boca se enterneceram. Nunca me detestava mais do que quando eu ia vê-la de ótima aparência. – Você realmente está uma criatura desprezível hoje à noite.

Será que sabia da cena na varanda? Às vezes eu me convencia de que estava doido, porque não me parecia nada excepcional que Deborah tivesse entrado em contato com a lua e agora soubesse de tudo. A minha Deborah tinha poderes, era paranormal em último grau e tinha a faculdade de rogar pragas. Certa vez, depois de uma briga com ela, ganhei três multas de trânsito em quinze minutos, uma por trafegar na contramão, uma por furar um sinal vermelho e uma porque o policial no último carro não gostou do meu olhar e decidiu que eu estava embriagado. Tudo aquilo fora uma espécie de aviso de Deborah, eu não tinha dúvida. Podia vê-la esperando sozinha na cama, acenando languidamente com seus longos dedos para conjurar as bruxarias e os policiais do trânsito sob seu comando.

– Foi uma festa ruim – respondi.

– Como está o Philippe?

– Com boa aparência.

– Ele é um homem *muito* atraente. Não acha? – perguntou Deborah.

– Todos que conhecemos são atraentes – repliquei para aborrecê-la.

– Menos você, queridinho. Parece que desta vez acabou com o seu fígado para sempre.

– Não estou muito feliz.

– Bem, venha para cá e viva. Não há nenhuma razão para que não volte a viver comigo.

Era um convite aberto. Queria que eu me desfizesse do meu apartamento, vendesse a nossa mobília e fosse morar com ela. Decorrido um mês ela tornaria a se mudar, largando-me com o papel texturizado.

– Se você tivesse vindo hoje à tarde – continuou ela –, teria visto Deirdre. Agora ela foi para a escola. Você é um canalha por não ter vindo vê-la.

Deirdre era a filha dela, minha enteada. O primeiro marido de Deborah fora um conde francês. Morrera de uma doença prolongada um ano depois de casado, e, pelo que eu sabia, Deirdre era filha daquele casamento, uma menina frágil e atormentada com olhos que encerravam uma promessa de que aprenderia tudo sobre você se o olhasse muito tempo, por isso preferia não olhar. Eu a adorava, percebera havia anos que ser padrasto de Deirdre era a parte mais agradável do nosso casamento; esse era o motivo por que agora tentava vê-la o menos possível.

– Ela estava feliz de voltar para a escola desta vez?

– Ela teria ficado mais feliz se você tivesse passado aqui. – O rosto de Deborah começou a avermelhar. Quando se zangava, um fogacho, intenso como uma urticária, malhava seu pescoço. – Você fingiu amar aquela criança durante tanto tempo e agora não lhe dá a mínima atenção.

– É muito doloroso.

– Nossa, você é um chorão. Às vezes eu fico aqui deitada pensando como foi que você se tornou herói. É um chorão abjeto. Presumo que os alemães estivessem chorando ainda mais do que você. Deve ter sido um espetáculo. Você chorando e eles chorando, e você fazendo pop, pop, pop com sua espingardinha?

Ela jamais fora tão longe.

– Como é que você conta essa história atualmente? – continuou Deborah.

– Não conto.

– Exceto quando está bêbado demais para se lembrar.

– Nunca estou bêbado demais para me lembrar.

– Não posso me conformar com a sua aparência – exclamou Deborah. – Quero dizer, você realmente está parecendo um pobre ambulante do Lower East Side.

– Sou descendente de vendedores ambulantes.

– E dá para esquecer, benzinho? Toda aquela gentinha materialista e aproveitadora.

– Bom, eles nunca prejudicaram ninguém particularmente. – Era uma referência ao pai dela.

– Não, não prejudicaram, mas tampouco tiveram coragem de fazer mais nada na vida. Exceto fazerem seu pai inteligente o suficiente para fazer sua mãe e depois fazer você. – Disse isso com tal assomo de fúria que me inquietei. Deborah era violenta. Eu tinha uma cicatriz feia na orelha. As pessoas pensavam que tinha me machucado boxeando, mas a verdade era menos apresentável – Deborah quase a arrancara com os dentes em uma briga.

– Devagar – falei.

– Você está frágil hoje à noite, não? – E confirmou com a cabeça, seu rosto quase gentil, quase atencioso, como se estivesse escutando o eco de um acontecimento. – Sei que lhe aconteceu alguma coisa.

– Não quero falar no assunto. – O que era, na verdade, um contra-ataque. Deborah não suportava não saber.

– Pensei que você estivesse morto – disse ela. – Não é engraçado? Eu tinha certeza de que estava morto.

– Você lamentou?

– Ah, lamentei muito. – Ela sorriu. – Pensei que tivesse morrido e deixado em testamento que queria ser cremado. Eu ia guardar as cinzas em uma urna. Ali: ao lado da mesa da janela. Toda manhã eu iria pegar um punhado e jogar no East River Drive. Com o tempo, quem sabe, você estaria *pulverizado* por toda Nova York.

– E eu teria feito o máximo para assombrá-la.

– Não pode, amoreco. Não quando se é cremado. A alma é atomizada. Não sabia? – Seus olhos verdes tinham um brilho particularmente malvado. – Venha cá, querido e me dê um beijo.

– Eu preferia não dar.

– Diga-me por que não.

– Porque vomitei agora há pouco e meu hálito está com mau cheiro.

– Mau cheiro nunca me incomoda.

– Pois incomoda a mim . E você andou bebendo rum. Está com um bafo horrível. – Era verdade. Quando bebia demais, exalava um cheiro adocicado de podridão. – Os irlandeses não foram feitos para beber rum – falei –, ressalta o cheiro de sua gordura.

– Você fala assim com todas as suas menininhas.

Ela não sabia o que eu fazia nos dias e semanas que passava longe. Isso sempre insuflava sua raiva. Certa vez, havia muitos anos, ela descobriu um caso amoroso de que eu fazia segredo. Era com uma jovem bem comum que (sem dúvida para compensar) era um vulcão na cama. No resto, a garota era inegavelmente sem graça. Deborah veio a saber. Os detalhes subseqüentes foram penosos, detetives particulares, e vai por aí, mas o mais indigesto foi Deborah ter ido com o detetive particular a um restaurante onde a moça sempre almoçava e a estudado durante uma refeição, durante uma longa refeição que a coitada comeu sozinha. E a cena que se seguiu!

– Acho que nunca estive tão deslocada em toda a minha preciosa vida – comentara Deborah. – Quero dizer, *figure-toi*, amoreco, tive que manter uma conversa com um detetive, um homem *horroroso*, e ele ficou rindo de mim. Todo aquele dinheiro gasto em honorários, e para que, uma pobre ratinha molhada. A moça tinha medo até das *garçonetes*, e isso em um salão de *chá*. Que garotão você deve ser para se meter com uma ninfeta.

O que realmente a enfurecia é que não houve drama; se o caso tivesse sido com uma de suas amigas ou com uma mulher de sociedade, então Deborah teria ido à luta e partido para uma de suas formidáveis campanhas, socos e pontapés, dentadas e unhaços, uma série de festas com requintados confrontos; mas eu andara apenas fazendo pipi fora do pinico e esse era o pecado imperdoável. Desde então Deborah só se referia às minhas *menininhas*.

– Que é que você diz a elas, amoreco? – perguntou Deborah agora. – Você diz "Por favor pare de beber tanto por que você está cheirando a toucinho" ou você diz "Ah, querida, adoro o seu bodum"?

As manchas tinham se espalhado em borrões e malhas feias em seu pescoço, em seus ombros e no que eu podia ver de seus seios. Elas irradiavam uma repulsa tão palpável que o meu corpo começou a acelerar como se um elemento estranho, um veneno sufocante estivesse começando a se infiltrar em mim. Alguma vez você sentiu a malignidade que exala um pântano? É real, eu poderia jurar, e um farfalhar de agourenta calma, aquele ar pesado que respiramos horas antes de um furacão, baixou entre nós. Senti medo dela. Era bem capaz de me matar. Suponho que haja assassinos a que damos as boas-vindas. Eles nos oferecem uma morte limpa e uma passagem livre para nossa alma. A lua falara comigo como um assassino assim. Mas Deborah prometia um mau enterro. A pessoa sucumbiria à morte e o estrume abafaria o que lhe restava de ar. Ela não queria estraçalhar o corpo, estava a fim de corromper a luz e, numa epidemia de medo, como se seu rosto – aquela boca larga, o nariz carnudo e os penetrantes olhos verdes, agudos como setas – viesse a ser a minha primeira visão da eternidade, e, como se ela fosse um anjo da morte (um demônio da morte), ajoelhei-me ao seu lado e tentei segurar-lhe a mão. Estava mole agora como uma água-viva, e quase tão repugnante – o contato disparou na palma da minha mão centenas de agulhas que me picaram o braço exatamente como se eu estivesse nadando à noite e esbarrasse em uma caravela-portuguesa.

– Gosto de sentir sua mão – disse ela mudando subitamente de humor.

Houve uma época em que dávamos as mãos com freqüência. Ela engravidara três anos depois de casarmos, uma gravidez difícil de manter, porque havia uma má formação em seu útero – ela nunca era explícita – e suas trompas sofriam de uma inflamação crônica desde que Deirdre nascera. Mas tínhamos conseguido, queríamos um filho, havia compatibilidade entre nós, acreditávamos, e nos demos as mãos durante os primeiros seis meses. Então desmoronamos. Depois de uma noite de bebedeira e uma briga desmesurada, ela perdeu o bebê, ele nasceu antes do tempo, aterrorizado, sempre achei, com o ventre que o gestava, saiu e tornou a entrar para morrer, despedaçando nesse aborto a esperança de outro filho. O seu legado foi uma terra de vingança. Agora, conviver com Deborah era como sentar para jantar em um castelo vazio tendo como anfitrião apenas um mordomo e sua maldição. Sim, ajoelhei-me com medo, minha pele tensionou, eletrificada, do avesso de um profundo arrepio. Todo o tempo ela acariciava minha mão.

Mas a compaixão, o pássaro aprisionado da compaixão, lutou para sair do meu peito e voou para minha garganta.

– Deborah, eu amo você – falei. Eu não sabia naquele instante se estava sendo sincero ou se era um monstro enganador, me escondendo de mim mesmo. E tendo dito isso, percebi o erro. Por que todo o sentimento abandonou sua mão, até mesmo aquele formigamento tão nocivo à minha pele, e restou um toque frio e vazio. Eu poderia estar segurando um pequeno ataúde na palma da mão.

– Você me ama, amoreco?

– Amo.

– Deve ser horrível. Porque você sabe que não o amo mais.

Disse isso tão calmamente, com tanta determinação, que voltei a pensar na lua e na promessa de extinção que descera sobre mim. Eu abrira um vazio – agora eu não tinha mais cerne. Entende? Não pertencia mais a mim mesmo. Deborah ocupara o meu cerne.

– É, você está outra vez com uma aparência horrível – disse Deborah. – Estava começando a parecer bem há pouco, mas agora está outra vez horrível.

– Você não me ama.

– Ah, nem um pouquinho.

– Você sabe o que é olhar para alguém que se ama e não ver amor algum em retribuição?

– Deve ser péssimo – respondeu Deborah.

– É insuportável – eu disse. Sim, o meu centro desaparecera. Dentro de mais um minuto eu começaria a me humilhar.

– É insuportável – disse ela.

– Você sabe o que é?

– Sei.

– Já sentiu isso?

– Houve um homem a quem amei muito – respondeu ela –, mas ele não me amava.

– Você nunca me contou isso.

– Não, não contei.

Antes de casarmos, ela me contara tudo. Confessou todos os amantes sem exceção – era a sua herança do convento: fizera mais do que contar, entrara em detalhes –, nós dávamos risadinhas no escuro enquanto ela batia no meu ombro com um dedo cuidado e muito experiente, me dando uma idéia do vaivém do ímpeto ou da graça (ou falta de graça) de cada um dos seus amantes, me dera até uma idéia do que era bom nos melhores deles, e eu a amava por isso, por mais doloroso que por vezes fosse o relato, porque pelo menos ficara sabendo o que me esperava. Quantos maridos poderiam dizer o mesmo na vida? Era a garantia do nosso amor; fosse o que fosse o nosso amor, esse era o nosso pacto, aquela fora a sua maneira de dizer que eu era mais valioso do que os outros.

E agora ela estava dentro de mim, fundida com o meu cerne, pronta para mandar tudo pelos ares.

– Você não está falando sério – repliquei.

– Estou. Houve um homem de quem nunca lhe falei. Nunca falei dele a ninguém. Embora uma vez alguém tivesse adivinhado.

– Quem era o homem?

– Um toureiro. Um homem maduro maravilhoso.

– Você está mentindo.

– Como queira.

– Não era um toureiro.

– Não, não era. Era alguém muito melhor do que um toureiro, muito mais importante. – Seu rosto arredondara de malícia e as malhas vermelhas tinham começado a desbotar. – Na verdade era o homem mais fino e mais extraordinário que já conheci. Delicioso. Era um banquete maravilhoso e delirante. Tentei fazer-lhe ciúmes uma vez e o perdi.

– Quem poderia ser? – perguntei.

– Não se dê ao trabalho de ficar pulando de um pé para outro como um garotinho de três anos que quer ir ao banheiro. Não vou lhe dizer. – Ela tomou um gole de rum e sacudiu o cálice com uma certa delicadeza, como se os suaves círculos do líquido pudessem transmitir uma mensagem a alguma força distante ou, melhor ainda, receber alguma. – Vai ser um tédio não ter você aqui de vez em quando.

– Você quer o divórcio – falei.

– Acho que sim.

– Assim?

– Não é *assim*, querido. Depois de tudo. – Ela bocejou de um jeito bonito e por um momento pareceu uma irlandesinha de quinze anos. – Quando você não veio hoje se despedir da Deirdre...

– Eu não sabia que ela estava de partida.

– Claro que não sabia. Como poderia? Faz duas semanas que não liga para ela. Estava por aí dando fungadinhas e mordidas em suas menininhas. – Ela não sabia que no momento eu não tinha namorada.

– Elas não são mais tão novinhas. – Um incêndio começava a se espalhar em mim. Ardia agora no meu estômago, e os meus pulmões estavam secos como folhas mortas, meu coração abrigava uma pressão que prometia explodir. – Sirva-nos um pouco do rum – pedi.

Ela me passou a garrafa.

– Bem, elas talvez não sejam mais novinhas, mas duvido um pouco, amoreco. Além do mais, não me interessa. Porque fiz um juramento esta tarde. Disse a mim mesma que nunca mais... – não terminou a frase, mas ia falar de uma coisa que fizera comigo e nunca com outros. – Não – disse ela –, eu pensei: não há mais necessidade disso. Nunca mais. Não com o Steve.

Eu é que lhe ensinara, mas Deborah desenvolvera um gosto próprio, marcante e régio por esse pequeno número. Provavelmente se tornara o primeiro dos seus prazeres.

– Nunca mais? – perguntei.

– Nunca. Só pensar nisso, pelo menos com relação a você, amor, me faz escovar as gengivas com água oxigenada.

– Bem, adeus a tudo isso. Você não é tão perita, para falar a verdade.

– Não tão competente como as suas menininhas?

– Não como umas cinco que eu poderia citar.

As manchas reapareceram em seus ombros e pescoço. Ela desprendeu um odor forte de podridão e almíscar e outra coisa muito mais violenta. Lembrava o cheiro de um carnívoro no zôo. Era medonho, um bafo de borracha queimada.

– Não é estranho? – perguntou Deborah. – Não ouvi a menor queixa de nenhum namorado novo.

Desde o dia da nossa separação ela não admitira ter amante. Não até o momento. Uma dor triste e forte, quase prazerosa me invadiu. Foi imediatamente substituída por um agudo horror.

– Quantos você tem? – perguntei.

– No momento, amoreco, só três.

– E você... – mas não pude fazer a pergunta.

– É, querido. Tudinho. Nem posso lhe dizer como eles ficaram chocados quando eu comecei. Um deles exclamou: "Onde foi que você aprendeu a chupar desse jeito? Eu não sabia que se fazia isso fora de bordel mexicano".

– Cala essa boca, porra.

– Ultimamente tenho treinado à beça.

Dei-lhe um tapa no rosto. Eu pretendera – em uma última intenção serena de minha mente – que fosse apenas um tapa, mas meu corpo estava agindo mais depressa do que o meu cérebro, e o golpe apanhou-a do lado da cabeça e empurrou-a para fora da cama. Ela se levantou como um touro e como um touro ela avançou. Sua cabeça me atingiu no estômago (fazendo disparar uma descarga elétrica naquela floresta de nervos) e ela meteu o joelho com força na minha virilha (ela lutava como um valentão de escola preparatória), e, não tendo acertado, esticou as mãos tentando agarrar o meu cacete e me aleijar.

Foi a gota d'água. Mandei-lhe um soco na nuca, uma porrada certeira que a fez cair sobre um joelho, em seguida apliquei-lhe uma gravata e comprimi sua garganta. Ela era forte, sempre soube que era forte, mas agora sua força era descomunal. Por um momento duvidei que pudesse mantê-la embaixo, Deborah tinha quase a força necessária para se levantar e me suspender no ar, o que naquela posição era excepcional até para um lutador. Durante dez ou vinte segundos ela se esforçou para resistir, então sua força começou a passar, passar para mim, e eu senti o meu braço aumentar o aperto em seu pescoço. Eu tinha os olhos fechados. Fazia mentalmente a imagem de que estava empurrando o ombro contra uma enorme porta que cederia centímetro a centímetro ao meu esforço.

Uma de suas mãos agitou-se até o meu ombro e tocou-o gentilmente. Como um gladiador admitindo a derrota. Aliviei a pressão em sua garganta, e a porta que eu estava abrindo começou a se fechar. Mas eu vira de relance o que estava do outro lado da porta, o céu estava lá, um lampejo de cidades cravejadas de pedras preciosas fulgurando à luz de um crepúsculo tropical, arremeti mais uma vez contra a porta e mal senti sua mão largar o meu ombro, eu empurrava agora aquela porta com violência: espasmos me acometeram e minha mente gritou: "Controle-se! Você está indo longe demais, controle-se!". Eu recebia uma série de ordens como riscos luminosos que chicoteavam da cabeça para o ombro, e estava pronto a obedecer. Tentava parar, mas as pulsações se sucediam formando uma tempestade; um desejo atrabilioso, um desejo de prosseguir nada diferente do instante em que se penetra uma mulher apesar do seu grito de que não está protegida irrompeu furioso de mim e minha mente explodiu em um show de foguetes, estrelas e brasas vertiginosas, o braço em seu pescoço cortou o sussurro que eu ainda sentia ressoar em sua garganta, e, *craque*, eu a apertei com mais força, e *craque,* tornei a sufocá-la, e *craque*, dei-lhe o que merecia – jamais pare – e *craque,* a porta se escancarou e o fio soltou de sua garganta, atravessei a porta, o ódio me atravessando onda sobre onda, o enjôo também, podridão, pestilência, náusea, uma soturna sucessão de sais. Eu flutuava. Tão imerso em meu íntimo como jamais estivera, e os universos giravam em um sonho. Aos meus olhos fechados o rosto de Deborah parecia flutuar para longe do seu corpo e me encarar na escuridão. Lançou-me um olhar malévolo e disse: "O mal tem dimensões que transcendem a luz", e então sorriu como a ordenhadora do anúncio, se afastou pelo ar e desapareceu. E em meio àquela paisagem de esplendor oriental, senti o toque de seu dedo desaparecer do meu ombro, irradiar uma vibração leve mas não-erradicável de aversão em uma nova graça. Abri os olhos. Estava exausto com a mais honrada fadiga, e minha pele parecia nova. Não me sentia tão bem desde os doze anos. Parecia inconcebível nesse instante que alguma coisa na vida pudesse me desagradar. Mas ali estava Deborah, morta ao meu lado no tapete florido, e não havia dúvida alguma. Estava morta, realmente morta.

2

O fugitivo do salão de jogos

Naquela noite, há dezesseis anos, em que fiz amor com Deborah no banco traseiro do meu carro, ao terminarmos, ela levantou a cabeça, sorriu com uma expressão vaga e meio perplexa e perguntou:

– Você não é católico, é?

– Não.

– Sabe, tinha esperança que fosse católico polonês, Rojack.

– Sou metade judeu.

– E a outra metade?

– Protestante. Na verdade, nada.

– Na verdade, nada – repetiu ela. – Vamos, me leve para casa. – E ficou deprimida.

Levei oito anos para descobrir a razão, sete anos tocando a minha vida e o primeiro ano de nosso casamento. Precisei daquele primeiro ano inteiro para compreender que Deborah tinha preconceitos que eram tão complexos e atraentes quanto paixões. A aversão aos protestantes judeus e aos judeus gentios era total. "Eles desconhecem a graça", explicou-me finalmente.

Deborah, como qualquer outro católico fervoroso, estava impregnada por sua noção de graça. A graça era o noivo ladrão, a graça era o espectro em nosso leito matrimonial. Quando as coisas corriam mal, ela comentava com tristeza e até distanciamento:

– Eu costumava viver em graça, agora não. – Quando engravidou, a graça retornou. "Acho que Deus já não está tão aborrecido comigo." E de fato, em momentos como aquele, ela exalava uma ternura morna e encorpada, um bálsamo para os meus nervos por sua pureza: a graça de Deborah sempre continha uma sugestão de morte. Eu estava contente que me amasse; contudo, em momentos assim meus pensamentos vagavam até o pico vazio de uma montanha ou se preparavam para despencar pela parede cinzenta de uma onda de três metros em um mar tempestuoso. Isso era o amor com Deborah, e era diferente de fazer amor com Deborah; sem dúvida ela classificava os dois como Graça e Luxúria. Quando sentia amor, ela era formidável; fazendo amor deixava uma lembrança exata de se ter experimentado uma transação carnal com um animal enjaulado. Não era apenas o seu odor (aquele cheiro sem as luvas brancas) de javali selvagem, cheiro de podridão, aquele odor quente de uma galeria no zôo, não, havia algo mais, seu perfume, talvez, uma sugestão de santidade, algo calculista e cheio de astúcia como o sistema financeiro, isso – ela tinha cheiro de banco, Deus, ela teria sido demais para qualquer homem, havia algo tão sorrateiro em seu âmago, uma serpente, eu costumava literalmente imaginar uma serpente guardando a caverna que se abria para o tesouro, a riqueza, a riqueza ilicitamente adquirida de todo o mundo, e raro era o instante em que eu pagava minha parte sem sentir uma forte pontada de dor como se tivesse presas cravadas em mim. Ainda deitado sobre seu corpo, minha respiração flutuava em uma corrente de um fogo baixo e intenso, um sombrio fogo venenoso, um óleo em chamas que saía dela e me envolvia. Invariavelmente eu soltava um gemido como o arrastar de correntes, minha boca colada na dela, sem soluçar mas tentando respirar. Eu sempre me sentia como se tivesse me livrado de alguma promessa e pagado pelo seu resgate.

– Você é maravilhoso – ela dizia então.

Sim, eu passei a acreditar na graça e em sua ausência, no longo dedo de Deus e na chicotada do Diabo, passei a dedicar minha percepção científica à realidade das bruxas. Deborah acreditava em demônios. Era o sangue celta, certa vez ela se dispusera a explicar, os celtas estavam sintonizados com os espíritos, faziam amor, caçavam com os espíritos. E de fato ela era uma caçadora excepcional. Paticipara de um safári com o primeiro marido e matara um leão ferido que estava a três metros de sua garganta, abatera um urso polar com dois tiros no coração (uma Winchester 30/06), e suspeito que por fim tenha perdido a coragem. Ela insinuou certa vez que fugira de um animal e o guia fora obrigado a enfrentá-lo. Mas isso eu não sabia – ela não falava claramente. Ofereci-me para ir caçar com ela, em Kodiak, no Congo, não me importava onde: nos primeiros dois anos do nosso casamento eu teria me disposto à ir guerra com qualquer perito, guia ou campeão – ela se empenhou para me separar daqueles sentimentos românticos.

– Mas, querido, eu nunca poderia ir caçar com você – disse-me. – Pamphli – o quase impronunciável apelido do seu primeiro marido – era um caçador extraordinário. Era a melhor coisa que fazíamos juntos. Você não acha que quero estragar essa lembrança dando tiros por aí com você, acha? Isto não faria bem a nenhum de nós. Não, nunca mais vou caçar animais de grande porte. A não ser que eu me apaixone por alguém que seja um caçador divino.

Ela, como a maioria de seus amigos, tinha uma aristocrática indiferença pelo desenvolvimento do talento. Aproveitava-se o que estivesse florescendo, que era devorado se nos fizesse bem, mas deixava-se o plantio para outros.

Finalmente ela me levou a uma caçada – de toupeiras e marmotas. Mostrou-me a distância que me separava do seu amado Pamphli, mas, mesmo nessa caçada, um passeio descontraído pela matas de Vermont vizinhas à casa que estávamos alugando para a ocasião, constatei sua perícia. Ela não via a mata como as outras pessoas. Não, do frescor e da umidade, do cheiro aromático da mata suavizado pela decomposição, Deborah extraía um humor – ela conhecia o espírito que criava a atenção no arvoredo, disse-me uma vez que sentia o espírito observando-a, e quando ele era substituído por outra coisa, que também observava, então *ali* havia um animal. E havia. Um bichinho saltava do esconderijo e Deborah o acertava com sua 22. Ela era capaz de desentocar mais animais do que qualquer outro caçador que eu tenha visto. Muitas vezes atirava segurando a arma na altura do quadril, com a facilidade com que apontaria um dedo. E muitos bichos ela permitia que escapassem. "Pega esse", dizia, e às vezes eu errava o tiro.

O que provocava uma risada de suave desprezo totalmente sinistra. "Compre uma escopeta, querido", sussurrava. Caçamos umas poucas vezes apenas, mas, ao fim, percebi que eu nunca tornaria a caçar. Não com ela. Porque Deborah atirava nos animais mais bonitos e nos mais feios que desentocava. Abatia esquilos de caras exóticas, ternos como uma corça em seu desmaio mortal, e estraçalhava os quartos traseiros de marmotas cujo esgar ao morrer parecia esculpido em pedra como um chifre de gárgula. Nenhum trecho da mata continuava igual depois que ela tivesse caçado ali.

– Veja você – disse-me certa noite, já tarde, quando a bebida a deixara em um estado de espírito muito raro, nem violento, nem perverso, nem amoroso, mas simplesmente reflexivo, o ar girando sobre si mesmo –, sei que sou o que há de melhor e pior em qualquer pessoa viva, mas com qual dos dois nasci e qual eu adquiri?

– Você troca de lado a cada dia.

– Não, só finjo trocar – ela sorriu. – Sou ruim, para dizer a verdade. Mas desprezo o mal, realmente desprezo. Só que o mal é poderoso.

O que era uma maneira de dizer que a bondade era prisioneira da maldade. Depois de nove anos de casamento eu mesmo não fazia a menor idéia. Aprendera a falar em um mundo que acreditava no *New York Times*: Especialistas se dividem sobre a fluorização, Diplomatas atacam o texto do Conselho, Autodeterminação para Bantu, Chanceler resume objetivos das conversações, Mudança na saúde pública para idosos. Àquela altura perdera minha fé em tudo isso: agora eu nadava no poço das intuições de Deborah; estavam mais próximas da minha lembrança dos quatro alemães do que qualquer outra coisa que eu tivesse encontrado antes ou depois. O que eu não sabia, porém, era qual de nós aprisionava o outro, e como? Era horrível essa loucura de me deitar ao lado de Deborah no leito matrimonial e me perguntar quem era o responsável pela nuvem de más intenções que subia da fusão de nossos hálitos. Sim, eu passara a acreditar em espíritos e demônios, diabos, feiticeiros, augúrios, bruxos e seres malignos, em íncubos e súcubos; mais de uma vez eu me sentara na cama de uma mulher desconhecida sentindo garras no meu peito, um cheiro ruim familiar que se sobrepunha ao álcool em minha língua e os olhos verdes de Deborah me encarando no escuro, uma opressão quase de estrangulamento em minha garganta. Ela era maligna, eu concluía, e, em seguida, pensava que o bem somente viria visitar o mal disfarçado de mal: sim, o mal saberia que o bem viera somente pelo poder de sua força. Portanto, eu poderia ser o ruim, e Deborah estava encurralada comigo. Ou eu seria cego? Porque agora me lembrava que estava onde estava e em nenhum outro lugar, e ela estava morta. Era estranho. Eu tinha de lembrar o meu cérebro disso. Parecia que ela não estava tão morta quanto deixara de estar viva.

Bem, voltei a mim então e reconheci que estivera cochilando, descansando ao lado do corpo de Deborah por uns dois minutos, ou seriam dez ou mais? Sentia-me muito bem, mas tinha uma vaga idéia de que não devia pensar em Deborah agora, certamente não agora, então me levantei do chão, fui ao banheiro e lavei as mãos. Você já experimentou mescalina? – o azulejo do banheiro tremia com uma luz violácea, e na periferia da minha visão havia um arco-íris que se curvava para fora do horizonte do azulejo. Bastava fechar os olhos e uma chuva de veludo vermelho como a cortina no boxe do chuveiro perpassava a minha retina. Minhas mãos formigavam na água. Lembrei-me dos dedos de Deborah no meu ombro e despi a camisa e lavei meus braços. Ao pousar o sabonete, seu peso ganhou vida na palma da minha mão; o sabonete produziu um som baixo e pegajoso ao assentar na saboneteira. Eu estava disposto a passar uma hora considerando aquele som. A toalha, porém, estava em minha mão, e minhas mãos poderiam estar apanhando o farelo das folhas de outono se desfazendo em meus dedos. O mesmo acontecia com a camisa. Algo estava me demonstrando que eu jamais compreendera a natureza de uma camisa. Cada um dos seus odores (aquelas moléculas distintas) estava espalhado pela roupa de cama como um cardume de peixes mortos na praia, sua podridão, o bafo íntimo dessa podridão um fio que o ligava ao coração oculto do mar. Sim, tornei a vestir a camisa com a devoção de um cardeal acertando o chapéu – então acertei a gravata. Uma simples gravata preta de tricô, mas eu poderia estar encostando um navio ao cais; a gravata parecia enorme, um pedaço de corda de uma polegada bastante comprida para satisfazer as exigências de um complicado nó, meus dedos corriam pelas malhas desse laço duplo como ratinhos pelo cordame. E por falar em estado de graça, eu jamais conhecera tal tranqüilidade. Você já ouviu um silêncio em um quarto à noite ou um grande silêncio, sozinho, no meio de uma mata? Ouça: porque sob o silêncio há um universo em que cada silêncio isolado se intensifica. Eu estava parado no banheiro, a água fechada, e prestei atenção ao silêncio do azulejo. Nas profundezas de algum apartamento desse edifício ligaram um ventilador, uma geladeira clicou: tinham se sobressaltado como feras reagindo rapidamente ao silêncio que saía de mim. Olhei no espelho, buscando mais uma vez decifrar o enigma do meu rosto; nunca vira outro mais belo. Era verdade. Era exatamente o tipo de verdade que a pessoa descobre ao dobrar uma esquina e colidir com um estranho. Meus cabelos estavam vivos e meus olhos eram o azul de um espelho suspenso entre o céu e o mar – olhos que finalmente se comparavam aos do alemão que se erguera diante de mim com a baioneta. Um momento de medo cortou como um cometa a enseada de minha serenidade, e examinei com mais atenção os olhos refletidos no espelho como se fossem as fechaduras de um portão que se abria para um palácio e me perguntei: "E agora sou bom? Ou sou mau para sempre?"; parecia uma simples pergunta indispensável, mas repentinamente as luzes diminuíram no banheiro, e em seguida voltaram à intensidade anterior. Alguém batera uma continência. E os olhos no espelho ficaram alegres e ligeiramente perplexos. Eu não consegui acreditar que os estava examinando.

Saí do banheiro e voltei para ver Deborah. Ela, porém, estava de borco, o rosto no tapete. Eu não queria virá-la ainda. A calma dentro de mim parecia frágil. Era suficiente ficar ao lado de seu corpo e correr os olhos pelo quarto. Não tínhamos feito muita bagunça. A colcha e as cobertas tinham escorregado para o chão, e um dos travesseiros estava caído junto a um pé. Uma poltrona fora empurrada para o lado; fizera uma dobra no tapete. E era só. O rum ainda estava nas garrafas e nos copos, não havia abajures virados, nem quadros fora dos ganchos, nada quebrado, nenhum destroço. Uma cena tranqüila, um campo deserto com um canhão da Guerra de Secessão: disparara havia alguns minutos e uma última espiral de fumaça ergue-se como uma cobra de seu cano, decapitada pela brisa. Fui até a janela e olhei para o East River Drive dez andares abaixo, onde os veículos trafegavam em velocidade. Deveria pular? Mas a pergunta não teve impacto: havia uma decisão a tomar dentro do quarto. Eu poderia pegar o telefone e ligar para a polícia. Ou poderia aguardar. (Estava sentindo um prazer a cada passo que me lembrou a graça que uma bailarina poderia sentir nos pés.) Sim, eu poderia ser condenado, passar dez ou vinte anos preso e, se fosse muito bom, poderia tentar escrever aquela gigantesca obra que quase atrofiara em meu cérebro durante anos de bebida e de jogos com Deborah. Esse seria o caminho honroso, contudo eu não sentia mais que um impulso mudo e triste para demonstrar tal honra, não, havia alguma coisa diferente ocorrendo na base do meu cérebro, um plano, um desejo – eu estava me sentindo bem, como se minha vida tivesse apenas começado. "Espere", disse minha cabeça diretamente a mim.

Mas eu estava inquieto. Quando fechei os olhos tornei a ver a luminosa lua cheia – será que nunca me livraria dela? Quase peguei o telefone.

A voz em meu cérebro dizia: "Primeiro olhe para o rosto de Deborah".

Ajoelhei-me para virá-la. Seu corpo produziu um ruído farfalhante de protesto, um gemido surdo. Ela era ruim morta. Uma fera me encarou. Seus dentes à mostra, o ponto de luz em seus olhos era violento, e sua boca estava aberta. Parecia uma caverna. Eu ouvia um vento que alcançava os porões de uma terra sem sol. Um fiozinho de saliva escorria do canto de sua boca, e, em ângulo com o seu nariz, uma semente verde flutuara, por uma curta distância, para pousar sobre um fio abortado de sangue. Eu não sentia nada. O que não quer dizer que nada estivesse acontecendo comigo. Como fantasmas, as emoções passavam invisivelmente pelas naves do meu corpo. Eu sabia que iria pranteá-la algum dia distante e que a temeria. Sentia nesse instante a certeza de que a morte dividira Deborah – a fração que fosse do que nela era bom tinha sido legada a mim (de que outro modo explicar o sopro agradável dessa calma), e cada parte que me detestava estava reunida no rosto que ela exibia morta – se alguma coisa subsistira de sua morte, alguma coisa que não estava em mim, era a vingança. Aquela delicada ansiedade pulsante que flutua até o nariz estava comigo. Porque Deborah estaria lá para me receber na hora de minha morte.

O veredicto agora estava claro. Eu não ia chamar a polícia, agora não, ainda não – outra solução chegava a mim, um mensageiro do mágico que resolvia todos os enigmas estava a caminho e subia aqueles intermináveis degraus dos salões de jogos escondidos no inconsciente até a torre do cérebro. Ele estava vindo, e eu estava perdido, se pensava em trabalhar na prisão. Porque carregava a maldição lançada por Deborah.

Tive então uma percepção da presença de Deborah. Será que a pessoa depois da morte subia como uma pena, muito lentamente? Fui abrir a janela como se esperasse que alguma brisa pudesse seduzi-la a sair e deixei cair a mão. Pois tive a impressão de sentir um toque no ombro, ali no ponto exato onde seus dedos me suplicaram que largasse sua garganta. Alguma coisa me tocou e agora me impelia, sem me tocar, em direção à porta. Mais uma vez eu poderia estar em um campo magnético onde uma força, cuja única sensação era sua própria presença, me persuadia com firmeza a me afastar de Deborah, atravessar a sala e sair porta afora. E segui essa força; ela continha uma promessa como o cheiro de uísque em um bar, quando há moças jovens e ricas presentes. Havia um som agradável em algum lugar de minha cabeça, e a expectativa ganhou vida em mim, dois grandes seios balsâmicos vieram pousar sobre meus olhos, depois rolaram com suaves pancadinhas em curvas e quedas por minha garganta, roçaram uma vez pelo meu peito, arrepiaram um pêlo em minha barriga e foram se aninhar como duas gazelas no meu pênis. Um beijo de carne, um bafejo doce se desprendeu, enviando alento ao necrotério de meus colhões. Uma intensa ansiedade de prazer se libertou. E eu já passara pela porta e descia a escada, ainda viajando naquele campo de força que me empurrava para fora do quarto de Deborah. Parado ao pé da escada do dúplex, aspirei o buquê tropical das flores de veludo entrelaçadas na parede. Estava próximo de um pântano onde as borboletas e os pássaros tropicais levantavam vôo em leque – e sobrevoavam presas de animais à procura de carne –, pairavam no ar que subia da vegetação, se avolumavam na umidade e se afogavam no molhado. À porta que se abria para o elevador me detive, dei meia-volta e, seguindo aquela força que agora me envolvia como um abraço de que não pudesse me desvencilhar, atravessei o hall, abri a porta para o quarto onde a empregada devia dormir e entrei.

O abajur ao lado de sua cama estava aceso. As janelas estavam fechadas, o ar, abafado, uma estufa de germinação era aquele quarto – e, surpreendentemente, ali estava Ruta, *Fraülein* Ruta de Berlim, deitada sobre as cobertas com as calças do pijama arriadas, uma revista em uma das mãos (um vislumbre de fotos coloridas de nus) e a outra dedilhando, os cinco dedos dedilhando como vermes o seu furor exposto. Estava distante naquele *boudoir* da libido em que era rainha, e, os cinco dedos, fidalgos e fidalgas, empenhados em satisfazê-la.

Não dissemos uma palavra. Seu rosto, surpreendido nessa pose, estava a ponto de dividir-se em duas mulheres: a rainha de seus calores e a garotinha flagrada em má ação. Dei uma piscadela como se fosse seu vizinho camponês mais simpático – lembro como foi natural a piscadela – e então despi o sobretudo e comecei a tirar minhas roupas. Removi-as com cuidado suficiente para dobrá-las com esmero. E o ar do quarto que estremecera por um instante quando entrei como a baforada de um fole agora se inflamou lentamente e ganhou altura. A empregada pôs de lado a revista e virou a palma da mão livre para mim, seus dedos finos e longos sugerindo a bela curva de um arco retesado. Lembro-me de ver que a curva de seus dedos, seus lábios e suas longas pernas finas eram uma parte daquela febre dissimulada e vívida que se desprendia dela, e em um novo assomo de ousadia, como se a ousadia fosse o seu *métier*, a ousadia me trouxera ali, Ruta ergueu a outra mão (aqueles fidalgos e fidalgas) e estendeu-a para que eu beijasse seus dedos. O que fiz, recebendo em cheio um bafejo de um sexo escaldante cheio de flor, cheio de terra, e a sugestão de um ratinho passando rápido pelo jardim, com um pedaço de peixe entre os dentes. Ergui o meu pé descalço do tapete e pus os cinco dedos dos pés onde sua mão estivera, extraindo dela instantaneamente uma sabedoria temperada e úmida de todas as artes e ofícios para se dar bem no mundo. Ela emitiu o som agudo e nasalado de um gato perturbado em sua brincadeira – eu roubara alguma coisa que ela estava na iminência de retomar, mas havia uma expressão no meu rosto –, eu estava disposto a matá-la com a maior facilidade, sentia um agradável equilíbrio em pensar que estava disposto a matar qualquer um naquele momento – e a minha expressão rachou o brilho em seu olhar. Ela sacudiu a cabeça e entregou o prêmio aos meus dedos do pé, que se mexeram no molhado com a segurança de cobras que tivessem atravessado o deserto. Algo se apoderou de mim então – sem dúvida a sabedoria nas pontas dos dedos; eu sentia onde sua carne estava viva e onde sua pele estava morta, meus dedos brincaram na periferia, fazendo pequenas incursões, insuflando-a de vida. Eu me senti, pela primeira vez na vida, como um saudável gato de beco, e acariciei-a com um ódio requintado, esmerilado, até reduzi-lo a uma pequena chama pela expectativa do meu corpo. Devem ter decorrido uns cinco minutos até eu decidir lhe dar um beijo, mas finalmente tomei-lhe a boca, prendi o canto com meus dentes, e nossos rostos se encaixaram como uma luva de beisebol apanhando uma bola. Ruta tinha uma boca de virtuose, fina e viva, avara e levemente febril, uma flauta doce soprando promessas em mim, sim, aqueles lábios falavam de lugares onde estiveram e onde poderiam ir agora, algo quente e mau e voraz, para colher a rosa de sua barriga magra e dos seios esquivos que fugiam ao meu polegar antes que eu os segurasse, e nos cantos de sua boca havia um montículo, um petisco para morder. Sim, ela era um bálsamo para a garganta. Sussurrava as imagens do seu cérebro para o meu, todo o colorido rosa e dourado das fotos sensuais na revista, e seus lábios finos agora tremiam sobre a minha boca, seu calor era rosado, sua boca se oferecia para descer. Recostei-me na cama como um leão e deixei-a brincar. A moça tinha talento. Embarquei no melhor sonho com cabarés berlinenses e seus telefones e shows de travestis, de *bal-musettes* e *twisterias*, ela, com a língua, me deu uma breve aula sobre os hábitos dos alemães, franceses, ingleses (de fato uma mordida infeliz), dos italianos, espanhóis, e devia ter havido uns dois árabes. Todos os alcatrões e aromatizantes iam se mesclando para produzir o cheiro que sempre nos faz começar. Eu estava preparado para o sobe e desce, mas não queria que acabasse, não isso, não já, sua voracidade me atravessava, eu queria sempre mais, estão desprendi-me de sua boca e virei-a de costas.

Inesperadamente, como uma voz de prisão, um cheiro fino, intenso, constipado (um cheiro que falava de pedras e gordura e umidade de esgotos nas pedras molhadas de becos pobres europeus) foi se desprendendo de seu corpo.

Ela estava faminta, a fome de um rato magro, e isso poderia ter estragado o meu prazer, exceto que havia alguma coisa inebriante na intensidade pura de seu cheiro, tão forte, tão persistente, tão íntimo, um cheiro que só poderia ser suavizado com presentes de peles e jóias, essa garota era dinheiro, custava dinheiro, poderia ganhar dinheiro, exigiria algo pervertido como uma travessa de caviar sobre notas de cem dólares para enriquecer aquele cheiro ao nível do *foie gras* no mundo de Deborah e de seus amigos. Senti um desejo súbito de esquecer o mar e minerar a terra, uma pontada de desejo de sodomizar, havia maldade natural naquele traseiro, isso eu sabia. Mas ela resistiu, falou pela primeira vez.

– Aí, não! *Verboten*!

Eu chegara, no entanto, a três centímetros do *verboten*. Um ódio virulento e complexo, os detalhes do pior mundo dos pobres, o entendimento de um rato urbano passaram dela para mim e atenuaram o ímpeto do meu fogo. Eu podia avançar um pouco. E avancei. Aquela outra presença (que, seria bom lembrar, conduz à criação) abria-se para mim, e penetrei-a de um só golpe, esperando a glória e a batida quente de asas selvagens, mas ela era flácida, sua xota falava de gases frios do útero e de um acúmulo de desapontamentos. Larguei-a ali e voltei ao ponto em que começara a luta encarniçada para avançar três centímetros e em seguida mais um centímetro decisivo, minha mão entranhada em seus cabelos pintados de ruivo, puxando uma mecha com uma torção ascendente, e senti a dor em seu couro cabeludo forçar como um pé-de-cabra todo o seu corpo e abrir o alçapão, eu a penetrara, aquele centímetro estava ganho, o resto era fácil. Que odor sutil ela exalou então, algo que lembrava a ambição, a teimosia mesquinha, a determinação obsessiva de vencer na vida, não, isso foi substituído por outra coisa macia como a carne, mas nada limpa, uma coisa furtiva, atemorizada, mas jovem, uma criança de calças sujas.

– Você é uma nazista – disse-lhe sem saber por quê.

– *Ja.* – Ela sacudiu a cabeça. – Não, não – emendou. – *Ja*, não pare, *ja*.

Havia um intenso prazer íntimo em enrabar uma nazista, e havia nisso algo puro – senti como se estivesse planando no ar claro acima dos caipiras protestantes, e ela, livre e libertina, muito livre e muito libertina, como se aquele fosse finalmente um ato natural: uma abundância dos melhores dons do Diabo vieram a mim, a mendacidade, a astúcia, a cupidez aguçada pelo golpe que espolia, a esperteza de enganar a autoridade. Senti-me como um ladrão, um grande ladrão. E como um ladrão que volta à igreja, saltei do banco de prazeres para o acervo abandonado, aquele túmulo oco. Agora o encontrei mais receptivo. Aquelas paredes flácidas tinham se retesado – no fundo dos meus olhos fechados pude ver uma flor indigente crescendo em uma galeria –, o amor que ainda lhe restava poderia estar presente em uma flor. Como um ladrão tornei a sair da igreja e mergulhei para arrebatar mais daquele ouro pirata.

E foi assim que, por fim, fiz amor com ela, um minuto para um, um minuto para o outro, um raide no Diabo e um retorno ao Senhor, eu era como um cão de caça que se liberta da matilha e vai acuar a raposa sozinho, estava inebriado com a minha escolha, ela se tornava minha como mulher alguma jamais fora, queria apenas ser parte da minha vontade, seu rosto berlinense mutável, zombeteiro, sabedor do preço de cada barganha, estava relaxado e independente da dona, perpassando expressões, uma parceira insaciável com o gosto do poder nos olhos, aquela expressão feminina de que o mundo é seu, em seguida eu estava vencendo aqueles centímetros decisivos entre o fim e o começo, estava outra vez no lugar onde a criança é gerada, e uma certa tristeza espalhou-se em seu rosto, uma garotinha de nove anos fazendo beicinho com medo do castigo, querendo se comportar.

– Não estou usando nada – disse-me. – Continuamos?

– Quem sabe, fique quieta.

E pude sentir que ela ia começar a gozar. A dúvida em mim a alertara, o pedido para que ficasse quieta disparara o processo. Estava um minuto atrasada, mas estava a caminho, e como se um de seus dedos ardilosos tivesse pressionado um botão em mim, eu levantei vôo como um morcego e apertei mais uma vez as mãos do Diabo. Uma rara avidez surgiu em seus olhos, prazer em sua boca, estava feliz. Eu estava pronto a perseguir, ansioso para ejacular, indeciso, como um gato apanhado entre dois arames eu saltava para diante e para trás, em pistas separadas para investidas separadas, trazendo despojos e segredos do Senhor dos moinhos vermelhos, trazendo mensagens de derrota daquele triste útero, então escolhi – ah, havia tempo para mudar –, escolhi a boceta. Não era mais cemitério nem armazém vazio, não, parecia mais uma capela, um lugar modesto e decente, mas suas paredes eram aconchegantes, seu odor, viçoso, havia frescor na capela, um frescor reverente e abafado naquelas paredes de pedra. “É assim que a prisão vai lhe parecer” disse com um último esforço a minha língua interior. “Fique aqui!”, veio um comando de dentro; só que eu percebi a comida do Diabo por baixo, seu fogo subia pelo soalho, e esperei o calor chegar, subir do porão, trazer álcool e quentura e labaredas para cima, passara o momento da escolha que me levaria em uma ou outra direção, e precisava me entregar, não podia me segurar, houve uma explosão furiosa, traiçoeira e quente como a abertura dos portões de um *slalom* no gelo, a velocidade dos meus calcanhares superando a do meu nariz, vivi uma daquelas frações de segundo em que os sentidos voam e naquele instante a ânsia me dominou e me puxou para fora e, arqueando o corpo, enfiei-me pelo seu rabo e gozei como se tivesse sido atirado do outro lado do quarto. Ela soltou um grito de fúria. Seu gozo devia ter sofrido uma feroz distorção. E, com os olhos fechados, senti águas sombrias e baixas lamberem um tronco morto em um poço à meia-noite. Eu chegara ao Diabo uma fração de segundo atrasado, e não havia nada para me receber. Logo a seguir, porém, tive a visão de uma enorme cidade no deserto, em algum deserto, seria na lua? Porque as cores tinham aquele tom pastel irreal de um plástico, e a rua principal estava incandescida de luz às cinco da manhã. Um milhão de lâmpadas iluminavam a cena.

Quando tudo terminou, tinha sido uma refrega dos infernos. Ela continuou um minuto deitada, meio adormecida, meio aturdida, e sua língua lambeu indolentemente minha orelha. Como uma gata ensinando o filhote a escutar.

– Sr. Rojack – disse por fim com o sotaque cheio e gutural de Berlim –, não entendo por que o senhor tem problemas com a sua mulher. O senhor é absolutamente genial, sr. Rojack.

– Um médico não é melhor do que o seu paciente – respondi.

Estampou-se um ar malicioso de riso em seu rosto.

– O senhor é um *vache*. Não deve puxar meus cabelos. Nem mesmo para isso.

– *Der Teufel* me convidou a visitá-lo.

– *Der Teufel*! – riu-se. – Que é que um homem rico como o senhor sabe de *Der Teufel*?

– *Der Teufel* não gosta dos ricos?

– Não. Deus protege os ricos.

– Mas no fim eu não poderia ter apresentado os meus cumprimentos a Deus.

– Ah, o senhor é horrível – disse, aplicando-me um perverso beliscão alemão na parte macia de minha barriga. Então inquietou-se. – Acha que sua mulher nos ouviu? – perguntou.

– Duvido muito.

– As paredes são tão grossas assim? – Sentou-se, fazendo seus seios esquivos balançarem levemente. – Não, agora estou constrangida, sua mulher poderia nos surpreender.

– Ela jamais faria uma coisa dessas. Não é do seu feitio.

– Acho que o senhor conhece as mulheres um pouco melhor – disse Ruta. Tornou a beliscar-me. – O senhor sabe que no fim roubou uma coisa de mim.

– Metade.

– Metade.

Gostamos um do outro. Era ótimo. Por outro lado eu percebia a quietude no quarto acima. Ruta estava nervosa.

– Quando o senhor me surpreendeu, estava mais atraente.

– Acho que você também.

– Não, eu nunca faço uma coisa daquelas. – Ou melhor – acrescentou com um sorriso malicioso –, a não ser que tranque a porta.

– Mas esta noite não trancou.

– Não, eu estava dormindo. Depois que abri a porta e o deixei entrar fui dormir. Fiquei pensando como parecia infeliz. Quando chegou. – Ela inclinou a cabeça para um lado como se quisesse indagar se eu já tinha estado com minha mulher na cama do quarto de cima, mas não continuou. – Naturalmente, o senhor e a sra. Rojack se reconciliaram.

– Mais ou menos.

– Que homem mau o senhor é. Foi isso que me acordou – a sua reconciliação com a sra. Rojack. Eu estava acordada e me excitei tanto que... nem sei explicar. – Seu narigão empinado e astuto fazia tudo que dizia parecer engraçado.

– Que idade você tem?

– Vinte e três.

Provavelmente tinha vinte e oito.

– Vinte e três anos anos de encanto.

– O senhor continua a ser um *vache*.

Seus dedos estavam começando a brincar comigo.

– Vamos dormir mais um minuto – falei.

– Vamos. – Ela fez menção de acender um cigarro, então parou. – Sua mulher acha que o senhor foi embora.

– Provavelmente.

– Espero que as paredes sejam grossas.

– Vamos tentar dormir. – Eu queria apagar a luz. Tinha um encontro no escuro. Alguma coisa me esperava. Mas no momento em que apertei o interruptor, foi muito ruim. A escuridão sobreveio como o ar sobre uma ferida de que retiraram o curativo. Meus sentidos estavam excessivamente alertas. Tudo que ela passara do seu corpo para o meu agora estava vivo em mim, como se uma horda de turistas intrometidos e curiosos vagassem pelo meu corpo. Tive uma daquelas angústias que tornam a respiração um ato de equilíbrio: pouco ar dá a sensação de sufocamento, mas muito ar – um hausto profundo – dá medo de cair. Havia alguma coisa no quarto além de Ruta e eu, alguma coisa que ganhava força. Aproximava-se agora, mas não tinha olhos nem garras, somente uma sensação de opressão à espera. Senti-me desprezível.

– Você tem alguma bebida?

– Não. – Ela deu uma risada e sussurrou. – Quando bebo saio à procura de homens que me batam.

– Doida – falei e me levantei.

Ela ouvia eu me vestindo no escuro. A opressão desaparecera no momento em que me desvencilhei dela, e meus dedos foram rápidos. Pareciam flutuar até as peças de roupa à medida que precisava delas.

– Quando vai voltar?

– Antes do amanhecer.

– E dirá à sua mulher que saiu para um passeio, voltou e me acordou para deixá-lo entrar?

– Não, direi que deixei a porta destrancada.

– Não dê tudo o que é bom para sua mulher. Guarde alguma coisa para mim.

– Quem sabe na volta lhe trarei um diamante.

– Amo o senhor um pouquinho.

E eu estava pensando naquele útero vazio, naquele cemitério que apostou uma flor e perdeu.

– Gosto de você, Ruta.

– Volte e verá que vai gostar muito mais.

Pensei então no que restara nela. Estava morrendo nas cozinhas do Diabo. Sua maldição recaíra sobre mim?

– *Der Teufel* está tão feliz – disse ela, e uma atenção rancorosa concentrou-se em seu olhar. Não era surpresa que pudesse ler meu pensamento.

Teria sido essa a nuvem de opressão que me envolvera no escuro? Que a semente estivesse morrendo em campo errado?

– Da próxima vez – disse Ruta –, você precisa cuidar da Rutinha.

– A próxima vez será um acontecimento – respondi. Quis atirar-lhe um beijo, mas não havia nada em mim para mandar. Fechei então a porta, tornei a subir a escada pela floresta acolchoada e entrei no quarto de Deborah na expectativa de que ela pudesse ter ido embora. *Lá* estava o cadáver. Veio ao encontro dos meus olhos como um recife submerso contra o qual um navio fosse naufragar. Que iria fazer com ele? Senti uma fúria mesquinha nos pés. Como se matá-la tivesse sido um ato brando demais, como se eu não tivesse canalizado o ódio para onde residia a verdadeira injustiça. Ela cuspira no futuro, minha Deborah, estragara minha oportunidade, e agora seu corpo estava aqui. Senti um impulso de me aproximar e chutar-lhe as costelas, moer-lhe o nariz com o salto, enterrar a ponta do sapato em sua têmpora e tornar a matá-la, matá-la direito desta vez, matá-la bem morta. Fiquei parado ali a tremer sob a força desse desejo e compreendi que esse fora o primeiro dos dons que eu arrancara do beco, ah, Deus, e me sentei em uma cadeira como se quisesse dominar os novos desejos que Ruta me doara.

Minha respiração estava novamente difícil. Que diabo iria fazer com Deborah? Não tinha solução. Se o mensageiro vinha a caminho não dava indicação de estar se aproximando. A princípio um pânico de covarde começou a me roer. "Fique calmo, seu porco", disse uma voz cheia de desprezo dentro de mim, apenas um eco de Deborah.

Vou contar o pior. Tive uma pequena fantasia nesse momento. Ultrapassava tudo. Senti vontade de levar Deborah para o banheiro, deitá-la na banheira. Então Ruta e eu nos sentaríamos para comer. Os dois cearíamos a carne de Deborah, comeríamos dias seguidos: os venenos mais profundos em nós se desprenderiam de nossas células. Eu iria digerir a maldição de minha mulher antes que ele pudesse se formar. E a idéia estava me eletrizando. Senti-me como um médico às vésperas de descobrir uma nova droga espetacular. Os detalhes se encaixavam: o que não quiséssemos devorar descartaríamos no triturador instalado sob a pia, todos os órgãos impuros e os ossinhos. Para os ossos longos, para o fêmur e a tíbia, a fíbula, o rádio e a ulna, o úmero, eu tinha outro plano. Empacotaria e atiraria na água pela janela, do outro lado do East River Drive. Não, quatro pistas de tráfego e uma calçada para cruzar, um lançamento longo demais, eu teria de sair e tomar um táxi, depois outro e mais outro até chegar por fim aos alagados de Canarsie ou aos baixios malcheirosos vizinhos à City Island; ali eu poderia arremessá-los em um charco. Com um pouco de sorte aqueles longos ossos de amazona talvez desaparecessem para sempre, ou como será que eu poderia ter certeza? Ou, em vez disso, será que precisaria encher uma caixa com gesso e engastar nele os ossos, e também os dentes? Não, os dentes deviam ser descartados separadamente, e não poderia ser em esgoto nem lata de lixo, não, deviam ser enterrados em segurança, mas onde? Não no Central Park, nem pensar, se achassem um dente eu estaria morto: como em um filme, vi a polícia falando com o dentista de Deborah – e atirar ao mar ossos engastados em gesso não adiantava tampouco, pois como alugaria um barco em março sem chamar atenção? *Herdeira Desaparecida*!, alardeariam os tablóides no dia seguinte, e as pessoas se lembrariam do meu rosto, do pacote pesado, não, isso não iria dar certo: e seria pior envolver Ruta, porque ela ainda poderia causar problemas. Agora a fantasia se aproximava do ponto de dissolução: vi-me sozinho ao lado da banheira com o cadáver de Ruta – havia um humor tonificante no pensamento que me fez sorrir. Não, chegara ao fim, essa idéia se esgotara, e me recostei fraco na cadeira como se um espasmo do vômito que deveria ter saído de minha boca tivesse subido ao meu cérebro. Que dons essa moça tinha me transmitido, que tempero alemão!

Então simplesmente me ocorreu a solução mais simples de todas. O mensageiro tinha entrado furtivamente na torre. Sorri aterrorizado, porque era também a solução mais ousada. Teria coragem? Alguma coisa em mim me deteve. Senti um minuto de pânico em que argumentei à procura de uma alternativa. Talvez pudesse levar Deborah até o elevador (minha pobre mulher está bêbada) ou carregá-la às escondidas pela escada, totalmente impossível, e suspirei: se eu falhasse, seria sem dúvida a cadeira elétrica. Senti uma melancólica tristeza de não ter feito um filho em Ruta – ela talvez fosse minha última mulher –, então me levantei, fui olhar Deborah, tornei a me ajoelhar ao seu lado e pus a mão sob seus quadris. Seus intestinos tinham se esvaziado. Subitamente me senti como uma criança. Estava à beira das lágrimas. Havia um leve odor de peixe no ar, que lembrava um pouco Ruta. Elas eram patroa e empregada, suas secreções eram diferentes. Hesitei, mas como não houvesse nada a fazer exceto prosseguir, fui ao banheiro, apanhei papel e limpei Deborah. Exigia treino ser meticuloso. Joguei fora os dejetos, atento ao ruído da água no vaso e voltei para olhar pela janela aberta. Não. Ainda não. Primeiro apaguei as luzes mais fortes. Então, em um esforço pânico, como o desespero de fugir de um quarto em chamas, levantei-a, e com que esforço, porque seu corpo era quase pesado demais (ou eu estava fraco de medo), equilibrei seus pés no peitoril, foi mais difícil do que pensei, e preocupado que alguém me visse à janela agora aberta, pelo menos não neste instante, tomei fôlego e impeli-a com violência para fora, caindo para trás no tapete como se ela tivesse me empurrado, e fiquei ali deitado, contei até dois, até três, com que rapidez não sei, sentindo o peso de seu lançamento como uma palpitação em meu peito, e ouvi um ruído que subiu da calçada dez andares abaixo, um baque choco, surpreendentemente alto e cavernoso, ao mesmo tempo que guinchavam freios de carros e colidiam metais diante daquele enorme vulto que subitamente despencava, então me levantei e debrucei-me à janela e lá estava o corpo de Deborah metade sob o pára-choque de um carro à frente de outros três ou quatro engavetados e um tráfego de mais de meio quilômetro freava cantando pneus, e berrei então simulando aflição, mas a aflição era real – pela primeira vez percebi que ela se fora –, e foi um berro de animal.

Uma escaldante onda de pesar e me senti limpo. Fui ao telefone, disquei para a telefonista, perguntei: "Qual é o telefone da polícia?", a moça respondeu "Um instante, farei a ligação", e esperei oito longos toques enquanto os meus nervos se equilibravam como um palhaço em uma corda bamba, e uma cacofonia de vozes na rua se elevava dez andares. Ouvi minha voz dar o meu nome e o endereço de Deborah ao telefone e essa voz dizer: "Venham depressa, por favor. Nem posso falar direito, houve um acidente horrível". Desliguei, cheguei à porta e gritei para baixo:

– Ruta, vista-se, vista-se depressa. A sra. Rojack se matou.

3
Um mensageiro do louco

Agora, porém, era impossível esperar no quarto de Deborah até a polícia chegar. Desencadeou-se em mim uma ansiedade como o tremor em uma rede elétrica quando há curto-circuito. Meu corpo poderia estar em um trem de metrô, era como se *fosse* um trem, frio, atritando em alta velocidade; eu estava intoxicado de adrenalina.

Saí do quarto, desci as escadas e deparei com Ruta no hall. Estava semivestida, uma saia preta, ainda sem meias nem sapatos, uma blusa branca desabotoada. Ainda sem sutiã, tinha os seios à mostra, e os cabelos pintados em desalinho, embaraçados pelos meus dedos, estavam espetados para o alto como uma moita. Pintados, ondulados, laqueados e despenteados por mim, seus cabelos pareciam os de uma moça presa em uma batida policial. Mesmo naquele instante, alguma coisa se descontraiu em mim. Pois havia uma ternura irredutível e descuidada em seu rosto, e seu tesouro – aqueles seiozinhos espertos – não parava de me espreitar pela blusa entreaberta. Houve um instante entre nós, um eco de outra noite (em outra vida) em que poderíamos ter nos encontrado no corredor de um bordel italiano fechado por uma noite, em que a festa fosse particular e as moças estivessem indo de uma cama para outra em uma gostosa suruba.

– Eu estava sonhando – disse-me –, e o senhor me chamou do alto da escada. – Inesperadamente, ela fechou a camisa sobre os seios.

– Não – e para minha surpresa, soltei um soluço autêntico. Foi um som extraordinário. – Deborah se matou. Pulou da janela.

Ruta soltou um grito, um gritinho fino e impuro. Algo ruim estava transparecendo. Duas lágrimas correram pelo seu rosto.

– Ela era uma mulher inteligente – disse Ruta, caindo no choro. Havia dor naquele som, e tal sinceridade na dor que eu percebi que não estava chorando por Deborah, nem por si mesma, mas pelo fato implacável de que as mulheres que descobriram o poder do sexo nunca estão muito longe do suicídio. E naquela súbita explosão de pesar, seu rosto adquiriu beleza. As pernas de Ruta desprendiam vigor. Eu estava em estado lastimável: já não era uma pessoa, um personagem, um homem de hábitos, mas um fantasma, uma nuvem de emoções soltas esgarçadas ao vento. Parecia que grande parte de mim tinha se recolhido como uma mulher para chorar tudo que matara em minha amante, aquela tirana brutal e violenta que habitava Deborah. E me dirigi às cegas para Ruta como uma mulher que busca outra. Nos juntamos e nos abraçamos. Mas seu seio escapou da blusa aberta e deslizou para minha mão, e aquele seio não estava buscando o toque feminino, não, voltou-se petulantemente para o que era duro e certo em minha mão. Era como se eu nunca tivesse tocado um seio antes (aquela dádiva de carne), pois Ruta ainda chorava, os soluços subiam agora em um ritmo eloqüente de criança, mas seu seio independia dela. Aquele peitinho em minha mão focinhava como um cachorrinho querendo agrado, impertinente em sua promessa da vida dissimulada que poderia me dar e tão interessado em extrair uma vida para si que fui dominado por uma lascívia irrealizável. Irrealizável porque eu já devia estar na rua, porém, não havia jeito, trinta segundos era tudo que eu queria e trinta segundos foi o que gastei, o forte cheiro de beco que ela exalava quando a possuí ainda chorosa ali no hall, encostada nas flores aveludadas enquanto descarregava um violento jorro escaldante de morte violenta e luminosa, violenta como o demônio nos olhos de uma luminosa criança dourada.

Alguma coisa em Ruta adiantou-se para agarrar aquela criança, senti uma certa avareza perpassá-la; ela estava começando quando terminei, dava-me beliscões e apertos na nuca: gozou dez segundos depois.

– Ah, o senhor está tentando me namorar. – A essa altura eu estava tão frio quanto gelo e, sorridente, beijei-a no nariz.

– Agora, ouça – disse –, tome um banho de chuveiro.

– Por quê? – Ela balançou a cabeça, fingindo espanto. Aqueles quarenta segundos, porém, tinham feito com que entrássemos em harmonia. Sentia-me afiado e maligno como uma navalha e satisfeito comigo mesmo. Havia outra coisa nela de que eu precisava, um sal perfeito e amargo, penetrante e duro como o olhar de um diretor de recursos humanos.

– Porque, benzinho, a polícia estará aqui em cinco minutos.

– O senhor a chamou?

– Claro.

– Meu Deus!

– A polícia chegará dentro de cinco minutos e preciso fingir que estou arrasado. O que, é claro, estou. – E sorri.

Ela me olhou admirada. Enlouquecera, indagavam seus olhos, ou era digno de respeito?

– Mas o que – perguntou como uma alemã – o senhor precisa explicar a eles?

– Que não matei Deborah.

– Quem disse que o senhor matou? – Ela estava tentando me acompanhar, mas isso fora uma curva em alta velocidade.

– Eu não gostava muito de Deborah. Ela me detestava. Você sabe disso.

– Os senhores não eram felizes juntos.

– Não muito.

– Uma mulher não se suicida por causa de um homem que ela detesta.

– Escute, benzinho, tenho uma coisa horrível para lhe contar. Ela sentiu o seu cheiro em mim. E então saltou. Assim. Bem na minha frente.

– Sr. Rojack, o senhor é duro de roer.

– Duro de roer. – Belisquei-a de leve no ombro. – E você também é?

– Sou.

– Vamos sair dessa juntos. Depois nos divertiremos.

– Estou com muito medo.

– Quando a polícia a interrogar, conte a verdade. Exceto por um detalhe óbvio. É óbvio que não existiu nada entre nós.

– Nada entre nós.

– Você abriu a porta para mim hoje à noite. Há umas duas horas. Não tem certeza da hora exata, umas duas horas. Então foi dormir. Não ouviu nada até eu a acordar.

– Está bem.

– Não confie na polícia. Se alguém disser que eu informei que estávamos de caso, negue.

– Sr. Rojack, o senhor nunca encostou um dedo em mim.

– Certo. – Segurei seu queixo entre o polegar e o indicador, como se fosse um objeto precioso. – Agora, a nossa segunda linha de defesa. Se a polícia me levar para vê-la, ou levá-la para me ver, e você me ouvir dizer que dormimos juntos esta noite, então concorde. Mas só se me ouvir dizer isso.

– O senhor vai contar?

– Não, a não ser que haja prova. Nesse caso contarei à polícia que queria proteger as nossas reputações. Continuaria a não haver problema.

– Não seria melhor admitir o caso de saída?

– É mais natural escondê-lo – sorri. – Agora vá se lavar. Depressa. Se tiver tempo, vista-se. E...

– Sim?

– Faça-se feia. Penteie os cabelos, pelo amor de Deus.

Dito isso, saí do apartamento. O elevador era lento demais, mas chamei-o, cinco chamadas agudas para manifestar impaciência, então desci pelas escadas. Pela segunda vez aquela noite, eu estava descendo dez lances de escada, mas dessa vez correndo. Quando cheguei ao hall, não havia ninguém, o porteiro com certeza estava subindo, talvez sorte ou azar (já não conseguia dar conta das possibilidades), e então saí e corri a pequena distância até o Drive. Houve um instante em que o ar fresco chegou às minhas narinas me transmitindo uma sensação fugaz de aventura ao vento, de alguma aventura em um passado distante – uma lembrança: eu tinha dezoito anos; jogava futebol por Harvard; era um tiro de meta e a bola vinha em minha direção, agarrei-a e comecei a correr. Do rio vinha uma leve brisa com cheirinho de relva. Havia uma cerca ladeando o East River Drive, mas sem arame farpado no topo, então pude trepar e descer do outro lado sem rasgar as calças. Havia, mais à frente, um desnível com mais de dois metros até uma faixa de meio-fio, mas me soltei – detestava pular –, me soltei, bati com o tornozelo, machuquei a virilha, um músculo sem importância, e saí acompanhando o tráfego rumo sul, onde os carros se arrastavam a oito quilômetros por hora na pista obstruída. Deborah estava na estrada, trinta metros adiante. Divisei os quatro ou cinco carros engavetados e uma aglomeração de umas quarenta ou cinqüenta pessoas. Tinham acendido um archote de magnésio desses que projeta uma claridade intensa e branca em torno de operários que trabalham à noite. Dois carros da polícia ladeavam a cena, suas luzes vermelhas giravam como faróis. Ao longe eu ouvia a sirene de uma ambulância, e ao centro havia um círculo insensível e surdo de silêncio que cerca um caixão no meio de uma sala. Ouvia-se uma mulher chorando histericamente em um dos automóveis que tinham colidido. E os sons secos, veementes, irritados de três homens fortes que conversavam, uma conversa profissional, dois policiais e um detetive, identifiquei-os, e a uma certa distância um homem idoso de cabelos grisalhos e sujos, um narigão, uma pele macilenta e óculos rosados estava sentado em seu carro, a porta aberta, segurando a cabeça e gemendo fino, um som gorgolejante que traía o estado precário de sua tubulação interna.

Eu, porém, rompi a multidão e já ia me ajoelhar junto ao corpo de Deborah. Um braço vestido de sarja azul me deteve.

– Guarda, é minha mulher.

O braço baixou repentinamente.

– É melhor o senhor não olhar.

Não havia nada agradável para ver. Ela devia ter batido primeiro na rua, e o carro mais próximo estava quase parado quando a atingiu. Talvez tivesse empurrado o corpo quase um metro. Agora as pernas de Deborah tinham o aspecto puído de uma corda lavada e amolecida pelo mar, e sua cabeça estava presa sob um pneu. Um homem tirava fotografias, toda vez a lâmpada do seu flash disparava com um silvo perverso, e quando me ajoelhei ele recuou e se virou para alguém, um médico com uma maleta na mão, e disse:

– Ela é toda sua.

– Muito bem, empurrem o carro para trás – ordenou o médico.

Dois policiais perto de mim empurraram o carro fazendo recuar as rodas dianteiras uns trinta centímetros até que ele batesse suavemente no carro de trás. Ajoelhei-me à frente do legista e contemplei o rosto dela. Estava imundo com raspas de asfalto e marcas de pneu. Apenas metade era reconhecível, porque a metade do rosto apanhada pelo pneu estava inchada. Ela parecia uma menina gorducha. Mas a parte de trás de sua cabeça, como uma fruta podre cuja polpa se desfizera, era o centro de uma poça de sangue coagulado com quase trinta centímetros de diâmetro. Continuei entre o fotógrafo da polícia que se preparava para bater novas fotos e o médico legista que abria sua maleta, e, ainda de joelhos, encostei meu rosto no dela, tomando a precaução de sujar as mãos de sangue e até fazer (quando acariciei seus cabelos com o nariz) uns dois borrões nas minhas bochechas.

– Ah, lindinha – exclamei em voz alta. Talvez tivesse sido bom chorar, mas isso parecia pouco provável. Não, choque e estupor foi o melhor que consegui aparentar. – Deborah – chamei, e como um eco do que havia de pior no passado de alguém tive a nítida sensação de já ter feito isso antes, de fazer amor com uma mulher por quem não sentia atração, de alguma coisa desagradável em seu perfume ou morto em sua pele enquanto dizia "Ah, querida, ah, lindinha", naquele estupro da própria existência que as boas maneiras exigem. Então, o "Ah, querida" saiu sonoro, cheio de dor. – Ah, Deus, Deus – repeti surdamente.

– O senhor é o marido? – perguntou uma voz ao meu ouvido. Sem me virar, fiz uma idéia do homem que falava. Era um detetive e devia ter no mínimo um metro e oitenta de altura, ombros largos e uma barriga incipiente. Era uma voz irlandesa azeitada por um senso de autoridade, que mantinha sob controle mil irritações.

– Sou – respondi, levantei a cabeça e deparei com um homem que não correspondia à voz. Tinha um metro e setenta, quase esbelto, feições duras e honestas e o tipo de olhos azuis e frios que vivem para desafiar. Portanto, foi como o pequeno susto de encontrar alguém logo depois de lhe falar ao telefone.

– Seu nome?

Disse-lhe.

– Sr. Rojack, há uma série de pormenores desagradáveis a cumprir.

– Certo – respondi aturdido, excessivamente cauteloso para não fitar seus olhos.

– Meu nome é Roberts. Temos de levar sua mulher para o endereço East 29th Street, número 400, e talvez precisemos que vá até lá identificá-la, dentro de mais um minuto, se o senhor quiser esperar por nós.

Eu estava decidindo se diria "Meus Deus, bem na minha frente, ela se atirou!", mas aquela frase jamais pareceria verossímil, Roberts me fazia sentir uma inquietação que não era muito diferente da que eu sentia com Deborah.

Saí caminhando junto à fila de carros batidos e descobri que o homem idoso e desagradável de óculos rosados continuava gemendo. Havia um jovem casal com ele, um italiano alto, moreno e bem-apessoado que poderia ser seu sobrinho – havia uma semelhança familiar. Tinha um ar irritado, uma cabeleira negra e lisa penteada para trás e vestia um terno escuro, camisa branca e gravata prateada, ambas de seda. Era um tipo que jamais me agradaria à primeira vista, e me agradou menos ainda por causa da loura que o acompanhava. Dei apenas uma olhada rápida, mas a moça tinha um rosto absolutamente americano, um rosto de moça de cidade do interior com aquelas feições perfeitas e sinceras que acabam estampadas em cada anúncio e cartaz do país. Contudo, havia algo melhor nessa moça, tinha um jeito sutil de vendedora de butique, uma astúcia cristalina em suas feições. E um arzinho quieto e distante. Seu nariz era um clássico. Empinado no ângulo exato de uma lancha de corrida planando sobre a água. Ela devia ter sentido o meu olhar, pois virou-se – estivera atendendo com um certo tédio aos gemidos fracos e guturais do homem de óculos rosados –, e seus olhos, que eram de um espantoso verde-dourado-âmbar (os olhos de um ocelote), agora me olharam com uma franca preocupação interiorana.

– Coitado, seu rosto está coberto de sangue – disse ela. Era uma voz calorosa, forte, segura, quase masculina, com um vestígio de sotaque sulista, e ela pegou um lenço e limpou minha bochecha.

– Deve ter sido horrível – comentou. Um maternalismo sutil, obstinado e bem guardado ocultava-se sob a pressão com que esfregou o lenço no meu rosto.

– Ei, Cherry – disse-lhe o amigo –, vá até ali na frente e fale com os tiras, veja se podemos tirar meu tio daqui. – Intencionalmente ele me evitara.

– Não pressione, Tony. Procure não chamar atenção.

E o tio tornou a gemer, como se invejasse a atenção que ela estava *me* dispensando.

– Obrigado – agradeci –, a senhorita é muito gentil.

– Eu o conheço – disse ela estudando atentamente o meu rosto. – O senhor aparece na televisão.

– É verdade.

– O senhor tem um bom programa.

– Obrigado.

– Sr. Rojack. – O detetive estava me chamando.

– Como é o seu nome? – perguntei.

– Nem pense nisso, sr. Rojack – respondeu ela com um sorriso e voltou sua atenção para Tony.

Agora me dava conta de que o detetive me vira conversando com ninguém menos que uma loura.

– Vamos subir para conversar – falou ele.

Entramos no carro da polícia, a sirene ligada, e subimos o Drive até uma saída e dali retornamos ao apartamento. Não falamos durante o trajeto. Foi melhor assim. Sentado ao meu lado, Roberts transmitia a comunhão física que em geral se recebe de uma mulher. Estava consciente de minha presença, como se um instinto nele me perscrutasse, e me senti demasiado consciente disso.

Quando chegamos, havia mais dois carros-patrulha na rua. Continuamos em silêncio enquanto o elevador subia, então chegamos ao apartamento, havia mais alguns detetives e policiais por ali. O ar tinha um cheiro morrinhento que lembrava sabão líquido. Dois dos policiais falavam com Ruta. Ela não penteara os cabelos. Fizera o possível para recompor o penteado e parecia atraente demais. Trocara a saia e blusa por um robe de seda salmão.

Compensou, porém, a aparência com o seu cumprimento.

– Sr. Rojack, coitado. Posso preparar um café para o senhor?

Assenti. Queria uma bebida alcoólica também. Talvez ela tivesse o bom senso de pôr alguma na xícara.

– Muito bem – disse Roberts. – Gostaria de ir ao aposento onde isso aconteceu. – Ele fez um aceno a um dos outros detetives, um irlandês corpulento de cabeça branca, e os dois me acompanharam. O segundo detetive foi muito simpático. Deu-me uma piscadela de solidariedade quando nos sentamos.

– Muito bem, para começar – prosseguiu Roberts –, há quanto tempo o senhor e sua mulher moram aqui?

– Ela mora aqui há umas seis ou oito semanas.

– Mas o senhor não?

– Não, estávamos separados há um ano.

– Quantos anos estiveram casados?

– Quase nove.

– E, desde que se separaram, o senhor a via com freqüência?

– Talvez uma ou duas vezes por semana. Esta noite foi a primeira vez que vim aqui nas duas últimas semanas.

– Ao telefone, o senhor disse que se tratava de um acidente.

– Foi, acho que disse que foi um terrível acidente. Acho que foram as minhas palavras.

– Um acidente mesmo?

– Não, detetive. É melhor que lhe diga que foi suicídio.

– Por que disse que foi um acidente?

– Tive a vaga esperança de proteger a reputação de minha mulher.

– Fico satisfeito que não tenha tentado insistir nessa história.

– Só quando desliguei é que percebi que, na realidade, tinha quase mentido. Isso me sacudiu um pouco do estado de choque. Quando chamei a empregada, resolvi contar a verdade.

– Muito bem, então. – Acenou afirmativamente. – Foi suicídio. Sua mulher *pulou* da janela. – Ele fez um esforço para amenizar a palavra. – Deixe-me entender bem. Sua mulher se levantou da cama. Certo?

– Certo.

– Foi até a janela e abriu-a?

– Não, eu a abrira uns minutos antes. Minha mulher tinha se queixado do calor e pedido para escancarar a janela. – Eu tremia agora porque a janela continuava aberta e o quarto estava frio.

– O senhor me desculpe as perguntas indiscretas – disse Roberts –, mas suicídios são desagradáveis a não ser que sejam imediatamente esclarecidos. Tenho algumas perguntas embaraçosas a lhe fazer.

– Pergunte o que quiser. Acho que ainda não assimilei tudo o que aconteceu.

– Então, se me dá licença, o senhor teve relações íntimas com sua mulher esta noite?

– Não.

– Embora tenham bebido?

– Bastante.

– Ela estava embriagada?

– Devia ter muito álcool em seu organismo. Mas não estava embriagada. Deborah tinha uma boa tolerância para bebida.

– Mas talvez tenham brigado?

– Não chegamos a tanto.

– Explique-se melhor, por favor.

– Ela estava extremamente deprimida. Disse coisas bem ofensivas.

– O senhor não se zangou?

– Já estava acostumado.

– O senhor se incomodaria de repetir o que ela disse?

– Do que uma mulher sempre acusa o marido? De um modo ou de outro diz que ele não é homem bastante para ela.

– Algumas esposas – disse Roberts – se queixam que os maridos pulam cercas demais.

– Eu tinha minha vida particular. Deborah tinha a dela. As pessoas da classe de Deborah não se sentem bem até terem transformado o casamento em uma relação de conveniência.

– Isso parece bem tranqüilo – disse Roberts.

– Obviamente não era. Deborah sofria fortes depressões. Mas guardava-as para si. Era uma mulher orgulhosa. Duvido que mesmo os seus amigos mais íntimos soubessem da gravidade dessas depressões. Quando se sentia mal, ela ia se deitar e ficava na cama um, dois dias de cada vez. Não procurava ninguém. Eu não a vi muito neste último ano, mas o senhor certamente pode confirmar com a empregada.

– Temos uns dois homens falando com ela neste momento – informou o detetive mais velho com um sorriso largo e feliz, como se o seu único desejo no mundo fosse me ajudar.

– E aquele café? – perguntei.

– Está saindo – respondeu Roberts, foi até a porta, gritou para baixo e voltou. – Que razões tinha sua mulher para se sentir deprimida? – perguntou sem hesitação.

– Ela era religiosa. Uma católica muito devota. E eu não sou católico. Creio que, em sua opinião, estar casada comigo era viver em pecado mortal.

– Então, sendo uma católica devota – concluiu Roberts –, ela resolveu salvar a alma imortal cometendo suicídio?

Fez-se uma brevíssima pausa entre nós.

– Deborah tinha uma mentalidade incomum – esclareci. – Era freqüente me falar em suicídio, particularmente quando estava deprimida. Sobretudo nos últimos anos. Ela sofreu um aborto, entende, e não pôde mais ter filhos.

Eu, no entanto, me prejudicara. Não com eles, em algo que me ligava a um instinto interior. Esse instinto reagiu repentinamente enojado; afinal, aquele aborto também fora uma perda para mim. Não havia, porém, nada a fazer exceto continuar.

– Não acho que fosse tanto o aborto. Deborah tinha a sensação de que havia algo ruim dentro dela. Sentia-se atormentada por demônios. Isso faz sentido para o senhor?

– Não. Não sei como incluir demônios em um relatório policial.

O detetive mais velho piscou outra vez para mim jovialmente.

– Roberts, você não me parece o tipo que se suicidaria – falei.

– É verdade. Não sou.

– Não acha que é imprescindível um pouco de caridade quando se procura compreender uma mente suicida?

– O senhor não está na televisão, sr. Rojack – disse Roberts.

– Olhe, eu sei onde estou. Estou fazendo o possível para lhe explicar. Ficaria mais satisfeito se eu estivesse sedado?

– Talvez pudesse me convencer melhor.

– Essa observação indica suspeitas?

– Não o ouvi.

– Essa observação indica suspeitas?

– Um momento, sr. Rojack, vamos nos entender. Já deve haver repórteres lá embaixo. Haverá uma multidão no necrotério e outra no distrito. Não será surpresa para o senhor se o caso estiver nos jornais matutinos. Talvez na primeira página. O senhor pode ser prejudicado se houver a menor insinuação de irregularidade no que for publicado: pode ser destruído se o relatório do legista contiver qualquer qualificação. Meu dever como policial é investigar os fatos e encaminhá-los aos canais competentes.

– Inclusive à imprensa?

– Trabalho com a imprensa todos os dias. Trabalho com o senhor apenas esta noite e talvez amanhã, e, esperemos, nem mais um dia. Quero resolver este caso. Quero poder descer e informar aos repórteres "Acho que ela se atirou, não desanquem o pobre filho-da-mãe aí dentro". Está me entendendo? Não quero ter que dizer: "O sujeito é um verme – é possível que tenha empurrado a mulher".

– Entendi, é justo.

– Se quiser – continuou ele –, não precisa responder a pergunta alguma e pedir a presença de um advogado.

– Não quero chamar um advogado.

– Ah, mas pode chamar – insistiu Roberts.

– Não quero. Não vejo necessidade.

– Então vamos continuar a conversar.

– Se o senhor quiser entender o suicídio de Deborah, da maneira como eu o entendo, o senhor terá de acompanhar o meu raciocínio.

– O senhor falou em demônios – lembrou Roberts.

– Sim. Deborah acreditava estar possuída. Via-se como uma mulher má.

– Tinha medo do inferno?

– Tinha.

– Retomemos isso. Católica devota, ela acredita que vai para o inferno, então decide se salvar cometendo suicídio.

– Exatamente.

– Exatamente – repetiu Roberts. – O senhor não se incomodaria de repetir isso para um padre, não é?

– Seria tão difícil explicar a ele quanto ao senhor.

– Então é melhor tentar explicar a mim.

– Não é fácil continuar. Posso beber aquele café agora?

O detetive grandalhão e idoso se levantou e saiu do quarto. Em sua ausência, Roberts permaneceu calado. Às vezes olhava para mim, outras para uma foto de Deborah com moldura de prata que estava sobre a escrivaninha. Acendi um cigarro e ofereci-lhe o maço.

– Não fumo – disse.

O outro detetive voltou com o café.

– O senhor se importa se eu beber um gole? – perguntou-me. – A empregada pôs um pouco de uísque irlandês. – E deu aquele largo sorriso. Havia nele um quê de prazerosa corrupção. Engasguei com o primeiro gole de café.

– Ah, meu Deus, ela está morta – exclamei.

– Certo – concordou Roberts –, atirou-se pela janela.

Apaguei o cigarro e assoei o nariz, descobrindo, para minha aflição, que um restinho do vômito azedo subira da garganta para o nariz e agora fora expelida pela narina no lenço. Meu nariz ardia. Tomei outro gole de café, e o uísque irlandês irradiou uma quentura cremosa.

– Não sei se conseguirei lhe explicar – recomecei. – Deborah acreditava que havia um perdão especial para os suicidas. Ela achava que era um ato terrível, mas que Deus perdoaria se sua alma estivesse correndo o perigo de ser aniquilada.

– Aniquilada – repetiu Roberts.

– Sim, não perdida, mas aniquilada. Deborah acreditava que, se a pessoa fosse para o inferno, ainda assim poderia resistir ao demônio. Acreditava que existe coisa pior do que o inferno, entende?

– Que é...?

– A alma morrer antes do corpo. Se a alma for aniquilada em vida, quando a pessoa morrer não haverá o que passar à eternidade.

– E o que a Igreja tem a dizer disso?

– Deborah achava que isso não se aplicava aos católicos comuns. Mas via-se como uma católica caída. Acreditava que sua alma estava morrendo. Acho que era por isso que queria se suicidar.

– Essa é a única explicação que o senhor tem para oferecer? Agora fui eu que parei um minuto.

– Não sei se isso tem fundamento, mas Deborah acreditava que tinha câncer.

– O que o senhor acha?

– Talvez fosse verdade.

– Ela consultava médicos?

– Que eu saiba, não. Não confiava em médicos.

– Ela não tomava pílulas – perguntou Roberts –, só bebidas fortes?

– Pílulas, não.

– E maconha?

– Detestava. Retirava-se de uma sala se achasse que alguém estava fumando. Uma vez me disse que a maconha era a graça do Diabo.

– E o senhor já fumou?

– Não – tossi. – Ah, talvez umas duas vezes em companhia de outras pessoas, mas nem lembro.

– Muito bem, vamos falar do câncer. Por que o senhor acredita que ela tinha câncer?

– Falava nisso o tempo todo. Achava que se a alma morria, começava o câncer. Sempre dizia que era uma morte diferente das outras.

O detetive corpulento peidou. Inesperadamente.

– Como é o *seu* nome? – perguntei-lhe.

– O'Brien. – Ele se mexeu na cadeira, menos à vontade, e acendeu um charuto. A fumaça fundiu-se com as demais exalações. Roberts parecia enojado. Tive a impressão de que, pela primeira vez, estava conseguindo convencê-lo.

– Meu pai morreu de câncer – disse ele.

– Sinto muito. Só posso dizer que não gostava muito de escutar as teorias de Deborah por que minha mãe faleceu de leucemia.

Ele assentiu.

– Olhe, Rojack, é melhor eu lhe dizer. Farão uma autópsia em sua mulher. Talvez não confirme o que está dizendo.

– Talvez não confirme nada. Deborah poderia estar em um estágio pré-canceroso.

– Claro. Seria melhor para todos se o câncer fosse confirmado. Porque existe uma correlação entre o câncer e o suicídio. Nisso eu concordo. – Em seguida consultou seu relógio. – Algumas perguntas de ordem prática. Sua mulher tinha dinheiro?

– Não sei. Nunca discutimos seu dinheiro.

– O pai dela é bem rico, se ela é a mulher que imagino que seja.

– Mas pode ter deserdado a filha quando ela casou. Eu costumava dizer aos amigos que Deborah estava disposta a abrir mão de sua quota nos duzentos milhões de dólares quando se casou comigo, mas não estava disposta a preparar o meu café-da-manhã.

– Então, pelo que sabe, não foi contemplado no testamento dela?

– Se tinha dinheiro, não creio que o teria deixado para mim. Deixaria para a filha.

– É fácil descobrir.

– É.

– Muito bem sr. Rojack, vamos falar sobre a noite de hoje. O senhor veio visitá-la depois de duas semanas. Por quê?

– De repente senti saudades. Isso ainda acontece desde que nos separamos.

– A que horas chegou aqui?

– Há algumas horas. Talvez às nove.

– Foi ela que abriu a porta?

– Foi a empregada.

– O senhor alguma vez deu uma bimbada na empregada? – perguntou O'Brien.

– Nunca.

– Já teve vontade?

– A idéia pode ter me ocorrido.

– E por que não deu? – prosseguiu O'Brien.

– Teria sido desagradável se Deborah descobrisse.

– Faz sentido – disse O'Brien.

– Muito bem – recomeçou Roberts –, o senhor entrou neste quarto e o que aconteceu?

– Conversamos horas. Bebemos e conversamos.

– Consumiram menos de meia garrafa. Não é muito em três horas para duas pessoas boas de copo.

– Deborah bebeu bastante. Eu só beberiquei.

– Sobre o que falaram?

– Tudo. Discutimos a possibilidade de voltarmos a viver juntos. Concordamos que era impossível. Depois ela chorou, o que era raro. Ela me contou que tinha passado uma hora parada à janela aberta antes de eu chegar, e que se sentira tentada a pular. Era como se Deus estivesse lhe pedindo isso. Contou que depois sentira uma tristeza como se tivesse recusado um pedido a Ele. E acrescentou: "Eu não tinha câncer antes. Mas durante aquela hora à janela, ele se instaurou em mim. Não pulei, então as minhas células pularam. Sei disso". Foram suas palavras. E, em seguida, ela adormeceu por um momento.

– E o que foi que o senhor fez?

– Fiquei sentado nesta cadeira ao lado da cama. Confesso que me senti muito deprimido. Então ela acordou. Pediu-me para abrir a janela. Quando recomeçou a falar, disse... tenho realmente de falar disso?

– Seria melhor.

– Disse-me que minha mãe tinha tido câncer e que eu também tinha, e a contagiara. Disse que, todos esses anos em que nos deitamos na cama como marido e mulher, eu a contagiava.

– Que foi que o senhor respondeu?

– Alguma coisa igualmente pesada.

– Conte, por favor – pediu Roberts.

– Eu respondi que isso não fazia diferença porque ela era uma parasita e eu trabalhava. Cheguei a dizer que se a alma dela estava morrendo era porque ela merecia, porque era ruim.

– Que foi que ela fez?

– Levantou-se da cama, foi até a janela e disse: "Se você não se retratar, eu me atiro". Eu estava confiante de que não falava sério. Até pelo uso da palavra "retratar". Respondi-lhe simplesmente: "Então se atire. Livre o mundo da sua peçonha". Achei que estava agindo corretamente, que talvez estivesse penetrando sua loucura, aquela vontade tirânica que destruíra o nosso casamento. Pensei que poderia obter uma vantagem decisiva. Em vez disso, ela subiu no peitoril e se projetou. Quando caiu, senti soprar alguma coisa que roçou o meu rosto. – Comecei a tremer; o quadro que descrevi era real para mim. – Depois não sei o que aconteceu. Acho que tive vontade de acompanhá-la. É óbvio que não fiz isso. Chamei a polícia, chamei a empregada aos gritos e devo ter desmaiado por um instante porque quando voltei a mim estava deitado no chão e pensei "Você é o culpado da morte de Deborah". Portanto, não me pressione demais por enquanto, Roberts. Não tem sido fácil.

– Acho que acredito em você.

– Com licença – pediu O'Brien. Levantou-se com algum esforço e saiu.

– Há algumas formalidades – disse Roberts. – Se puder agüentar, gostaria que me acompanhasse ao necrotério, na East 29th Street para a identificação e depois à delegacia para preencher alguns formulários.

– Espero não ter de repetir esta história muitas vezes.

– Só mais uma para o estenógrafo da polícia. Pode omitir os detalhes. Nada de inferno, céu, câncer, nada disso. Nada de diálogos. Apenas que você a viu morrer.

O'Brien voltou com outro detetive e apresentou-o como tenente Leznicki. Era polonês. Tinha mais ou menos a altura de Roberts, era até mais magro, e parecia ter uma úlcera inflamada, porque se movia com gestos curtos e bruscos. Seus olhos eram cinza-amarelados e opacos, quase do tom de ostras passadas. Os cabelos eram cinza-escuros, e a pele, acinzentada. Devia ter uns cinqüenta anos. Assim que fomos apresentados, ele farejou o ar e deu um bufo rápido de boxeador. Depois sorriu irritado.

– Por que a matou, Rojack? – perguntou.

– Que aconteceu? – quis saber Roberts.

– A mulher tem o hióide fraturado. – Leznicki me encarou. – Por que não contou que a estrangulou antes de atirá-la pela janela?

– Não fiz isso.

– A perícia mostra que você a estrangulou.

– Não acredito. Minha mulher caiu do décimo andar e foi atropelada por um carro.

Roberts se recostou. Olhei para ele como se tivesse sido o meu primeiro aliado e último grande amigo, e ele se curvou para frente e disse:

– Sr. Rojack, investigamos muitos suicídios por ano. As pessoas tomam pílulas, cortam os pulsos, enfiam uma pistola na boca. Às vezes pulam. Mas em todos os anos em que estou na polícia nunca ouvi falar de uma mulher que saltasse por uma janela aberta diante dos olhos do marido.

– Nunca – confirmou O'Brien.

– É melhor arranjar um advogado, meu amigo – disse Leznicki.

– Não é preciso.

– Venha – chamou-o Roberts –, vamos à delegacia.

Quando se levantaram, percebi a disposição que transpiravam. Era o cheiro de caçadores sentados em uma cabana superaquecida à espera do alvorecer, embriagados pela noite de bebedeira. No momento a caça era eu. Quando me levantei, senti uma fraqueza perpassar meu corpo. Nenhuma adrenalina. Tinha sido mais castigado do que imaginara e sentia a mesma surpresa de um boxeador que percebe, no meio de uma luta, que suas pernas afrouxaram e não lhe resta força nos braços.

Quando eles saíram pelo corredor comigo, Ruta não estava à vista. Eu ouvia, contudo, vozes em seu quarto.

– Os legistas já chegaram? – perguntou Leznicki ao policial de guarda à porta.

– Estão aí dentro.

– Diga a eles para darem cem por cento de atenção ao serviço aqui e cem por cento ao serviço lá em cima.

Leznicki chamou então o elevador.

– Por que não saímos com ele pela porta dos fundos? – sugeriu Roberts.

– Não – respondeu Leznicki –, deixe-o encontrar a imprensa.

Na rua havia uns oito ou nove repórteres que executaram uma estranha dança ao nosso redor, espocando flashes, disparando perguntas, os rostos muito animados e ávidos. Lembravam um bando de mendigos adolescentes em alguma cidade italiana, histéricos, quase loucos de alegria com o dinheiro que alguém poderia lhes atirar e choramingando por medo de nada receberem. Não tentei ocultar meu rosto – no momento o prejuízo maior seria me ver amanhã em um tablóide com a cabeça escondida atrás do chapéu.

– Ei, Leznicki, foi ele? – perguntou um.

Outro correu para mim, o rosto expressando receptividade, como se quisesse me garantir que era o único homem na rua em quem eu podia confiar.

– Quer declarar alguma coisa, sr. Rojack? – perguntou, atencioso.

– Não, nada – respondi.

Roberts foi me conduzindo para o banco traseiro.

– Ei, Roberts – gritou um terceiro –, o que concluíram?

– Suicídio ou o quê? – perguntou outro.

– Rotina – respondeu Roberts –, simples rotina.

Houve um murmúrio de descontentamento, bem parecido com a exclamação de uma platéia ao ser informada de que o ator titular será substituído naquela noite.

– Vamos andando – disse Roberts.

Sentou-se, porém, ao lado do motorista, enquanto eu fui empurrado para sentar entre Leznicki e O'Brien. Estávamos agora em um sedã velho sem identificação, um carro de detetive, e quando nos afastamos da calçada, mais flashes explodiram pela janela na minha cara e ouvi os repórteres correndo para seus carros.

– Por que a matou? – perguntou Leznicki ao meu ouvido.

Não respondi. Fiz o possível para devolver-lhe o olhar, como se eu fosse de fato um marido que ficara observando a mulher saltar pela janela e ele fosse apenas um animal latindo para mim, mas o meu silêncio deve tê-lo enfurecido, porque se desprendeu dele um odor de violência, um odor pegajoso de cio, e O'Brien, do meu outro lado, que já exalara um cheiro forte e adocicado de suor, exalou um novo odor, o do valentão quando parte para o confronto direto. As mãos dos dois se agitaram no colo. Queriam me dar uma surra. Tive a sensação de que eu não agüentaria trinta segundos.

– Você usou uma meia para estrangular sua mulher? – perguntou Leznicki.

– Usou o braço – respondeu O'Brien com a voz cava e sombria.

Começara a chover. Uma precipitação leve, quase uma névoa, caía como um delicado banho de luz sobre as ruas. Eu sentia agora o meu coração palpitar como um canário preso em minha mão. Pulsava com um cansaço terno quase alegre; como se eu fosse apenas um tambor em que encerrasse o coração de um passarinho, cujas batidas pareciam ecoar fora do meu corpo e todos no carro pudessem me ouvir. Havia carros nos seguindo, sem dúvida os fotógrafos e repórteres, e seus faróis me davam um estranho conforto. Como para um pássaro engaiolado em um quarto escuro, o clarão fugaz que vinha de fora despertava uma lembrança da mata, e me senti sair voando ao compasso do meu coração como se tivesse se iniciado um clímax de medo que me faria atravessar velozmente ondas de excitação até tudo explodir, o coração explodir, e saí voando ao encontro de minha morte.

Os homens no carro me pareceram vermelhos, depois verdes e de novo vermelhos. Fiquei imaginando se estaria prestes a desmaiar. Era sufocante sentar entre aqueles homens – como uma raposa em um charco, enquanto cães latiam em suas margens. Eu conhecia finalmente o doce pânico de um animal perseguido, porque se o perigo se aproximasse, se o perigo chegasse com a brisa e as narinas sentissem o ar tão intimamente quanto o primeiro toque de uma língua na pele, ainda restaria grande ternura pela esperança de poder continuar vivo. Alguma coisa emergiu da cidade como o sussurro de uma floresta, e, na mensagem da noite de março que entrou pela janela aberta, senti naquele instante o primeiro aroma da primavera, naquele instante de calma, tão parecido com o primeiro momento de amor que se percebe em uma mulher que até então não deu amor algum.

– Vai se casar com a empregada depois de pegar a grana de sua mulher? – perguntou Leznicki.

– Você a estrangulou – disse O'Brien com sua voz cava. – Por que a estrangulou?

– Roberts – chamei –, pode dispensar esses delinqüentes?

Houve um instante em que os dois chegaram tão perto de me agredir que senti uma onda de frustração voar da mão de Leznicki e passar pelo meu rosto como o leve impacto de uma luz apontada para o olho. Eles ficaram ali parados com as mãos nas coxas, tremendo, Leznicki com o ritmo forte de um pistão, e O'Brien sacudindo como uma água-viva em seu *habitat*.

– Repita isso – ameaçou Leznicki – e vou arrebentá-lo a coronhadas. Fique avisado.

– Não me ameace, amigo.

– Parem com isso – disse Roberts a todos. – Chega.

Recostei-me, sentindo o estrago que fizera. Agora a adrenalina percorria o corpo deles como uma multidão desenfreada.

Fizemos o percurso restante em silêncio. Os corpos dos detetives estavam tão quentes de raiva que eu sentia na pele o tipo de queimadura que a longa exposição aos raios ultravioleta provocaria.

Demoramos no necrotério uns poucos minutos. Caminhamos por um corredor acompanhados por um funcionário que foi destrancando as portas para nós e, por último, abriu a do aposento em que havia cadáveres cobertos por lençóis sobre mesas de aço inoxidável e uma bateria de gavetas refrigeradas onde guardavam os corpos. A luz era cor de barriga de baleia, o branco dos tubos fluorescentes nus, e agora havia um novo silêncio, um silêncio mortal, uma extensão de vácuo em que não havia percepção de acontecimentos, apenas o silêncio da imensidão. Minhas narinas ardiam com o anti-séptico e o desodorante, e um outro cheiro (um odor leve e desagradável de formol e fezes liquefeitas) insinuava-se no ar. Dessa vez não quis olhar para Deborah. Dei uma breve espiada quando ergueram o lençol e, ao fazer isso, tive uma visão clara de um olho verde arregalado, duro como mármore, morto como o olho morto de um peixe, e seu pobre rosto inchado, sua beleza agora obesa.

– Podemos sair? – perguntei.

O funcionário repôs o lençol com um giro profissional dos pulsos, informal mas lento, com uma certa cerimônia. Tinha a taciturnidade formal e solícita de um atendente de banheiro masculino.

– O doutor estará aqui em cinco minutos. Os senhores vão esperar? – perguntou.

– Diga-lhe para nos ligar no distrito – respondeu Leznicki.

A um canto, sobre uma escrivaninha do outro lado daquela comprida sala, vi uma pequena televisão do tamanho de um rádio. Estava ligada com o som baixo e fora de sintonia, porque a imagem clareava e escurecia em lampejos, e tive a insana lucidez de reconhecer que ela falava para os tubos de néon que, por sua vez, lhe respondiam. Senti-me muito nauseado. Quando deixamos para trás os corredores e o hospital, me virei para um lado e tentei vomitar, mas consegui apenas expelir um pouco de bile e sentir o clarão do flash de um fotógrafo.

A caminho do distrito nos mantivemos calados. Seja o que for que Deborah merecesse, o necrotério não era lugar para ela. Tive então um devaneio sobre minha própria morte, em que minha alma (num tempo futuro) tentava levitar e se libertar do meu cadáver. Foi um longo processo, como se uma membrana presa na lama procurasse pegar uma brisa para se soltar. Naquele necrotério (pois era o cenário de minha morte), os delicados filamentos de minha alma iam também morrendo paralisados pelo desodorante, enquanto a esperança se extinguia no diálogo entre o tubo de néon e o televisor. Pela primeira vez senti-me culpado. Era um crime ter empurrado Deborah para o necrotério.

Havia mais fotógrafos e repórteres à porta do distrito, e novamente todos falavam e gritavam ao mesmo tempo. "Foi ele?", ouvi alguém gritar. "Vai ficar detido?", perguntou outro. "Qual é o lance, Roberts, qual é o lance?" Eles nos seguiram, mas foram deixados para trás quando passamos pela recepção, onde havia um policial sentado a uma mesa elevada e quadrada que sempre me lembrava um tribunal (mas que eu só vira em filmes), então entramos em uma sala mais ampla, muito ampla, talvez dezoito por doze metros, as paredes pintadas de um verde-escuro institucional até o nível dos olhos e um bege desbotado também institucional até o branco-sujo das placas de zinco do teto, aqueles quadrados de 45 centímetros de zinco barato estampados com flores-de-lis por algum fabricante do século XIX. Não vi nada além de escrivaninhas, talvez umas vinte, e, mais além, duas salas pequenas. Roberts parou na porta entre a recepção e a tal sala ampla e deu uma breve declaração aos repórteres.

– Não estamos detendo o sr. Rojack por nenhum crime. Ele está apenas nos fazendo a gentileza de responder algumas perguntas. – E fechou a porta.

Roberts me conduziu a uma escrivaninha. Sentamo-nos. Ele tirou uma pasta e fez anotações nela por alguns minutos. Ergueu então os olhos. Estávamos mais uma vez a sós. Leznicki e O'Brien tinham desaparecido.

– O senhor está consciente – falou Roberts – de que lhe fiz um favor lá fora.

– Estou.

– Pois bem, fiz contrafeito. Não me agrada a cara deste caso. A Leznicki e O'Brien também não. Vou lhe dizer uma coisa: Leznicki é um animal quando depara com um caso desses. Ele está convencido de que o senhor a matou. Acha que o senhor partiu o hióide da sua mulher enrolando uma meia em torno do pescoço dela. Está na esperança de que tenha feito isso umas horinhas antes de empurrá-la pela janela.

– Por quê?

– Porque, meu amigo, se ela morreu umas duas horas antes, a autópsia poderá revelar.

– Se revelar, você terá um caso.

– Ah, já temos os indícios de um caso. Farejei uma coisa. Sei que estava comendo aquela empregada alemã. – Seus olhos azuis e duros me trespassaram. Sustentei seu olhar até meus olhos começarem a lacrimejar. Então ele desviou o olhar. – Rojack, você está com sorte que ninguém tenha se machucado muito naquele engavetamento de carros. Se tivesse e pudéssemos culpar você pela queda de sua mulher, os jornais o chamariam de Barba Azul Jr. Quero dizer, imagine então se uma criança tivesse morrido!

De fato, eu não pensara nisso até aquele momento. Não planejara engavetar cinco carros em East River Drive.

– Então, escute – continuou ele –, sua situação não é das piores. Mas chegamos a um ponto em que precisa tomar uma decisão. Se confessar o crime – esqueça sua sensibilidade – e tiver alguma prova de infidelidade de sua mulher para apresentar, um advogado esperto pode lhe obter uma sentença de vinte anos apenas. O que, em termos práticos, equivale normalmente a doze anos e pode se reduzir a oito anos. Nós cooperaremos dizendo que confessou de livre e espontânea vontade.

Terei de anotar a hora em que fez isso, o que significa que não confessou nas primeiras horas, mas direi que estava em estado de choque até então. Não mencionarei as mentiras que quis nos impingir. E deporei a seu favor no tribunal. Mas se você esperar que as provas se acumulem para então confessar, será condenado à prisão perpétua. E, na melhor das hipóteses, não será libertado antes de vinte anos. Se lutar até o fim e nós tivermos um caso sólido, você poderá ir para a cadeira elétrica, amigão. Vão raspar sua cabeça e lhe dar um choque de derreter a alma. Então fique aí pensando. Pense na cadeira elétrica. Vou buscar café.

– É mais de meia-noite – falei. – Eu já não deveria estar em casa?

– Vou lhe trazer um café.

Mas lamentei que ele tivesse saído. Por alguma razão tinha sido mais fácil enquanto estava ali. Agora não havia nada a fazer exceto pensar no que me dissera. Tentei calcular quanto tempo decorrera do momento em que constatara que Deborah estava morta até ela se estatelar em East River Drive. Não poderia ter sido menos de meia hora, talvez uma hora, possivelmente hora e meia. Houve um tempo em que eu entendia alguma coisa de anatomia, mas agora não me lembrava mais quanto tempo as células poderiam permanecer intactas nem quando começavam a se decompor. Enquanto esperava ali, era provável que estivessem realizando a autópsia em Deborah. A ansiedade me pesava no estômago; a mesma sensação de abismo que eu costumava sentir quando me afastava de Deborah por uma ou duas semanas e de repente me via incapaz de resistir ao impulso de lhe telefonar. Foi difícil ficar parado esperando Roberts voltar, como se aquela falta de caridade cruel que eu esperava encontrar em Deborah (como uma quilha para lastrear o terror vazio em meu estômago) agora fosse exercida pelo detetive. Sabia que provavelmente estavam me observando, e que eu não devia me movimentar demais; estava consciente de que, no momento em que começasse a andar pela sala, minha ansiedade se revelaria a cada passo, contudo não sabia se poderia empenhar mais força de vontade para permanecer imóvel: fazia horas que estava sustentando um fogo intenso – o arsenal estava quase vazio.

Ainda assim me forcei a observar a sala. Havia detetives conversando com pessoas em quatro ou cinco escrivaninhas. Uma velha com um casaco surrado chorava à escrivaninha mais próxima, e um detetive muito entediado tamborilava com um lápis enquanto aguardava que ela parasse de chorar. Mais adiante um negão com o rosto arrebentado sacudia a cabeça para responder negativamente a cada pergunta que lhe faziam. No fundo da sala, atrás de uma divisória baixa, pensei ter ouvido a voz de Ruta.

Então, do lado oposto da sala, vi uma cabeleira loura. Era Cherry. Estava em companhia do tio e de Tony, e seus amigos discutiam com o tenente Leznicki e dois detetives que eu ainda não vira. Encontrava-me naquela sala há quinze minutos e não observara nada exceto a expressão do rosto de Roberts. Agora, eu subitamente percebia que havia tanto ruído quanto o que se poderia encontrar à noite na escura enfermaria de um hospital, havia praticamente um coro de protestos e imprecações e um *staccato* abafado nas vozes insistentes dos policiais, e eu quase poderia me deixar deslizar para a ante-sala de um sonho em que nadávamos em um mar de lama, gritando uns para os outros sob o estampido dos rifles e a lua nova. As vozes se destacavam do conjunto, a velha chorou mais alto quando o nosso tio, do lado oposto da sala, começou a gaguejar em tom de lamúria, e Ruta, ainda oculta pela divisória, assimilou certa estridência do choro da velha e do negro com o rosto rebentado, passou a falar mais depressa, marcando com a cabeça o compasso que extraíra dos sons reinantes. Fiquei em dúvida sobre se eu estaria febril, pois agora tinha a impressão de que perdia a lembrança do passado, que estava abrindo mão da minha fidelidade com relação a cada bom momento que passara com Deborah e desistindo da raiva concentrada e dura por cada hora em que ela estragara minha carência, senti mesmo que me despedia daquela noite no morro italiano com os meus quatro alemães ao luar, sim, eu me sentia como um bicho acuado pelo medo no limite entre a terra e a água (preso ali pela experiência acumulada de milhares de gerações), poderia se sentir no segundo em que sua garra se firmou, seu corpo emergiu do mar e seu impulso o fez transpor a linha da mutação e permitiu que agora, finalmente, ele se transformasse em algo novo, algo melhor ou pior, mas nunca mais o mesmo que fora antes daquele instante. Senti-me como se tivesse transposto o abismo do tempo e fosse uma nova espécie de homem. Que febrão eu devo ter tido.

Um rosto me observava.

– Por que a matou? – perguntou Leznicki.

– Não matei.

Agora, porém, Leznicki parecia mais feliz. Seu rosto fino estava descontraído, e o tom de ostra passada de seus olhos tinha um quê de vida.

– Ei, amigão – disse com um sorriso largo –, você está nos dando uma trabalheira.

– Só o que eu quero é uma xícara de café.

– Você acha que estamos brincando. Escute aqui – e ele virou uma cadeira ao contrário, sentou-se com o peito contra o espaldar e inclinou o rosto para mim fazendo com que eu sentisse o cheiro metálico de seu hálito e dos dentes estragados; fez isto sem inibição, como faria um cambista nas pistas de corridas dando-lhe as boas dicas sobre o cavalo junto com as más notícias trazidas pelo seu bafo –, você se lembra de Henry Steels?

– Acho que sim.

– Claro que se lembra. Resolvemos o caso aqui neste distrito, bem ali naquela escrivaninha – e apontou para um móvel que era exatamente igual aos demais. – Coitado do Steels. Vinte e três anos em Dannemora, e quando é posto em liberdade se junta a uma gorda no Queens. Seis semanas depois ele a mata com um atiçador. Está lembrando agora? Quando o apanhamos duas semanas depois, tinha liquidado três gays e mais duas gordas. Mas não sabíamos. Nós o prendemos pelo primeiro crime. Um patrulheiro o vê no hall de um prédio de aluguel barato na Third Avenue, vira-o, reconhece-o, traz o homem para cá e estávamos fazendo um interrogatório superficial para sacudi-lo antes de levá-lo ao distrito em Queens quando ele diz: "Me dá um maço de Camel, uma garrafa de xerez e conto tudo a vocês". Damos o xerez e ele nos faz cair de costas. Confessa seis homicídios. Preencheu as lacunas de metade dos casos não-resolvidos que tivemos em Nova York naquelas duas semanas. Fantástico. Jamais vou esquecer. Um criminoso reincidente, de hábitos metódicos. – Leznicki chupou um dente. – Portanto, se você quiser falar, eu lhe dou uma garrafa de champanhe. Quem sabe você confessa seis homicídios também.

Rimos juntos. Fazia tempo que eu chegara à conclusão que todas as mulheres eram de morte, mas agora estava me convencendo que todos os homens eram malucos. Gostei imensamente de Leznicki – devia ser efeito da febre.

– Por que não nos disse que tinha uma medalha de guerra?

– Fiquei com medo que vocês a confiscassem.

– Pode acreditar, Rojack, eu nunca teria lhe dado aquele apertão se soubesse. Pensei que você era só mais um *playboy*.

– Tudo bem – respondi.

– Ótimo. – Ele correu os olhos pela sala. – Você é da televisão, certo? – Assenti. – Então – continuou ele – podia nos colocar em seu programa uma noite dessas. Supondo que o departamento aprove, eu poderia contar umas histórias. O crime tem uma lógica. Entende?

– Não.

Ele tossiu, uma tosse comprida e encatarrada de um jogador que perdeu todas as partes do corpo exceto a ligação no cérebro que lhe diz quando apostar.

– Um distrito policial, não estou mentindo, faz parte da ação. Parecemos Las Vegas. Sei quando vamos ter uma noite movimentada – ele tornou a tossir. – Às vezes penso que há um louco escondido que controla o cérebro desta cidade. E ele arma as coincidências. Sua mulher sai pela janela, por exemplo. Por causa de um câncer, diz você, e cinco carros engavetam no East River Drive por causa dela. E quem é que está em um dos carros senão o tio Ganooch, Eddie Ganucci, você já ouvir falar nele.

– Da Máfia, não é?

– Ele é um príncipe. Um dos maiores no país. E ele cai no colo da gente. Temos uma intimação para entregar a ele emitida pelo tribunal do júri faz dois anos, mas ele está em Las Vegas, em Miami, só uma ou duas vezes por ano dá uma passadinha furtiva aqui na cidade. E hoje à noite nós o pegamos. Sabe por quê? Por que ele é supersticioso. O sobrinho lhe disse que desse uma caminhada, que se perdesse na multidão. Não. Ele não quer sair do carro. Tem uma mulher morta na estrada e ela o amaldiçoará se ele for embora. O homem deve ter mandado matar uns vinte sujeitos nos velhos tempos, deve valer uns cem milhões de dólares, mas tem medo da maldição de uma defunta. Faz mal ao seu câncer, diz ao sobrinho. Agora veja só a ligação que se pode fazer. Você diz que sua mulher tinha câncer, é só o que tio Ganooch tem. Veja. – Leznicki riu como se pedisse desculpa pela rapidez de seu raciocínio. – Está vendo por que o apertei? Você pode entender que, hoje à noite no minuto em que me avisaram que Ganucci era todo nosso, não quis perder tempo com você.

– E a moça? Quem é ela? – perguntei.

– Uma vadia. O sobrinho tem uma boate onde ela canta. Uma vadia muito pervertida. Anda com crioulos. – E mencionou um cantor negro cujos discos eu ouço há anos. – Shago Martin, é com ele que a vadia anda – disse Leznicki. – Quando uma mulher pinta os pêlos está querendo um crioulão.

– Bela garota – comentei. – Não achei que pintasse os cabelos. Talvez usasse um xampu colorante.

– Estou começando a gostar cada vez mais do senhor, sr. Rojack. Gostaria que não tivesse matado sua mulher.

– Lá vamos nós outra vez.

– Não, olhe, o senhor acha que gosto de fazer o meu trabalho atormentando um homem que mereceu a Cruz de Mérito em Combate? Gostaria muito de ignorar que o senhor a matou.

– E se eu tentasse lhe dizer que não fui eu?

– Se trouxessem o Bom Deus em pessoa a esta sala... – ele parou. – Ninguém jamais diz a verdade aqui. É impossível. Até as moléculas de ar estão cheias de mentiras.

Ficamos em silêncio. O negro com a cara rebentada era o único que falava na sala.

– Ora, o que eu vou querer com aquela loja de bebidas – disse ele –, aquela loja é sagrada, quero dizer, aquela loja é território demarcado. Nem chego perto de um território desses.

– O policial que o prendeu – disse o detetive ao seu lado – foi prendê-lo justamente naquela loja. Você quebrou a cara do proprietário, limpou a caixa registradora, e então o patrulheiro o agarrou pelas costas.

– Que merda! O senhor está me confundindo com outro negro. Os policiais não sabem a diferença entre um negro e outro. O senhor me confundiu com outro negro em quem andou batendo.

– Vamos à sala dos fundos.

– Quero um café.

– Terá café quando assinar.

– Me deixa pensar – e os dois ficaram em silêncio.

Leznicki pôs a mão no meu braço.

– Está começando a ficar mal para você – disse. – A garota alemã está entregando o jogo.

– Que é que ela tem para confessar? Que tentei beijá-la uma vez no corredor?

– Rojack, nós a deixamos preocupada. Neste momento ela está pensando em salvar a pele. Ela não sabe se você matou sua mulher, mas admite que poderia ter matado, isso ela admitiu depois que mandamos uma policial despi-la. Um legista colheu uma amostra. Aquela alemã andou trepando hoje à noite. Podemos levar você e mandar examiná-lo também para ver se foi com você. É o que quer?

– Não vejo o que a empregada tem a ver com isso.

– Tem um pêlo de homem na cama dela. Podemos verificar se é ou não seu. Isto é, se você quiser cooperar. Só precisamos arrancar uns pelinhos com uma pinça. É o que quer?

– Não.

– Então admita que deu uma bimbada na empregada hoje à noite.

– Não vejo o que ela tem a ver com isso. Um caso com a empregada não seria motivo para eu matar minha mulher.

– Esqueça esses detalhes insignificantes – disse Leznicki. – Quero lhe fazer uma proposta. Contrate um dos melhores advogados da cidade e poderá ser libertado em seis meses.

Nesse momento ele parecia mais um velho ladrão do que um tenente-detetive. Vinte e cinco anos vendo assaltantes e batedores de carteira, arrombadores de cofres, viciados, *bookmakers* e vigaristas à sua frente, e cada um deve ter fascinado uma pequena célula.

– Rojack, conheço um homem, um ex-fuzileiro, cuja mulher lhe disse que dava em cima de todos os seus amigos. Ele lhe rachou a cabeça com um martelo. Ficou sob observação até o dia do julgamento. O advogado conseguiu absolvê-lo. Insanidade temporária. Ele está solto. E está em melhor condição hoje do que você com sua história de suicídio. Porque mesmo que você se livre dessa acusação, o que não vai acontecer, ninguém vai acreditar que você não empurrou sua mulher.

– Por que não contrato você como advogado?

– Pense! – disse Leznicki. – Vou fazer uma visita ao Tiozinho.

Eu o observei atravessar a sala. O velho se levantou para falar com ele e os dois apertaram as mãos. Depois aproximaram as cabeças. Um deles deve ter contado uma piadinha, porque os dois caíram na gargalhada. Vi Cherry olhar para o meu lado e, num impulso, acenei. Ela retribuiu o aceno alegremente. Poderíamos ser calouros de uma universidade estadual trocando olhares enquanto fazíamos matrícula em mesas separadas.

Um policial chegou com um bule de café e me serviu uma xícara. Então o negro gritou para ele:

– Também quero uma xícara.

– Fale baixo – disse o tira. Mas o detetive que estava sentado com o negro fez sinal para o policial se aproximar.

– Este crioulo está caindo de bêbado – disse o detetive. – Dê uma xícara a ele.

– Não quero café agora – retrucou o negro.

– Claro que quer.

– Não, não quero. Me dá enjôo.

– Beba um pouco de café. Cura a bebedeira.

– Não quero café. Quero chá.

O detetive gemeu.

– Venha à sala dos fundos – disse.

– Quero ficar aqui.

– Venha à sala dos fundos e tome o café.

– Não preciso de café.

O detetive cochichou ao seu ouvido.

– Tá bem – concordou o negro. – Vou à sala dos fundos.

A mulher que estivera chorando devia ter assinado o papel, porque fora embora. Agora não havia ninguém perto de mim. E eu estava assistindo a um filme de julgamento. O advogado de defesa com dedicada brandura na voz. "Então, sr. Rojack, que disse sua mulher?" "Bom, ela falou dos amantes e disse que eles compararam favoravelmente o seu desempenho sexual com o de um bombeiro-encanador – como dizem em bordéis mexicanos." "E, sr. Rojack, o senhor poderia explicar o que é um 'bombeiro'?" "Bem, 'bombeiro' é a prostituta mais reles de uma casa de prostituição e que pratica os atos que as outras prostitutas se recusam a praticar por relativo pudor." "Entendo, Sr. Rojack. Que fez o senhor, então?" "Não sei. Não me lembro. Eu já tinha alertado minha mulher para o meu mau gênio. Tenho sofrido apagões desde a guerra. Tive o primeiro lá."

Uma leve náusea, próxima à depressão com que se poderia despertar toda manhã durante anos, perpassou os meus pulmões. Se alguém alegasse insanidade temporária, Leznicki e eu seríamos irmãos, compareceríamos em espírito aos nossos mútuos funerais, marcharíamos de braços dados pela Eternidade. Contudo, senti-me tentado. Porque aquele vácuo no peito e aquela sensação de vazio no estômago tinham voltado. Eu não tinha a menor certeza se agüentaria prosseguir. Não, eles iriam me interrogar sem parar; me diriam verdades e me diriam mentiras; seriam simpáticos, seriam antipáticos, e o tempo todo eu continuaria respirando o ar daquela sala impregnado de cigarros e charutos, de café com gosto de vasilha suja, do cheiro distante de banheiros e de roupa usada, ferros-velhos e necrotérios, eu veria paredes verde-escuras e tetos brancos encardidos, eu escutaria murmúrios subterrâneos, abriria meus olhos e os fecharia sob a luz causticante das lâmpadas, viveria em um subterrâneo, viveria dez ou vinte anos em um subterrâneo, deitaria em uma cela à noite sem nada para fazer exceto caminhar por um piso quadrado de pedra. Morreria em meio a estupores infindos e planos vencidos.

Ou eu gastaria um ano recorrendo, passaria o último ano de minha vida em uma gaiola de ferro e uma manhã entraria em uma sala onde, sem estar preparado para nada, nada tendo feito, fracassado, infeliz, amedrontado com as migrações que pudessem estar à minha espera, eu irromperia, estrebuchando, berrando por dentro, e entraria na longa vertigem de uma morte em que despencava por intermináveis paredes de pedra.

Cheguei então muito próximo. Acho que teria chamado Leznicki e pedido o nome de um advogado, e mostraria a língua para ele imitando a nós dois e ao nosso novo contrato, e giraria os olhos dizendo: "Está vendo, Leznicki, sou doido de pedra". Acho realmente que teria feito isso naquele momento, mas não tive forças para gritar para o outro lado da sala. Tive horror de parecer fraco diante da jovem loura, então me recostei e esperei Leznicki voltar, experimentando mais uma vez naquela noite o que era a exaustão e a apatia dos que estão muito velhos e muito doentes. Nunca entendera antes por que certos velhos, que sentem o desagrado no hálito de todos que os encaram, ainda se aferravam à medíocre e insossa continuação de seus dias, graças a um trato com algum demônio menor da medicina: "Conservem-me mais um tempo longe de Deus". Agora, porém, eu compreendia. Porque havia uma enorme covardia em mim pronta a selar qualquer paz, pronta a espoliar em público a memória daquela mulher que fora minha durante quase nove anos, pronta a zombar do futuro do meu cérebro preparando-me para anunciar que eu também estava louco e minhas melhores idéias eram pobres, deformadas, distorcidas e ofensivas a outrem. Não, eu queria sair, queria fugir dessa armadilha que criara para mim mesmo, teria cedido se a minha covardia ao menos tivesse força para projetar a minha voz até o lado oposto da sala. Ela não fez isso, porém, só foi capaz de pregar as minhas nádegas na cadeira e me mandar esperar, como se algum poder tivesse me paralisado.

Então o negro recomeçou na outra sala. Eu não o via, mas certamente o ouvia.

– Não quero café, quero uísque Seagram's Seven. Foi isso que você disse que eu ia poder beber e é o que eu quero.

– Beba seu café, seu merda – gritou o detetive, e pela porta aberta vi de relance que ele andava para lá e para cá com o negro e que havia um patrulheiro segurando seu outro braço, um rapaz de rosto duro e inexpressivo, cabelos pretos lisos e olhos que se vê em tablóides no rosto de jovens homicidas que nunca perderam a missa até a manhã em que perderam a cabeça, e os dois faziam o negro andar, saíram do meu campo de visão, ouvi o ruído do café respingar e derramar de vez e o estrépito da caneca no chão, em seguida ouvi outro estalo, o de um murro na cara, seguido da pancada surda de uma joelhada nas costas, e o negro gemeu, mas quase satisfeito, como se a surra fosse sua sanidade previsível.

– Agora me dá o Seagram's Seven – gritou ele – e eu assino aquele papel.

– Beba o café – gritou o detetive. – Você não está nem enxergando direito.

– À merda com esse café – resmungou o negro, e em seguida o som de novas pancadas, e os três, tropeçando e se amparando, desapareceram de vista, reapareceram, desapareceram, com novos ruídos de pancadas.

– Filho-da-puta – exclamou o detetive –, crioulo teimoso filho-da-puta.

E um novo detetive tinha vindo sentar-se ao meu lado, um homem mais jovem, talvez com uns 35 anos de idade, um rosto anônimo e uma boca amargurada.

– Sr. Rojack – começou ele –, eu só queria lhe dizer que gosto muito do seu programa de televisão e lamento que tenhamos de nos conhecer nestas circunstâncias.

– Ãhhhh – gemia o negro –, ãhhhh, ãhhhh, ãhhhh – a cada murro recebido –, assim é que se faz, paizinho, ãhhhh, ãhhhh, não pare, você está cada vez melhor.

– Agora, por que não bebe o café? – berrou o detetive que o surrava.

Devo confessar que nesse momento baixei a cabeça e sussurrei para mim mesmo: "Ah, Deus, me dê um sinal", gritando o pedido para as profundezas do meu íntimo como se eu possuísse todas as prioridades de um santo, e tornei a erguer a cabeça com convicção e desespero suficientes para fazer aparecer um arco-íris, mas nada atraiu o meu olhar na sala exceto os longos cabelos de Cherry do outro lado da sala. Ela também observava a sala onde ocorria o espancamento, e havia em seu rosto a expressão de uma garota inocente que contemplasse um cavalo com a perna quebrada e agora se sentisse simplesmente infeliz diante das proporções que o fato assumira. Levantei-me e saí com a vaga idéia de ir à sala dos fundos, mas o medo se dissipou assim que me levantei e mais uma vez senti uma força em meu corpo me desviar daquela sala dos fundos e uma voz no meu íntimo dizer: "Vá até a moça".

Então me levantei, atravessei a grande sala e me aproximei de Leznicki, Ganooch, Toni, Cherry, Roberts, O'Brien e outros tantos detetives e advogados e parei ao lado de Cherry. Dei-lhe uma boa olhada e vi que era mais velha do que eu esperava, não tinha dezoito nem 21 anos conforme calculara na rua, mas talvez 27 ou 28, e havia olheiras esverdeadas sob seus olhos, de exaustão crônica. Ainda assim achei-a muito bonita. Tinha uma aura prateada e fugaz como se no passado tivesse sofrido uma imensa decepção e depois tivesse criado uma delicada alegria para encobrir a dor. Assemelhava-se um pouco a uma criança que fora ungida pela asa de um pássaro mágico. E, naquele momento, parecia bem infeliz.

– Tony, você não pode fazer alguma coisa para parar esse espancamento? – perguntou ela.

Ele sacudiu a cabeça.

– Não se meta, hein?

Roberts dirigiu-se a ela.

– O rapaz lá dentro tentou matar um velho de pancada esta noite.

– Sei – respondeu ela –, mas não é por *isso* que estão espancando ele.

– E *você,* o que quer? – perguntou Roberts me encarando.

– Roberts, acho que ela tem razão. Acho que você devia mandar aquele detetive parar.

– Está planejando abordar isso no seu programa? – perguntou Leznicki.

– Posso convidá-lo, se o fizer?

– É melhor parar com isso – disse tio Ganooch. – Já há muito atrito no mundo de hoje.

– Ei, Red – gritou Leznicki para a sala dos fundos –, ele está bêbado. Meta-o numa cela até amanhã.

– Ele tentou me morder – gritou Red em resposta.

– Meta-o numa cela.

– Agora – falou tio Ganooch – podemos terminar o nosso caso? Sou um homem muito doente.

– É simples – sorriu Leznicki –, só precisamos de uma garantia de que *vai atender à intimação.*

– Estamos reexaminando o caso – respondeu o advogado de Ganooch. – Darei fé por ele.

– E que merda vem a ser isso? – perguntou Leznicki.

– Vamos voltar – disse Roberts, olhando para mim. – Quero falar com você.

Concordei com um aceno. E me aproximei da moça. Seu amigo Tony estava parado ao lado dela e me lançou um olhar que teve o poder de arrepiar minha pele. Era um olhar que dizia: "Não se dirija a esta moça ou alguém vai quebrar o seu braço".

Mas eu estava pensando que era melhor considerar aquela moça um sinal – era o único à vista. Então disse em tom descontraído:

– Gostaria de ir vê-la cantar.

– E eu gostaria que você fosse – respondeu ela.

– Qual é a boate?

– No Village. Um cantinho. Recém-inaugurado. – Ela olhou para Tony, hesitou e em seguida me deu o endereço, a voz clara. Pelo canto do olho vi o negro ser levado para fora do salão.

– Vamos, Rojack – chamou Roberts. – Temos uma novidade para discutir.

Devia ser umas três horas da manhã, mas ele continuava com boa aparência. Uma vez sentados, ele sorriu.

– Não adianta pedir a você que confesse, não é?

– Não.

– Muito bem, então. Vamos liberar você.

– Vão?

– Vamos.

– Terminou tudo?

– Ah, não. Não. Não vai terminar para você até o legista mandar um relatório de suicídio.

– E quando vai ser isso?

Ele encolheu os ombros.

– Um dia, uma semana. Não saia da cidade até o legista dar notícias.

– Continuo sob suspeita?

– Ah, pode parar. Sabemos que você a matou.

– Mas você não pode me prender?

– Posso, posso prendê-lo como testemunha material. E poderíamos apertá-lo durante 72 horas e você confessaria. Mas está com sorte, está com muita sorte. Temos que dar atenção ao Ganucci esta semana. Não temos tempo para você.

– E também não têm provas.

– A moça falou. Sabemos que você esteve com ela.

– O que não significa nada.

– Temos outras provas, mas não quero falar nisso agora. Nos veremos daqui a uns dois dias. Fique longe do apartamento de sua mulher. E fique longe da empregada. Você não iria querer se meter com uma testemunha potencial.

– Não, não iria.

– A propósito, sem ressentimentos.

– Ah, nenhum.

– Falo sério. Você agüenta bem. Você não é má pessoa.

– Obrigado.

– Talvez lhe interesse saber. Recebemos o relatório da autópsia. Há indícios de que sua mulher tinha câncer. Vão fazer umas lâminas para verificar, mas isso o favorece.

– Entendo.

– É por isso que estamos liberando você.

– Entendo.

– Não se descontraia demais. A autópsia também revelou que o intestino grosso de sua mulher estava num estado curioso.

– Como assim?

– Você terá oportunidade de se preocupar com isso mais para o fim da semana. – Ele se levantou. – Boa noite, amigo. – Então parou. – Ah, sim. Esqueci de lhe pedir para assinar os papéis da autópsia. Pode assiná-los agora?

– A autópsia foi ilegal?

– Eu diria que foi irregular.

– Não sei se quero assinar os papéis.

– Como quiser, amigo. Se não assinar, podemos prendê-lo numa cela até o legista trazer o relatório.

– Beleza.

– Nem tanto – replicou Roberts. – Só uma mancada. Tome, assine aqui.

Assinei.

– Bom – disse Roberts –, estou indo para casa. – Quer uma carona para algum lugar?

– Vou andar.

Andei. Andei muitos quilômetros sob o insistente chuvisco da madrugada, e quando começou a amanhecer, dei por mim em Village à porta da boate onde Cherry cantava. Sobrevivera à noite, chegara à manhã. Era dia na rua; eu podia pensar no sol nascendo. Mas nasceria em meio a um *smog* invernal, um dia molhado e pálido, acinzentado pelo nevoeiro.

A entrada da espelunca era uma porta de metal estragada que se abriu quando bati.

– Sou amigo do Tony – falei para o homem à entrada. Ele encolheu os ombros e me deixou entrar. Percorri um corredor e passei por outra porta. No passado a sala fora o jirau de um grande porão, agora estava decorada como um bar de Miami, um recinto com reservados, bancos e a frente do bar estofados em couro sintético, laranja berrante, um tapete lustroso e azul muito escuro e um teto cor de vinho. Havia um homem tocando piano e Cherry cantava. Ela me viu entrar e sorriu ao inspirar e me fez um sinalzinho para indicar que sim, tomaria um drinque comigo assim que acabasse seu número. Bem, se a morte de Deborah tinha me dado uma nova vida, eu devia ter umas oito horas de idade agora.

4

Olheiras verdes de exaustão

De fato, eu estava tão imerso na febre da exaustão que o *bourbon* descreveu um círculo majestoso pelo meu peito, os pulmões congestionados, o labirinto do meu estômago, aquelas ligações excitáveis nas minhas entranhas. A polícia se fora e retornaria amanhã; os jornais já estavam sendo entregues nas bancas da madrugada; dentro de algumas horas os detalhes do meu cotidiano estourariam como uma casa enlouquecida em que a máquina de lavar pratos disparasse à chegada do entregador de compras, o estúdio de televisão me ligaria, eu talvez precisasse ligar para a universidade, os amigos de Deborah me visitariam, haveria um enterro, puxa vida, o enterro, o enterro e a primeira de uma nova série de mil mentiras que poderia oscilar de mil a 22 mil. Mas eu me sentia um marinheiro náufrago na calma entre duas tempestades. Ou talvez um velho forte morrendo de excesso de trabalho, que passasse da vida à morte aprofundando-se no próprio íntimo. Vermelhos intensos acorrem para sustentar seu coração e há anjos cansados para recebê-lo depois do trabalho, um céu compassivo a aprovar o seu modo de viver naqueles anos duros e áridos. Acho que esse trago de *bourbon* talvez tenha sido o melhor que já tomei. O relaxamento chegou como um presente alado e experimentei uma sensação de felicidade mais profunda do que o ar, mais perfumada do que a água. Enquanto Cherry cantava, sorvi-a – meu ouvido para um cantor nunca estivera tão apurado. O que não significa que ela fosse uma grande cantora: não era. Mas apreciei-a, eu estava parado em um equilíbrio semelhante ao dos pontinhos luminosos que costumavam dançar acima das palavras impressas em uma tela de cinema quando adultos e crianças eram convidados a cantar aos sábados. Cherry possuía uma voz quase convencional – ela aprendia com outros; tomara emprestado estilos que ainda não transformara em seus, mas tinha um ritmo gracioso e fácil e destacava detalhes curiosos. Cantava *Love for sale, love that's fresh and still unspoiled, love that's only slightlyz...* E dava um toque gostoso em *soiled,* algo choroso como para mostrar que o que perdera era pior do que lixo. Sim, sua voz era apenas ligeiramente acima do comum, mas a experiência contida na voz não era, por isso provocava uma mudança coletiva de humor no ambiente, e isso era um feito, porque não havia apaixonados, não nesta platéia: um juiz italiano com duas prostitutas; dois detetives, um negro jovem e gorducho com uma barbicha de mandarim, uma velha com anéis de diamantes cujo fulgor fora roubado à aurora boreal; as luzes setentrionais eram o seu lema; elas gemiam: sou duas vezes viúva e acredito em Deus porque é isso que os rapazes são – o rapaz era inegavelmente gay. Por fim, sentados no bar, um grupo de cinco pessoas, duas moças com três homens que pareciam ser amigos de Tony, pois todos eles usavam gravatas de seda prateada, camisas brancas de seda e ternos azul-marinho. Um deles era um antigo campeão de boxe, um excelente peso-médio aposentado que reconheci na hora, tinha uma péssima reputação no ringue. Somem-se mais uns poucos e se terá o tamanho da platéia, nada muito grande para uma madrugada chuvosa, mas aquela vozinha estava me dando prazer (a voz de cantora bem menos sonora do que a voz com que se dirigira a mim na rua), aquela vozinha possuía uma qualidade de nervo exposto.

If you want the thrill of love, I've been through the mill of love,
Old love, new love, every love but true love,
Love for sale. Appetizing young love for sale.
If you want to buy my wares, follow me and climb the stars –
*Lu, uh, love, love for sale.**

---

* Se quiser a emoção do amor, conheço todas/ amor antigo, amor novo, todos menos o verdadeiro,/ Amor à venda. Amor jovem e tentador à venda./ Se quiser comprar meu amor/ Venha, suba comigo/ Ah, amor, amor à venda. (N.T.)

O foco de luz a favorecia, um tom violeta róseo e perolado, uma boa iluminação para uma loura pálida, pois lançava um brilho prateado sobre as sombras de seu rosto e escurecia aquelas olheiras esverdeadas sob seus olhos transformando-as em vales de charme. Ela não se parecia nada com Marlene Dietrich, mas o charme estava presente, aquela curiosa sugestão de terra de ninguém onde não se consegue distinguir exaustão de espionagem. Então os demônios, do bem ou do mal, dos poderes telepáticos aterrissaram de um salto no palco, e ela começou a cantar "The Lady Is a Tramp", mas em uma versão rouca gemida, tensa e curiosa, como se de fato Marlene Dietrich tivesse tocado sua laringe. "Pare", pensei, é "melhor parar", e Cherry deu uma gargalhada, aquela gargalhada falsa da cantora um tantinho bêbada demais, então deu uma palmada na coxa, indicando um novo ritmo ao pianista (um vigoroso ritmo muscular), ao mesmo tempo em que fechava os olhos e ria alegremente.

– Bota pra quebrar – gritou o pugilista. E ela recomeçou com outra voz, entoando a mesma canção, balançando os quadris, de modo firme e agradável e muito americano, como se fosse uma comissária de avião ou a mulher televisiva de um astro de futebol profissional. Mais uma luz a iluminou, laranja. Praias da Flórida, o bronzeado laranja-avermelhado de um atleta. Agora em seu rosto o pó-de-arroz refletia a luz, gotas brilhantes de suor como o sol sobre a neve úmida. Suas feições endureceram, a dureza de uma boate, a personificação da cobiça, olhos verdes, pele morena, o louro dourado e flamejante – era a luz laranja. *Life without care, I'm broke. It's ok. Hate Califórnia, it's cold and it's damp, that's why the lady is a tramp**, moendo as palavras como se fizessem parte de uma saborosa salsicha que sua voz estivesse prestes a rechear.

Bom, o número prosseguiu. Brilhou uma luz champanhe que a fez lembrar Grace Kelly, e outra verde-claro que lhe deu um ar de Monroe. A cada instante ela parecia uma dezena de

---

* Vida sem cuidados, estou quebrado. Não estou nem aí. Odeio a Califórnia, é fria e úmida, e é por isso que a dama é vira-lata. (N.T.)

belas louras e, de vez em quando, o garoto da casa ao lado. Um jeito de americaninho limpo, decente, rijo em sua expressão; o que emprestava charme à base do seu nariz arrebitado (lembrou-me novamente), que tinha o ângulo de uma lancha de competição saltando uma onda, sim, aquele nariz dava personalidade ao pequeno músculo de seu queixo e ao toque de teimosia em sua boca. Ela era atraente, sim. Tinha estudado louras, esta Cherry, ela era todas, algum diabo louro a acompanhara na travessia dos estilos. Era um prodígio – bebericando o meu *bourbon* – observar sua mutabilidade. Ela poderia ser um jogo de personalidades distintas não fosse pelo caráter de seu traseiro, aquela bela peça sulista. Ocasionalmente ela se virava e cantava por cima do ombro, mostrando que a bunda naturalmente não tinha a menor relação com o seu rosto, não, ela a mexia com um ritmo próprio, satisfeita consigo mesma e com ela, prática, a quintessência de toda garota sulista, maravilhosa, um pouquinho grande e redonda demais para a cintura, uma caixa registradora, o rabo de uma garota sulista. "Este traseiro está à venda, rapaz", dizia-me, "mas *você* não tem cacife para comprá-lo!" Seu rosto, nada tendo a ver com esse diálogo, sorriu recatadamente para mim pela primeira vez.

Eu pairava em uma brisa de embriaguez, uma levitação mágica. Meu cérebro se transformara em uma pequena fábrica de partículas psíquicas, pílulas, foguetes do comprimento de um alfinete, planetas do tamanho de uma pupila quando a íris se fecha. Tinha até alguma artilharia, uma bateria de bombas menores do que ovas de caviar, mas prontas para serem lançadas do outro lado da sala.

Prova material para algum julgamento futuro: o pugilista exclamou mais uma vez para Cherry: "Bota pra quebrar". E disparei uma salva de tiros contra ele. Sua risada interrompeu-se; amarrou a cara como se quatro ovos estragados tivessem estourado em sua cabeça. Suas narinas torceram-se até um ponto de repulsa que eu imaginei que fosse pelo cheiro. Ele olhou para os lados. E, por sua vez, calculou (ele não era estranho a tais ataques) e me localizou como a provável origem da agressão e preparou-se para meter um pé imaginário na minha virilha. Baixei o meu escudo para bloqueá-lo. Bloqueei-o! "Seu pé dói", disse-lhe mentalmente e ele pareceu deprimido. Passado um momento, começou a esfregar a ponta daquele pé na panturrilha.

Prova material: a primeira prostituta do juiz dava risadinhas histéricas toda vez que Cherry tentava alcançar um sol abaixo de um dó agudo. A voz de Cherry não era particularmente trabalhada. Um fio de voz alcançou o agudo. O restante falhou. Mas foi uma tentativa corajosa. Então recorri a uma daquelas balas mágicas que eu mantinha orbitando sobre o centro solar de minha cabeça. Dei-lhe instruções: "A próxima vez que ela der risadinhas, fure a cabeça dela de orelha a orelha, acerte-a para valer". O que a bala executou prontamente. Como um projétil atravessando uma tábua de três centímetros, a minha abriu um novo sulco vazio no centro dos pensamentos da prostituta; sua preciosa cabeça estremeceu quando a bala penetrou; quando ela tornou a rir, o som foi oco, o riso apatetado e vazio de uma prostituta de rosto bonitinho.

Prova material: o juiz virou a cabeça quando o cometa passou trinando por sua orelha. Ele olhou para os lados. Não conseguiu me encontrar. Disparei um foguete mental de sinalização para fazer cócegas na ponta do seu nariz. "Vem cá, boneco", disse mentalmente ao juiz, "este é o seu radar." Ele me localizou então. Uma imprecação começou em seu peito, escorregou pelos seus ombros, baixou nuvens de gás legal. Não me preparara para isso. O gás subiu pelo meu nariz, inércia, sanidade, o imensurável contínuo de fumaça de charuto, tédio: eu estava entorpecido, mas não tão abatido que não pudesse expelir uma labareda pela boca para incendiar a nuvem dele e devolvê-la numa contra-imprecação para sua mesa. O juiz arriou e olhou para frente, seus olhos abertos e inexpressivos. Como uma flor transformada em semente, sem perfume, os cachos nas orelhas da outra prostituta despencaram de repente sobre o pescoço, uma florzinha queimada.

Prova material: um dos detetives teve um acesso de soluços.

Prova material: um dos políticos irlandeses chorou.

Prova material: a sala tinha um campo de silêncio. Uma bomba explodira. Nesse silêncio, Cherry cantava: *When the deep purple falls over sleepy garden walls.** Em *sleepy garden walls* ela entoou cinco notas perfeitas, cinco, como os cinco sinos de um anjo que chegasse na esteira de uma bomba, claras, uma seqüência dos sons consecutivos mais lindos que eu já ouvira. Um raro momento de alívio naquela sala decadente ouvir a canção de um belo corpo de mulher.

Ela não gostou do momento. Sacudiu a cabeça, bateu o pé e engrenou *Here is the story of a most unfortunate Memphis man who got stranded down in old Hong Kong.***

– Mais um *bourbon*, garçom – gritei.

Eu estava observando o pé de Cherry marcar o compasso. Ela usava sandálias que deixavam seus dedos à mostra, e pintara as unhas. Fiquei impressionado com essa vaidade. Deixei-me absorver por ela, pois tal como em outras mulheres atraentes, os dedos dos pés eram a parte mais feia do seu corpo. Não eram bem feios, não eram deformados, mas certamente grandes demais. Seu dedão era redondo, redondo como uma moeda de meio dólar e maior do que uma de 25 centavos – era um dedo redondo, guloso e cheio de si, e os quatro dedos menores tampouco eram pequenos, cada um deles muito maior nas bases do que o tamanho da unha poderia justificar, obrigando a pessoa a contemplar cinco melõezinhos sensuais, até gorduchos, mas muito satisfeitos que contornavam cinco unhas relativamente mínimas, cada uma mais larga do que comprida, o que me deprimiu. Cherry tinha os pés curtos e largos daquele tipo de mulher muito prática que dispunha de tempo para fazer compras na mercearia e tempo para transar com o vizinho de porta, e meu olhar subiu dali para o talhe argentino e suave do seu rosto, aquele delicado rosto andrógino sob os cabelos tingidos de louro, e me surpreendi com a minha embriaguez, como se ela fosse um trem disparando pela escuridão e eu

---

* Quando o violeta profundo cai sobre as paredes sonolentas.

** Ouçam a história de um infeliz de Memphis que se perdeu na velha Hong Kong.

estivesse ocupando um assento com vista para trás e me distanciasse sempre mais de um fogaréu no horizonte: e a cada instante me aproximava mais do murmúrio que se ouve no túnel que conduz à morte. As mulheres precisam nos matar a não ser que as possuamos completamente (assim dizia a lógica luminosa da bebida em minha mão), e eu agora temia a cantora no palco, porque seu rosto, sim, talvez eu o pudesse possuir também, talvez aquele rosto pudesse me amar. Mas seu traseiro! é claro que eu não poderia possuir aquele rabo, ninguém nunca o possuíra, talvez ninguém o fizesse, então toda a dificuldade tinha descido para seus pés, sim, os cinco dedos pintados confidenciavam como essa moça podia ser malcomportada. Foi assim que a vi: dominado por um rancor mágico, me sentindo tão mal quanto um menino nobre, disparei uma flecha em seu dedão, naquela certeza gorducha e abusada de seu dedo, e o vi revirar dentro do ritmo. Disparei mais três flechas no mesmo alvo e vi o pé recuar para baixo de sua longa saia. Então, como se houvesse uma maldição qualquer sobre mim (obrigando-me a fazer o oposto do que poderia querer), por uma razão que eu desconhecia (eu só queria reverter o movimento) atirei uma flecha finíssima no meio da barriga de Cherry, senti-a penetrar. Senti que causara um estrago. Ela quase esqueceu a canção. Falhou uma nota, vacilou no compasso, mas ela continuou, virou-se para me olhar, um mal-estar desprendeu-se dela, algo isolado e morto do fígado, cediço, gasto, e flutuou pestilentamente em direção à minha mesa, e me fez mal quando pousou. E havia um toque de arrependimento nessa exalação de Cherry, como se ela tivesse guardado tal doença na esperança de não poder infligi-la a ninguém, como se seu orgulho estivesse em guardar as próprias doenças para si mesma em lugar de passá-las adiante. Eu disparara aquela flecha e vazara seu escudo. A náusea se acumulava em todos os meus condutos.

Saí correndo da mesa para o banheiro masculino e, no boxe, tranquei a porta, me ajoelhei e vomitei pela segunda vez naquela noite, me sentindo humilde como um santo, sabendo agora que um santo aproximaria a cabeça daquele trono esperando o ar mais puro assentar como uma auréola ao redor dos vapores. Talvez eu sentisse uma fração daquele ar, porque os meus pulmões ardidos se limparam – mais uma vez nesta noite eu estava aspirando um daqueles ares novos que não experimentava havia vinte anos, parecia-me, e então vomitei com toda a força de um cavalo galopando, esperma coagulado, violações, a podridão e o gás da conciliação, o fedor de velhos medos, o mofo da disciplina, toda a bile dos hábitos e os horrores do fingimento – ah, aí veio o núcleo do vômito! – saíram trovejando com o fragor de uma torrente irrompendo pela mata para retomar seu rio, senti-me como um vento crescente que captasse o mal dos pulmões e fígados de outros e os despejasse por meu intermédio na água. Eu estava escoando o veneno do ferimento que infligira na barriga de Cherry, e, sim, confirmando, sua voz ecoou pelas paredes do banheiro dos homens, alta, risonha e triunfante. *When the saints come marching in*, pairando como um pássaro de ouro voando enfim livre de sua garganta, rindo feliz com a antiguidade da canção, e eu me segurei no vaso sanitário e me sacudi em espasmos, e pensei que se o assassino estivesse solto dentro de mim estaria também uma espécie de santo, um santo menor, sem dúvida, mas finalmente livre para absorver os males dos outros e regurgitá-los para fora, ah, sim, isso era comunhão, e espirais de náusea e Leznicki, ah, aí vinha Leznicki, do fundo da barriga, subindo, subindo, e a presença de Roberts subiu e saiu boca afora! Feijões e fiapos de vômito subiram dos porões da minha barriga, a polícia estava se despedindo do meu corpo.

Paz. E paz. A náusea foi desaparecendo como o eco de uma locomotiva na penumbra daquele boxe de banheiro, e eu acendi fósforos à procura de respingos e manchas no meu paletó, como se uma busca mais simples na claridade junto à pia lá fora fosse menos meticulosa e portanto menos eficiente. Lavei meu rosto na água fria, mas com cuidado, e novamente, como se estivesse lavando um rosto novo. E no espelho meus olhos estavam brilhantes, brilhantes e alegres como os de um iatista refletindo o sol na água – seria o espelho a minha sanidade ou um meio para a loucura? Contudo usei-o para pentear os cabelos e ajeitar a gravata. O colarinho de minha camisa estava surpreendentemente limpo – lembrei-me da devoção com que a pusera logo depois de me lavar (o corpo de Deborah naturalmente estirado no chão no outro cômodo) e me perguntei se a conservação da limpeza poderia ser uma pequena dádiva de vida pelo cuidado que eu dedicara ao tecido naquele momento. As hierarquias de alma e espírito giravam no meu cérebro – a bebida ou a visita de Deborah me deixavam doidão como os Celts: eu tentava imaginar que uma camisa poderia possuir um espírito que as lavanderias destruíam e os dedos carinhosos restauravam. Contudo, havia a prova da camisa. Arrancada para fazer amor com Ruta, vestida às pressas, submetida ao olhar penetrante da polícia, uma caminhada na chuva, uma batalha psíquica no bar, uma rodada de espasmos aqui e ainda resistindo! – minha camisa devia ter a força de um ego superior. Senti uma tristeza momentânea que a minha mente perderia a liberdade de se aventurar, pois não é que eu estaria morto dentro de três dias? Isto me parecia bem provável – ou encarcerado? Ou somente entorpecido pela ansiedade de ter que responder a perguntas e mais perguntas intolerantes. E nesse momento, longe de chorar a perda de Deborah, odiei-a. – Sim – pensei –, você continua a me sacanear.

Mas Cherry estava terminando o seu número. Ou pelo menos era a sensação que dava a música através das paredes. Mirando-me no espelho, levei a mão esquerda ao olho esquerdo em uma falsa continência, e as luzes diminuíram novamente por um instante como tinham feito no outro banheiro, diminuindo agora de fato ou na minha imaginação, e disse a mim mesmo: "Sim, você certamente estará morto dentro de três dias". Saí então do banheiro e me sentei à minha mesa, bem na hora em que Cherry estava cantando os últimos acordes de "I've got you under my skin".

Tarde demais, porém, porque ela passou por mim a caminho do bar, um sorriso semiprofissional no rosto, seu olhar quase preferindo me ignorar.

– Vamos tomar uma bebida – convidei-a.

– Vou beber com uns amigos – respondeu-me –, mas junte-se a nós. – E me deu um sorriso um pouco melhor e se encaminhou para os três homens e duas mulheres que eu concluíra anteriormente que eram amigos de Tony. Ela não conhecia as mulheres, cumprimentou-as com certa cautela, de radar para radar, apertando finalmente a mão de cada uma delas, e em seguida beijou dois dos três homens de um modo exagerado, amigável e estalado como um aperto de mão sonoro e foi apresentada ao terceiro homem, o ex-pugilista, Ike Romalozzo, Ike "Romeo" Romalozzo era o seu nome, então lembrei-me, hesitou e exclamou "E por que não?" em voz muito alta e um carregado sotaque sulista cumprimentou Romeo com um beijo também.

– Você poderia cobrar cinco dólares por um beijo desses – comentou Romeo.

– Querido, é mais gostoso dá-los de graça.

– Esta moça é uma vadia, Sam – disse Romeo a um dos outros dois, um homem baixo, uns 55 anos, cabelos grisalhos, uma pele grossa e cinzenta e uma boca rasgada e fina. O homem tocou a pedra do alfinete de sua gravata branca como se desse um alerta.

– Ela é amiga de um amigo – disse Sam.

– Me dê outro beijo, coração – pediu Romeo.

– Ainda estou me recuperando do último – respondeu Cherry.

– Gary, onde é que o amigo dela se esconde? – indagou Romeu.

– Não me pergunte – disse Gary. Era um homem alto e pesado de uns 38 anos, nariz comprido, um rosto balofo e narinas que cortavam o ar com tal agudeza que sua inteligência parecia se concentrar nelas.

Sam cochichou no ouvido de Romeo. Este se calou. Agora todos se calaram. De onde estava sentado, a menos de cinco metros do bar, eu chegara à conclusão que, se deveria morrer dentro de três dias, Romeo era o homem com maior probabilidade de fazer o serviço. Não sabia se tal pensamento vinha do que era mais autêntico no meu instinto ou se a minha mente estava simplesmente encharcada de idiotices. Apesar disso, algo em mim decidira que eu devia me dirigir a Romeo nos próximos minutos.

"Você jamais despistará a polícia", disse minha mente, "a não ser que leve a moça do bar para casa." E, ecoando esse pensamento, notei que os detetives tinham ido embora. Senti a ansiedade de um homem ouvindo que precisa se submeter a uma cirurgia de risco.

– Vão fazer um filme sobre a minha vida – disse Romeo a Cherry.

– Qual vai ser o título? – indagou Gary. – "O boxeador bebum e pançudo"?

– Vai ser a história de um rapaz americano – respondeu Romeo.

– O grande amante! – disse Sam.

– O pessoal interessado contratou um *ghost-writer*. É a história de um garoto que se desencaminha, toma jeito, torna a se desencaminhar. – Romeu pestanejou. – Culpa dos colegas. Más influências. Uísque barato. Mulheres. Não conquista o título. É o preço que ele paga.

Romeo não era feio. Tinha cabelos pretos e crespos que usava compridos e cheios dos lados e tinha operado o nariz depois que abandonara o ringue. Seus olhos eram escuros e inexpressivos, como olhos de um chinês. Engordara. Teria parecido um jovem executivo próspero no mercado imobiliário de Miami não fossem as cartilagens volumosas nas têmporas que davam a impressão de ainda estar usando capacete.

– Quem financia o filme? – quis saber Cherry.

– Dois caras – disse Romeo.

– Mutt e Jeff – comentou Sam.

– Você não acredita? – perguntou Romeo.

– Ninguém vai fazer um filme sobre você – comentou Gary.

– Se conseguirem um bom ator para o meu papel eles vão fazer um filme muito bom – respondeu Romeo.

– Ei, Romeo – gritei –, tenho uma idéia. – Falei da minha cadeira a uns cinco metros de distância, mas as palavras saíram impensadas. Fiquei de pé e me aproximei. A idéia foi infeliz, mas foi a melhor que me ocorreu. Continuei desejando que me aparecesse outra melhor.

– Você – disse Romeo – tem uma idéia.

– É, quando rodarem o seu filme, farei o seu papel.

– Você não pode – ceceou Romeu –, você não é esquisito que chegue.

Romalozzo fora famoso pelo seu traiçoeiro gancho de esquerda. Eu acabava de me meter onde não fora chamado. As risadinhas começaram por Sam e contagiaram Cherry e as duas moças. Ficaram todos parados no bar rindo de mim.

– Devo uma rodada a todos – anunciei.

– Barman – gritou Romeo –, cinco Bromo-Seltzers.

Gary deu uma palmada nas costas de Sam.

– O nosso garoto está cada dia melhor.

– O talento está só despontando – disse Romeo. – Quando terminarem esse filme, a elite, as mulheres mais sofisticadas da cidade dirão: "Romalozzo jantou conosco ontem à noite".

– É – disse Sam –, e aquele porquinho-da-índia comeu toda a pizza.

– *Foie* de caviar. Ei, Frankie – gritou Romeo para o barman –, traz um pouco de *foie* de caviar com o Bromo-Seltzer.

Cherry riu. Tinha uma risada excepcionalmente alta. Teria sido perfeita e alegre, um prazer adivinhá-la, não fosse pela suspeita de que havia nela algo obstinado e exibido, algo que lembrava o idiota de cidadezinha sulista. Percebi que surgira em mim uma tensão de que ela fosse perfeita.

– Romeo – disse Cherry –, você é o homem mais engraçado que conheci hoje.

– Não sou eu, é o meu amigo. Meu novo amigo. – Ele me olhou com os seus olhos inexpressivos. – Sam, esse não é o meu novo amigo? – perguntou.

Sam me encarou sem emoção.

– Bem, Romeo, ele não é meu amigo – respondeu após uma breve pausa.

– Talvez ele seja seu amigo, Gary?

– Nunca vi o cavalheiro antes – respondeu Gary.

– Sweetie – perguntou Romeo a uma das moças –, é seu?

– Não, mas ele é bonitão – respondeu Sweetie.

– Então, querida, deve ser seu – disse Romeo a outra moça.

– Não, a não ser que eu o tenha conhecido em Las Vegas há uns cinco anos, acho – disse a moça tentando ajudar. – Talvez a gente tenha se encontrado no Tropicana há uns cinco, seis anos, sei lá, ha-ha.

– Cala a boca – falou Gary.

O mulato com a cara gorda de mandarim e barbicha estava me observando de sua mesa. Ele lembrava um daqueles corvos da selva que se empoleiram no alto de uma árvore assistindo a leões e seus filhotes devorarem o sangue, a espuma e as vísceras de uma zebra ferida.

– Acho – disse Romeo – que ele não é amigo de ninguém.

– É seu – discordou Sam.

– É. É meu. – Ele olhou para mim. – Que me diz, colega?

– Você não perguntou à dama – lembrei.

– Você está falando da dama que esteve nos entretendo? A dama que estava cantando?

Não respondi.

– Já que você é meu amigo – disse Romeo –, vou lhe dizer. A dama está comigo hoje à noite.

– É uma surpresa.

– É um fato.

– Estou realmente surpreso.

– Amigo, você já terminou o seu número. Agora cai fora – disse Romeo.

– Você não encontrou um modo mais agradável de pedir para eu me retirar?

– Vai saindo.

Eu estava pronto a me retirar. Pouca coisa me prendia. Mas havia algo. Era o forte brilho de orgulho nos olhos de Cherry. Isso alimentou minha raiva para encarar Romeu nos olhos. Porque ela estivera me usando – agora eu entendia. E senti uma raiva gelada contra todas as mulheres que me usaram. Era mais uma prima da insanidade – eu que já visitara tantos membros do clã esta noite –, mas dessa vez respondi:

– Irei quando a dama me pedir, não antes.

– O condenado saboreou uma farta refeição – disse Gary.

Não tirei os olhos dos de Romeo. Sustentamos esse olhar. “Você vai se machucar”, diziam seus olhos. “Tenho uma coisa a meu favor”, respondiam os meus. Sua expressão tornou-se dúbia. As chances não lhe pareciam claras. Não havia idéias em seus olhos, apenas pressão. Talvez achasse que eu estava armado.

– Você convidou esse cara para vir aqui? – perguntou Romeo.

– Claro que convidei – respondeu Cherry –, e vocês foram sacanas.

Romeu soltou uma gargalhada com uma longa nota inexpressiva e surda de permeio, uma gargalhada profissional, a gargalhada profissional de um pugilista que vencera cem lutas e perdera quarenta, e dessas quarenta, doze tinham sido decisões injustas e seis combinadas, e em quatro ele perdera intencionalmente. Era, portanto, a gargalhada de um homem que aprendera a rir sofrendo todo tipo de perda.

– O cavalheiro é uma celebridade – disse Cherry. – É o sr. Stephen Richards Rojack, que tem um programa de televisão que vocês todos conhecem, acendeu a luzinha?

– Sei – disse Sam.

– Acendeu – disse Gary.

– Claro que conheço – disse uma das garotas, Sweetie, com a alegria de uma aluna burrinha respondendo corretamente a uma pergunta disparada em classe. – Fico impressionada de conhecer o senhor, sr. Rojack – confessou Sweetie. Ela era *realmente* meiga. Sam parecia farto de sua companhia.

– E já que o sr. Rojack é muito especial para mim – disse Cherry, correndo quatro dedos perfumados pela minha nuca –, vamos para o canto tomar uns drinques.

– Você entra novamente em cena em quinze minutos – avisou o barman.

– Não ouvi nada – respondeu Cherry. E deu um sorriso prateado como se os terrores dos homens fossem tão admiráveis quanto os excrementos dos hipopótamos.

Ocupamos uma mesinha com um abajur em formato de vela a uns três metros do palco com seu piano abandonado e microfone ocioso. Sentado ao lado dela, eu tinha a impressão de que estava diante não de uma presença, mas de duas, uma jovem de cabelos louro-claros com sombras lilases e curiosos fantasmas, algumas canções especiais, uma mulher com um corpo que talvez jamais pudesse ser visto à luz do sol; e a outra jovem, saudável como uma camponesa, nascida para ser fotografada de maiô, dinâmica, prática, limpa, o tipo que procurava no sexo um exercício.

– Você ainda está zangado – disse-me.

– Estou.

– Não precisava se aborrecer. Eles só estavam gozando a sua cara.

– E você também. Se eu tivesse ido embora, você estaria aqui com o Romeo.

– Talvez.

– E não sentiria diferença.

– Que maldade dizer isso – falou com uma vozinha de menina sulista.

– A maldade diz o que a maldade vê. – Eu não sabia exatamente o que estava dizendo, mas a frase agradou-a imensamente. Poderíamos ser adolescentes. Ela passou as costas dos dedos sob o meu queixo, seus olhos verdes muito vivos à luz da vela, produzindo reflexos castanhos, dourados e amarelos. Nessa luz ela era inteiramente gata, olhos de gata, narinas de gata, a boca astuta de uma gata.

– Sr. Rojack, o senhor sabe contar piadas engraçadas?

– Sei.

– Me conte uma agora.

– Contarei mais tarde.

– Quando?

– Quando estivermos de saída.

– O senhor é grosseiro. Na verdade...

– Quê?

– *Idiota* – disse com um relincho sulista, e sorrimos um para o outro, como dois joalheiros encontrando uma pedra para formar um par. Então nos inclinamos para frente e nos beijamos. Com toda aquela bebida eu quase desmaiei. Porque um sopro de algo doce e forte saiu de sua boca e falou do que ela conhecia, de cidadezinhas sulistas e bancos traseiros de carros, de suítes caras em hotéis e anos ouvindo jazz de boa qualidade, de um coração simples e honesto e do sabor de bons vinhos, *jukeboxes* e mesas de jogos de dados, obstinação, uma transigência, inerte e cheia de gás, algo poderoso e obtuso como seus amigos, o cheiro de *bourbon*, também, a promessa crua e sangrenta, tanto que fechei meus olhos e caí para trás em um desmaio momentâneo, ela era demais para mim – é verdade –, era exatamente como se eu tivesse treinado boxe com um homem mais pesado e ele tivesse me atingido em cheio com a direita, não com o punho nu, mas com uma luva de boxe, e apaguei por um segundo e levei outro lento segundo para voltar a mim porque o castigo me aguardava. Não foi o melhor beijo que já tinha dado, mas, sem dúvida, foi o mais forte, havia nele um pouco da energia férrea nos corações dos muitos homens que devia ter beijado.

– Você beija com tanta ternura – comentou ela.

Sim, poderíamos ser adolescentes. Eu nunca sentira essa mistura peculiar de promessa e respeito, um certo assombro (como se eu estivesse andando de olhos vendados e pudesse a qualquer momento cair da escada: mas havia almofadas embaixo – fazia parte da brincadeira), a expectativa de que a vida tinha algo a me oferecer que pouca gente conhecia, a felicidade que era ter um corpo junto ao meu que estava sentindo a mesma ternura que eu, a própria ternura. Tive receio de me mexer.

– Idiota – disse ela agora –, você se aproximou como se tivesse um grilo em cada bolso.

– Eu estava apavorado.

– Com o quê?

– Vodu.

– Você vodu. Você doido de pedra. Não apresentei você porque não era mais meu amigo. Era o Rei dos Chatos.

– Acho que sim.

– Horrível!

O barman se aproximou.

– Está na hora de continuar.

– Não vou cantar mais esta noite.

– Terei de ligar para o Tony.

Cherry tinha no rosto a expressão de um soldado que achou um pêssego em uma árvore no outono e parou para comê-lo. Em um minuto retomará sua marcha.

– Ligue para o Tony e traga dois duplos para nós.

– Não quero ligar para ele.

– Frank, eu gostaria que você ligasse para o Tony. Não quero nem saber. Não mesmo. Mas não faça eu me sentir mal porque fiz você se sentir mal.

Frank olhou-a apenas.

– Além disso, o sr. Rojack não gosta da minha voz. Tem vontade de vomitar.

Todos rimos.

– Ele gosta sim – disse Frank. – Me olhava feio toda vez que eu batia um copo.

– O sr. Rojack não tem muito critério para olhares feios – replicou Cherry. – Epa! – E o copo em que bebia voou de sua mão.

– Você realmente não vai cantar, não é? – perguntou Frank contemplando os cacos do copo no chão. Quando ela confirmou com um aceno de cabeça, ele se afastou.

– Muito obrigado, Cherry – disse ele.

– Bem, acabou-se um belo clima. – Ela acendeu um fósforo e apagou-o com um sopro. Então olhou para o cinzeiro para ler o augúrio. – Aborrecimentos futuros.

– Você acha que sou maluco?

– Ah, não. – Ela riu feliz. – É só mimado. – Beijamo-nos de novo. Chegou perto do primeiro beijo. Talvez houvesse realmente alguma coisa à nossa espera.

– *Eu* acho que sou louco. Minha mulher está morta. Não dei sorte.

– Algum erro no seu passado que você não quer ver?

– Exato.

– Estou me sentindo assim faz uma semana.

O acompanhador, um negro, dirigiu-se ao piano. Ao passar por Cherry, sacudiu os ombros. Tocou então um acorde melancólico, acrescentou dois ou três acordes melancólicos e emendou uma música rápida e chata.

– Vai ver você estava apaixonado por ela – sugeriu Cherry –, por isso não deu sorte. São as mulheres que mal podem esperar para enviuvar que gritam no enterro.

O telefone tocou.

– Sr. Rojack, para o senhor – gritou Frank e indicou com a cabeça uma cabine ao lado do bar. Quando passei, reparei que Romeo, Sam, Gary, as moças tinham ido embora.

– Rojack?

– Falando.

– Roberts.

– Ainda está acordado?

– Estou, amigão, ainda.

– Onde é que você está?

– Em Queens. Já ia dormir. – Ele fez uma pausa com aquele domínio exato do tempo que é comum nas autoridades.

– Quem foi que lhe telefonou?

– Alguém do alto escalão.

– E que foi que ele disse?

– Rojack, não me venha com esse papo de gente de elite. Sei onde você nasceu.

– Sabe? Eu não sei onde você nasceu.

– Seu filho-da-mãe – replicou Roberts –, está de pileque.

– Ora, você também. Está enchendo a cara.

– Estou.

– Pensei que você nunca bebesse.

– Uma vez na vida – respondeu Roberts.

– É uma honra ser o motivo.

– Seu dedo-duro grã-fino.

– Somos muito maus – respondi.

– Escute, dê o fora desse lugar – disse Roberts. – Você não está cem por cento seguro aí.

– Posso não estar seguro, mas com certeza não estou sofrendo.

– A moça com quem está.

– Sei.

– Sabe quem ela é?

– Veneno. Veneno puro.

– É melhor acreditar nisso, amigão.

– Roberts, há todo o tipo de gente no mundo.

– Já ouviu falar em Bugsy Siegel?

– Claro que já ouvi falar de Bugsy Siegel. Como é que você pode ser um bêbado respeitável se nunca ouviu falar em Bugsy Siegel?

– Pois bem, Rojack, a mocinha com quem você está agora poderia ter sido professora de Bugsy Siegel.

– Então por que ela está cantando em um bar da madrugada para ganhar 150 dólares por semana?

– É só o que posso lhe dizer – falou Roberts.

Então me irritei.

– Pensei que precisasse dar atenção a Eddie Ganucci.

– O rumo do seu caso está mudando.

– Como assim?

– Você não nos contou tudo sobre a sua mulher.

– Tudo?

– Ou você sabe do que estou falando ou não sabe.

– É evidente que não sei.

– Deixa para lá.

– Sua informação nova: é boa ou má?

– Vá ao distrito às cinco e meia da tarde.

– É só isso que quer me dizer?

– Ouvi dizer que seu sogro pegou um avião e está chegando à cidade agora de manhã.

– Onde ouviu isso?

– No rádio. – Roberts deu uma risada. Era sua primeira piada da manhã. – Ouvi no rádio. Agora, Rojack, passe o telefone para o barman. Quero falar com ele.

Quando voltei para a mesa, Tony estava lá. Parecia preocupado. Tinha a expressão de um homem com preocupações conflitantes que se preocupa com qual deve se preocupar primeiro. Ele me deu a mão frouxa para apertar e um breve olhar.

O ódio emanava dele como um perfume seco e forte, uma essência daquela imperfeição que senti em Cherry no momento em que quase desmaiei. Em pé ao lado de Tony, a exposição àquele ódio me deixou outra vez próximo à náusea; havia uma ameaça e tanta imprecisão nessa ameaça (como se alguém estivesse expirando dentro de um saco plástico) que senti um momentâneo pânico para me afastar dos dois e estaquei onde estava porque algum instinto me dizia que o pior instante para quem se sufoca deve sempre ser o primeiro. A Cherry eu disse sorrindo:

– Dá para acreditar? A polícia acha que devo ir embora daqui.

– Tem policiais que são inteligentes – disse Tony.

– Ainda assim, estão cuidando muito bem de mim. A preocupação é tanta que pediram para falar com o barman depois de falarem comigo.

– Nunca temos confusões aqui – disse Tony. – A confusão vem às pencas. Na rua. – Surgiu, no entanto, nova preocupação no seu rosto, como se agora precisasse fazer cinco entregas e só tivesse três entregadores.

– É difícil confiar em alguém hoje em dia – falei.

– Amigos – respondeu-me.

– Amigos se cansam. Este conselho é de graça.

– Muito bem, levante-se e cante o seu número – disse Tony a Cherry.

– Não estou a fim.

– Também não estou a fim. Não me venha com essa.

Ela viu a minha expressão.

– Sabe uma história engraçada, sr. Rojack?

– Sei um poema – respondi.

– Recite para mim.

– Feiticeiras não têm feitiço, disse o mágico enfermiço.

– Esse é o primeiro verso do seu poema? – perguntou Cherry.

– É. Quer ouvir o segundo?

– Quero.

– É o último.

– É?

– Hula, hula, entoaram as feiticeiras.

Ela soltou uma gargalhada como se uma feiticeira prateada e outra negra estivessem batendo com as asas uma na outra.

– Repete – pediu ela.

– Feiticeiras não têm feitiço, disse o mágico enfermiço. Hula, hula, entoaram as feiticeiras.

Ela me fez repetir os versos para decorar. Ao ver a expressão no rosto de Tony, deu-lhe um sorriso leitoso.

– Você vai cantar? – perguntou ele.

– Cantarei uma música.

– Como assim: uma música?

– O poema do sr. Rojack me deu vontade de cantar – disse ela. – Cantarei uma música ou não cantarei nenhuma.

– Suba no palco – falou Tony.

Quando ela subiu, ele se virou e me disse:

– Ela vai cantar o número completo.

Cherry, porém, estava consultando o pianista. Vi-o sacudir a cabeça e dar um sorriso fraco de homem fraco. Enquanto confabulavam, seus dedos tocavam nervosamente uma frase melódica *What's that hear my baby say? Funky-butt, funky-butt, take it away* – murmurou ela, e pareceu prender algum fio eletrônico no microfone porque sua voz saiu sussurrante e em seguida o microfone guinchou. Ela o cobriu com a mão, sorriu para a dezena de fregueses que restava no bar. – Hora do café-da-manhã.

Uma rodada de aplausos.

– Sei que estamos todos com medo de sair para encarar aquele sol.

– Está chovendo – gritou o juiz com as duas prostitutas. Ouviram-se algumas gargalhadas.

– Verdade, Meritíssimo, mas o sol está brilhando no tribunal – respondeu Cherry, o que provocou um murmúrio. – É, estamos todos com medo do café-da-manhã – continuou Cherry –, mas vou cantar mais uma canção. Depois vamos todos embora. Pronto.

– Ela está só brincando – disse Tony. Sua voz cuidadosamente sob controle, mas tinha a estridência abafada de uma tampa de bueiro que alguém suspendesse do poço e largasse no asfalto. – Ela está só brincando – repetiu Tony.

– É – confirmou Cherry. – Que tal uma salva de palmas?

Ela bateu palmas para engrossar as poucas palmas entediadas que recebeu em resposta. Então o pianista tocou uns acordes. Cherry ia cantar um hino. Cantou:

Every day with Jesus,
Is sweeter than the day before.
Every day with Jesus.
*I love him more and more.**

Ela fez a pausa esperada, olhou para a platéia e juntou devotamente as mãos. Parecia prestes a explodir em gostosa gargalhada.

Jesus saves and keeps me.
He's the one I'm waiting for.
Every day with Jesus
*Is sweeter that the day before.***

Foi a melhor música que ela cantou a noite toda, a que mais tinha a ver com ela. Veio-me à mente uma congregação batista de mulheres em uma cidadezinha do sul, a luz se refletindo nos copos de bebida como a luz que seus óculos refletiam, rostos com sulcos brancos e rugas verticais em cima do lábio, marcados pela paixão da integridade, a loucura no olhar, aquela lascívia alucinada que açoita os túmulos vazios, a devoção encerrada nas juntas artríticas.

Every day with Jesus, I love him more and more, cantava Cherry percorrendo os acordes do pianista com uma alegria corporal na garganta, bálsamo para a urticária que aquelas

---

* Cada dia que passo com Jesus,/ É mais gostoso que o anterior./ Cada dia que passo com Jesus/ Me leva a amá-lo com mais ardor. (N.T.)

** Jesus me salva e me guarda./ É por ele que espero./ Cada dia que passo com Jesus/ É mais gostoso que o anterior. (N.T.)

senhoras deviam ter deixado nela, contudo havia arte no hino porque ela não as detestava de todo, eram feiticeiras também, agora velhas e odiosas, mas tinham sentido amor por alguém, por um sobrinho ou um irmão ou um jovem tio há muito falecido, tinham guardado as cartas antigas de alguém amarradas com fita ou ajudado uma garota grávida; nas garras geladas do seu reumatismo passava um nervo cristão, romance para lhes lembrar um terno amante morto e a vida no suspiro de sua perda.

– *Every day with Jesus.* Todo mundo cantando – convidou Cherry, e como se eu fosse um tipo de meia-idade ex-aluno de escola preparatória que tivesse ido à reunião depois de todos aqueles anos de espera, fiquei de pé e cantei o verso com ela, balançando o meu copo com gestos largos como se usasse uma caneca de cerveja à guisa de pêndulo. *Sweeter than the day before.*

Éramos os únicos. Os humores dessa embriaguez fluíam dela para mim e refluíam para ela, enquanto o pianista participava de vez em quando como um ratinho de desenho animado dançando ao compasso da música no casamento dos dois gatões. Foi praticamente só isso que aconteceu. Um bêbado que acabara de entrar berrava a última palavra de cada verso, e as prostitutas do juiz começaram a cantar em suave falsete para logo serem decapitadas por um olhar dele. Outros guardaram silêncio. Tony estava lívido. Quando Cherry desceu do palco, disse:

– Ok, chega.

– Você não vai se demitir – disse Tony –, está despedida. Você é doida.

– Tenho uma bandeira americana, Tony, que vou lhe mandar de presente de Natal. Para usar como toalha de mesa.

– Cante na banheira, boneca, é onde vai passar a cantar. Vou pichar você em cada espelunca desta cidade.

– Vou trocar de roupa – disse Cherry.

– Ficarei esperando – falei.

Tony e eu ficamos a sós. Evitamos nos olhar e ficamos ali lado a lado competindo: a presença dele contra a minha presença, duas criaturas marinhas enterradas no leito de uma gruta, porejando as trocas repelentes entre tais seres. A opressão de Tony era lamacenta, um fedor de concreto molhado. Eu o sentia me enterrar sob o concreto. Então apelei para Deborah. Quantas vezes conversando com ela eu levara a mão à garganta – com certeza ela estava correndo uma navalha imaginária de uma orelha a outra. Não era de admirar que ela acreditasse em milagres. Agora, por minha vez, levei a mão ao bolso para sentir o canivete e o transferi em uma viagem mental para a palma de minha mão, onde figurativamente o abri, estiquei o braço e fiz um corte profundo na garganta de Tony embaixo do pomo de Adão. "É assim que se faz", disse Deborah ao meu ouvido, "Finalmente você está aprendendo. Jogue sal no corte."

"Onde vou buscar sal?", perguntei-lhe.

"Nas lágrimas de alguém que esse homem tenha oprimido. Tome o sal. Esfregue-o no corte."

Então pedi um destilado de tristeza e foi tão forte a impressão que recebi que as pontas dos meus dedos sentiram a aspereza do cristal branco que iriam levar ao pescoço de Tony e ali uma parte de minha mente o esfregou.

Senti o seu desconforto. Ele trocou de pé. Então falou:

– Está quente aqui.

– Está.

– Que pena a perda de sua mulher.

– Terrível.

Eu não o desencorajei.

– Eu a conheci – continuou ele.

– Verdade?

– Eu tinha outro bar no centro. Ela costumava aparecer lá com amigos.

Cherry voltara de um aposento nos fundos. Trazia uma mala e usava roupas de passeio e um casaco de tecido.

– Vamos embora – disse, e sem lançar um último olhar a Tony se encaminhou para a porta. Comecei a segui-la, mas as minhas costas me alertaram que Tony ia lançar nelas uma faca, e uma faca certeira.

– É – continuou Tony –, sua mulher, sr. Rojack, era uma socialite muito ativa.

– Sabe – repliquei –, é uma pena a doença do seu tio.

– Ele a suporta bem.

Deixando as coisas nesse tom, saí com Cherry.

Tomamos o café-da-manhã em um bar, uma pequena refeição de bolinhos e chá, os dois em silêncio a maior parte do tempo. Uma vez, quando levei a xícara à boca, reparei que minha mão estava tremendo. Ela também percebeu.

– Você teve uma noite daquelas – comentou ela.

– Não é a noite – respondi –, é a manhã que me espera.

– Você está com medo das próximas horas?

– Estou sempre com medo.

Ela não riu, concordou.

– Fui a um analista – disse-me.

– Alguma razão especial?

– Estava querendo me suicidar.

– Acontece com as mulheres bonitas.

– Foi pior.

– Sei.

– Você não acha que tem um momento em que é certo a pessoa se suicidar?

– Talvez.

– Como se fosse a sua última chance?

– Me explique melhor.

– Você já morou com os mortos? – Perguntou-me isso com aquela sua cara prática de americana.

– Não – falei –, não sei como é.

– Bem, vivi com papai e mamãe na minha infância e eles estavam mortos. Morreram quando eu tinha quatro anos e cinco meses de idade. Em um acidente de automóvel. Então vivi com um irmão e uma irmã mais velhos.

– Eles foram bons?

– Uma porra – exclamou Cherry –, eram meio loucos. Ela acendeu um cigarro. As olheiras sob seus olhos pareciam pretas de cansaço, o verde arroxeava nas bordas das pálpebras e ia empalidecendo ao longo da maçã do rosto até parecer um amarelo pisado. – Quando se vive com os mortos se acaba entendendo que há um determinado dia em um determinado ano em que eles estão preparados para lhe dar as boas-vindas. É preciso aproveitar aquele dia. Porque se não aproveitar, pode-se morrer em um dia em que ninguém esteja esperando e a gente fica vagando. É por isso que, quando chega o tal dia, o impulso é tão forte. Eu sei. Tive um dia assim. Não aproveitei. Procurei correndo um analista.

– Bem – ponderei –, talvez você tenha de se arriscar a morrer nesse determinado dia. E se você se arriscar e o dia passar, da próxima vez você talvez não chegue tão perto. Talvez essa coisa não possa atraí-la com tanta força assim.

– Você é otimista. – Ela acariciou minha mão. – Ainda está com medo? – perguntou-me.

– Menos. – Mas eu estava mentindo. O medo se instalara em mim na minha última fala corajosa. Não ter medo da morte, estar pronto a enfrentá-la; às vezes eu achava que tinha mais horror à morte do que qualquer outra pessoa que eu conhecesse. Estava tão despreparado para aquele momento. – Quantos dias ainda vamos ter lua cheia? – perguntei.

– Mais três.

– Sei.

– Você diz que tem medo – quer dizer de mulheres?

– Tenho momentos em que acredito que o meu lugar não é dentro delas.

– Não?

Estive prestes a lhe contar uma coisa que ainda não tinha contado a ninguém.

– Eu não gostaria de me estender muito sobre este assunto – falei.

Não acrescentei que, quando estava na cama com uma mulher, eu raramente sentia que estava gerando vida, antes me sentia como um pirata treinando um raide contra a vida, e então em algum lugar dentro de mim – sim, *ali* residia uma grande parte do medo – eu temia o julgamento que devia repousar atrás do útero de uma mulher. Um leve suor porejou nas minhas costas.

– Que tal um drinque? – perguntei. – Você vai servir drinques?

– Não podemos ir para minha casa – disse Cherry. – Tony vai telefonar de quinze em quinze minutos. Depois vai mandar alguém bater na porta.

– Bem, não podemos ir para minha casa. Estará cheia de repórteres, amigos, parceiros de negócios e... família. – Barney Oswald Kelly estava a caminho. Ou pelo menos estava a caminho se Roberts tivesse dito a verdade, e por que não diria? A idéia de meu sogro, a quem eu não chegara a ver oito vezes durante o meu casamento, mas conhecia suficientemente bem para lhe votar profundo temor, era tão vasta que a afastei por completo, tal como conseguimos separar o pensamento da contemplação da vastidão da Ásia. – É, vamos ficar longe do meu apartamento.

– Não quero ir para um hotel – disse Cherry.

– Não.

Ela suspirou.

– Tenho um lugar. É um lugar especial.

– Eu o tratarei com respeito.

– É cedo demais para irmos lá.

– Não temos escolha, princesa.

– Ah, Stephen. Hula-hula.

5

Uma série de modos

Tomamos um táxi para o Lower East Side e para a manhã de março fria e nevoenta na qual o céu cinzento igualava a exalação das ruas molhadas, subimos os cinco lances de escada de um prédio barato, deixando para trás os odores de madeira podre e uva pisada de um depósito de vinho barato, e continuamos subindo, as lâmpadas sujas em cada patamar protegidas por uma grade envolta por cordões de poeira grossos e enredados como musgos. As latas de lixo tinham sido colocadas nos patamares, o cheiro apimentado da comida porto-riquenha, aquele odor de alho, miúdos de porco e condimentos incompatíveis, uma pobreza pululante. No alto de cada lance de escada, a porta para a latrina estava aberta, a umidade se desprendia do chão. O fedor de encanamentos baratos transpirava o terror da velhice – até onde a doença é doente, até onde a sugestão de intestinos velhos é repugnante. Ao subir aquelas escadas eu era um amante e um soldado atravessando território inimigo. "Fracasse aqui no amor", dizia o odor, "e logo estará subsistindo como eu." Ouviam-se mambos tocando, uma criança gritando mortalmente aterrorizada, como se fosse morrer espancada, e a cada patamar as portas abriam uma frestinha por onde espreitavam olhos castanhos, a um metro e meio, a um metro, a trinta centímetros do chão – crianças de um ano que ainda não ficavam em pé.

Cherry apanhara as chaves e abriu a porta girando o segredo de duas fechaduras, e as travas se soltaram com um ruído metálico, surpreendentemente sepulcral para dois cilindros tão pequenos, e senti as orelhas presas àqueles olhos brilhantes como os de esquilos nos observando.

– Passo por essa provação todas as vezes – disse ela –, já vim aqui às três da manhã e à uma da tarde, e eles estão sempre espreitando às portas. – Ela despiu o casaco, acendeu um cigarro, apagou-o, acendeu o aquecedor a gás e foi até o armário onde apanhou dois copos e uma garrafa para nos servir uma bebida. A geladeira era um aparelho decrépito de porta dupla, dos cubos cor de chumbo que ela soltou da bandeja subiu um cheiro de sujeira fluvial. Eu ia ajudar, mas ela se antecipou, deu uma pancada rápida com a mão no furador de gelo e continuou a falar sem hesitação enquanto lavava as pedras na água da pia, os canos rosnando como cães velhos perseguidos durante o sono.

– Minha irmã morava aqui – disse Cherry. – Ela queria estudar pintura. Então eu a ajudei um pouquinho. Só um pouquinho. A mobília é dela.

– E ela se mudou?

Após uma pausa.

– Mudou-se, agora o lugar é meu. Às vezes eu sinto remorso de alugar o apartamento e quase não usá-lo enquanto essas famílias moram aqui apertadas. Mas era o apartamento de minha irmã mais nova. Não quero abrir mão dele.

Só havia um aposento, no qual estávamos, uma sala de estar, jantar com cozinha e quarto conjugados, medindo três metros e sessenta por sete e meio. As paredes de estuque eram brancas com muitas rachaduras e as cores dos móveis, singelas – laranja-tomate, vermelho, verde, o tipo de cor de encher os olhos que uma jovem que não conhece nada de moda talvez escolhesse em seu primeiro ano de Nova York. Havia uma cama de casal com pés, mas sem cabeceira, um sofá com um pé quebrado, uma mesa de jogo, duas cadeiras dobráveis de metal, uma cadeira de lona de diretor de cinema e um cavalete de pintura. Penduradas nas paredes, várias pinturas sem outra moldura exceto uma régua de pinho de seis milímetros, e na parede de fundo do apartamento duas janelas, por sorte, abriam para uma vista desimpedida. Para além dos fundos do prédio havia um cemitério, um dos poucos que restavam na ilha de Manhattan.

– Os quadros são de sua irmã? – perguntei. Eu não queria fazer a pergunta, mas senti que ela a esperava.

– São.

– Deixe-me olhar.

Inesperadamente, porém, me senti irritado, um sinal de fadiga, o único que eu percebia: minha adrenalina reacendera um novo desejo por um trago. Em algum momento nas próximas horas ou no dia seguinte chegaria o instante em que eu me deitaria, em que iria dormir – em que iria tentar –, e então as lembranças dessa noite que eu atravessara despertariam como cadáveres mutilados em um campo de batalha. Agora a bebida ainda me aconchegava, uma carruagem de ouro estofada de veludo vermelho: sentado em seu interior eu podia sobrevoar o campo, olhar para o rosto ferido de Deborah que se erguia de cada cadáver.

Não queria examinar as pinturas. Via coisas demais, e havia muita inexpressividade na irmã de Cherry, muita confusão, empastados e escorridos, uma agudeza maníaco-vermelha completamente desequilibrada.

Os quadros produziam um triste contraste com os móveis laranja-tomate e verde berrante. Ela devia sido uma garota exuberante. Hesitei em prosseguir. Havia uma tensão em mim que lembrava o gosto do freio na boca do cavalo que quer galopar. Em poucas palavras, eu estava como um fumante que passou três dias sem cigarro – subjacente a tudo agora eu queria sexo, não por prazer, não por amor, mas para gastar a tensão: esquecer a fadiga pesada, quase sensual que sentia no coração enquanto subia as escadas, eu precisava de sexo, queria muito. Não podia mentir, porém, tinha a sensação de que os quadros da irmã representavam mais do que uma cerca a ser pulada o mais levemente possível – não, eram a porta para uma propriedade particular. Se eu pressionasse, poderia estragar tudo. Contudo os quadros me irritavam; eram malfeitos.

Não poderíamos, porém, começar com uma mentira entre nós. Era como se agora eu tivesse um conhecimento angustiante, como se tivesse recebido uma mensagem do fim do mundo, que eu estava próximo ao fim do mundo. Se eu fosse fazer uma última tentativa, bem, nada de dinheiro para a passagem de volta, teria de apostar todas as fichas agora. Fiz um discurso curioso.

– Não posso mentir para você, não farei isso até mentir pela primeira vez.

– Certo.

– Aconteceu alguma coisa com a sua irmã, não?

– Aconteceu.

– Ela pirou?

– Pirou e em seguida morreu. – Não houve emoção em sua voz. Alguma coisa monótona e mesquinha assentara sobre o acontecimento.

– Como foi que ela morreu?

– Foi ferida por um homem com quem andava. Ele não passava de um cafetão. Uma noite, espancou-a e ela não se recuperou. Simplesmente se arrastou até aqui. Me pediu para cuidar dela. – Cherry descreveu um pequeno círculo com o copo, fazendo tilintar os cubos de gelo, exorcizando uma maldição. – Uns dois dias depois – continuou em tom excitado – esperou eu sair e tomou trinta pílulas para dormir e cortou os pulsos. Depois levantou da cama e morreu junto àquela janela. Acho que estava tentando pular. Queria cair no cemitério, suponho.

– Que aconteceu com o cafetão? – perguntei por fim.

O rosto de Cherry assumiu a expressão de um jóquei durão recordando uma corrida ruim. Um ricto cruel e devoto passou por sua boca.

– Mandei dar um jeito nele.

– Você conhecia o cafetão?

– Não quero mais falar nisso.

Eu tinha o olhar objetivo de um promotor público que abriu mão de uma carreira em cirurgia.

– Você conhecia o cafetão?

– Não o conhecia. Ela só estava saindo com aquele cafetão porque era meio louca. Tinha se apaixonado por outro homem. E o perdera. Para mim. Eu roubei o namorado dela. – Cherry estremeceu. – Nunca pensei que faria uma coisa dessas, mas fiz.

– O Tony?

– Ah, não, claro que não foi o Tony. O Shago Martin.

– O cantor?

– Não, meu bem, Shago Martin, o explorador.

Agora Cherry terminou o drinque e se serviu de outro.

– Entenda: minha irmã era apenas uma das seis garotas à disposição sempre que ele passava por Nova York. E concluí que ela se dedicava demais a Shago; era uma criança. Então me reuni com ela e Shago para fazê-lo desistir e pimba! Virei uma das seis garotas à sua disposição em Nova York. Quero dizer, Shago é um garanhão, sr. Rojack.

A palavra me acertou como um soco na boca do estômago. Havia um quê final nesse veredicto como se houvesse uma rodada sexual em que todos os pesos pesados se enfrentavam. Todos os negros e todos os brancos.

– Perdoe-me por tomar o seu tempo – falei.

Inesperadamente ela riu.

– Não quero expô-lo. Não foi tão ruim assim. Me apaixonei por Shago. Depois de algum tempo ele se apaixonou por mim. Foi mais forte que ele. Uma garota sulista e branca como eu. Suponho que quando um homem está apaixonado não é mais garanhão do que qualquer outro apaixonado. – Ela sorriu. Deu-me um sorriso enviesado.

– Bem, por acaso estou me sentindo um garanhão neste momento – falei. Era verdade. Estava reagindo àquele soco no estômago e alguma coisa perversa despertava outra vez em mim. Eu via o rosto de Deborah e seu olhar fixo no necrotério, aquele olho verde, mas dessa vez não senti medo, em vez disso, senti-me como se fosse o dono do ódio naquele olho.

– E eu também estou me sentindo bem safadinha – disse Cherry.

Foi nesse estado de excitação que nos preparamos para nos deitar. Ela abriu um biombo na frente da pia da cozinha e foi para trás se despir enquanto eu tirava minhas roupas e me enfiava arrepiado entre os lençóis de sua pequena cama de casal, os lençóis caros (ela, e não a irmã, devia tê-los trazido), e fiquei ali tremendo, pois o frio metálico de inverno de um prédio barato assentara sobre o tecido. Pensei em túmulos e no cemitério lá fora e no arco românico de pedra no Sever Hall em Harvard – eu não pensava no Sever Hall havia vinte anos, talvez fizesse vinte anos que eu não sentia tanto frio –, mas sabia que naquele instante poderia ter ficado em pé no Pólo Norte e arrancado as roupas do corpo, era como se todo o ferro do meu corpo tivesse se juntado para desafiar os ventos.

Ela saiu de trás da pia. Com um robe bege, e o constrangido sorriso profissional de uma modéstia centenas de vezes ignorada, ela se deitou modestamente ao meu lado.

Sua bunda era realmente um prêmio – quando minhas mãos a tocaram, a vida retornou através das geleiras de minha fadiga. Mas não nos encontramos como amantes, mais como animais silenciosos, que se cruzam em uma trilha na floresta para se unir em uma clareira como iguais. Fizemos então amor sem preliminares – não tinham transcorrido nem trinta segundos quando a penetrei mansamente. As infidelidades distintas de seu corpo e sua vida reunidas em um prato da balança da justiça para equilibrar o peso que eu podia depositar no meu – sua vida até aquele momento se igualava à minha, o bom ao bom, o mau ao mau, a visão submersa do meu sexo movendo-se com uma liberdade, fruto da vaidade ou da pressa de dar prazer. Estabeleceu-se um clima calmo, como se fôssemos dois dançarinos profissionais em um lento e longo estudo a sós, à noite, em um palco iluminado pela lua. Senti que podia continuar para sempre. A exaustão me libertara. Eu estava vivo em águas fundas abaixo do sexo, algum túnel do sonho onde o esforço se divorciava enfim do preço. Ela era requintada. Era requintadamente sensível. Eu não esperara menos. Existia uma sensação fresca de sombra violácea nas dobras de sua pele. Eu nunca me movera tão bem. Era impossível errar.

Contudo apenas o ato era terno. Nada nela era amoroso; nem havia amor em mim; fizemos as nossas devoções em uma igreja que não era maior do que nós mesmos, nos encontramos em alguma profundeza abaixo dos sais e luzes das nossas mentes e dos nossos olhos. A fadiga me deixara quase morto – não restara cérebro, nem vivacidade, nem orgulho, nem inquietação, nem dor, era como se a membrana do meu passado tivesse se depositado como uma pele morta a ser removida. De muito longe, como se eu fosse um observador na lua, tive a percepção distante de que o meu hálito não poderia estar cheirando bem, e seus pulmões me devolviam um sopro de cinzas e túmulo, mas essa podridão de nicotina e álcool que agora trocávamos não tinha relação com a parte de mim agora viva. Eu viajava (os olhos cerrados) por uma meia-noite de espaço interior, despercebido de tudo exceto da minha vontade, aquela carcaça de ferro que envolvia o meu coração, e a vontade de Cherry ancorada como uma cinta de aço em torno do seu ventre. Chegamos à etapa intermediária de uma corrida, éramos como ciclistas apanhados nas voltas de uma pista, logo seríamos apenas um ritmo que era apenas um ritmo que atingiria um clímax que eu agora sabia que nunca sobreviria, e no meio dessa voragem ela espalmou os dedos na minha nuca com um pequeno toque incisivo como se perguntasse "Quer agora?", mas por instinto nada perguntei, disse apenas "Não, agora não... não posso enquanto você tiver essa coisa dentro de você", o que eu nunca disse antes, e ela mudou de posição, fui expulso, um choque comparável a bater com a cabeça em uma trave baixa, então procurei aquela obstrução de borracha que eu tanto detestava, encontrei-a com um dedo, puxei-a, atirei-a para longe da cama. Como se voltasse a mergulhar em uma piscina quente, em um dia frio de inverno, penetrei-a, as nossas vontades agora juntas, unidas em um jogo de troca de olhares que prossegue indefinidamente, vontades que por fim começam na força da igualdade a marejar e soltar lágrimas, a se transformar em luz que é novamente bloqueada pela vontade de conter as lágrimas à força, aço contra aço, até que o aço cintila em uma névoa orvalhada, é enxuto, e mais uma vez molhado. Eu estava atravessando uma gruta de luzes curiosas, luzes negras, como lanternas coloridas submersas no mar, um vislumbre daquela aljava de setas cravejadas de pedras preciosas, aquela cidade celestial que surgira quando Deborah estava expirando no aperto do meu braço, e uma voz como um sussurro de criança à brisa fez-se ouvir tão fraca que mal consegui ouvi-la. "Você a quer?", perguntou. "Você realmente a quer, você quer finalmente saber o que é amor?", e eu desejei algo que jamais conhecera antes, e respondi, foi como se minha voz saísse do fundo de suas raízes: "Quero", respondi, "claro que quero, quero amor", mas como um velho cavalheiro mundano, uma porção cínica de minha mente acrescentou "Sem dúvida, que é que se tem a perder?", e então uma voz atemorizada: "Ah, você tem mais a perder do que já perdeu, falhe no amor e perderá mais do que pode imaginar". "E se eu não falhar?" repliquei. "Não pergunte", disse a voz, "escolha já!" E um imenso pavor espalhou-se em mim, assomando como um dragão, como se eu soubesse que a escolha era real, e em um impulso de terror abri os olhos e vi seu belo rosto embaixo de mim naquela manhã chuvosa, seus olhos estavam dourados de luz e ela disse: "Ah, claro, meu bem", e eu disse claro para a voz em mim e senti o amor entrar em mim como um pássaro de grandes asas, asas esvoaçaram às minhas costas e senti a força de vontade dela se dissolver em lágrimas, e uma tristeza imensa e profunda como rosas afogadas no sal do mar jorrar de seu ventre e lavar como um doce bálsamo todas as mágoas amargas de minha alma e, pela primeira vez na vida, sem atravessar as chamas nem forçar a rigidez da minha vontade, saí do meu corpo em vez de descer da mente, não pude parar, partiu-se em mim um escudo, felicidade, e o mel que ela me dera eu só poderia retribuir, toda doçura para o seu ventre, tudo se despejou em sua boceta.

– Puta-que-pariu – exclamei –, então é disso que se trata. – E minha boca, como um soldado extenuado, desabou sobre o coração em seu peito.

Foi assim que adormeci. E adormeci. Comecei a escorregar, bati e rolei escorado por travesseiros. Então meu corpo soltou um doce suspiro de cansaço vindo de seu âmago. Adormeci como um barco encostando na doca com um último impulso, os motores já parados: houve um delicioso instante em que eu soube que nada explodiria, nenhuma interrupção me afastaria do descanso.

Certa vez, naqueles anos em que o nosso casamento se fortaleceu com o gosto da crueldade mais da luxúria do que do prazer, eu disse a Deborah em uma noite em que tudo saiu errado: "Se estivéssemos apaixonados, dormiríamos abraçados e nunca iríamos querer nos apartar". "Querido, estou estiolando de febre", respondeu Deborah.

Dormi abraçado com Cherry. As horas passaram, quatro horas, cinco horas – acordei como um mergulhador, parando a cada nível, meu corpo despertando à medida que emergia. Quando finalmente abri os olhos (já devia estar pronto dez minutos antes de sobrevir o desejo), percebi que tudo estava bem no quarto. Do lado de fora tudo estava mal. A percepção vinha de fora – do modo com que uma criança negra poderia entender certa manhã que é preta. Não senti desejo de verificar os meus batimentos. Eu era um assassino. Eu era: assassino. Não havia pressa para nada além de estudá-la. Cherry tinha um conjunto de feições diferentes para cada etapa do sono. Tão profundamente adormecida estava. Máscaras de cobiça e crueldade entraram em foco em seu rosto, se intensificaram, se dissolveram por si mesmas. Por baixo surgiu um rosto suave de menina. Era um filme que resumia em um minuto aquela metamorfose de semanas em que o invólucro duro de um botão se rompe e a flor se abre. Em seguida, abruptamente, a flor murcha. Um novo botão, duro, a ponta córnea perfurou as folhas mortas, uma egomania vulgar atravessou a dureza do espigão, feições sensuais investem para mim nesse sono, o cálculo impiedoso de uma mulher que tem facilidades a vender, ela retirava cupidez das pernas, folclore de prostituta, sua expressão embebida em uma nata de desonestidades passadas, engolida quase a coalhar, azedada, uma máscara amarga de desapontamentos, sacanagens, uma mesquinha autocomiseração, sim, a máscara tornou a endurecer, formou uma crosta, rachou, e em seu sono uma doce mocinha de dezessete anos sorriu para mim, a pele quase luminosa, uma criança dourada, um perfeito pêssego da Geórgia, uma chefe de torcida, um fruto doce, uma criação nacional. Toquei a ponta do seu nariz. Um narizinho rombudo, as narinas visíveis no arrebitamento, narinas confiantes prontas para aspirar o ar diretamente à frente.

Quis acordá-la então. Senti necessidade de conversar um pouco e me concentrei no desejo de que acordasse, me concentrei com tanta intensidade que ela começou a se mexer, mas, em seguida, como se o cansaço que ela precisava eliminar sinalizasse um certo pânico de não ser atendido, seu rosto envelheceu, aparentou ter meia-idade, uma preocupação traçou linhas em torno do seu nariz, franziu sua boca, ela gemeu como um inválido que se queixasse "Adoeço se acordar, minhas vidas distintas precisam se juntar enquanto durmo", e pensei "Que seja então, continue a dormir". Ela relaxou, um sorriso, uma contração divertida emprestou um odor de carne à curva entreaberta dos seus lábios.

Havia um relógio acima de minha cabeça. Eram três e meia da tarde. Eu marcara com Roberts às cinco e meia. Levantei-me então, me desvencilhei como um artista, sem o menor desejo de encurtar seu descanso, e vesti minhas roupas no ar morno e seco. Seu aquecedor a gás estava ligado, e o ar, abafado, mas a exaustão era feita por dentro da lareira, de modo que não havia cheiro – tive uma fantasia momentânea de que estava me sentindo como uma torta em um forno aquecido, sim, era a sensação em minha pele. Vesti-me e não quis me dar ao trabalho de procurar uma lâmina de barbear. Eu me barbearia em casa. Antes de sair, parei para escrever um bilhete.

Oi, você dorme pesado. Mas que beleza!
Vejo-a em breve, linda, assim espero.

Fiquei imaginando onde ela estaria quando eu estivesse pronto para voltar. Mais uma vez quase a acordei. "Vou tentar voltar aqui hoje à noite", acrescentei entre parênteses no pé de página. "Se você tiver de sair, deixe um bilhete dizendo onde e quando", e quase senti um momento de pura angústia. Será que voltaria um dia a este lugar? Pensar em Leznicki abriu uma cova no meu estômago.

Bem, fechei a porta ao passar, gentilmente, de modo a impedir que a lingüeta estalasse muito alto, e desci as escadas, sentindo os olhares dos porto-riquenhos em mim; na rua, o ar fresco invadiu meus pulmões como uma complicada mensagem de alarme. Eu estava de volta, o mundo, uma buzina de automóvel feriu meus ouvidos como alguém berrando em véspera de Ano-Novo, havia armadilhas por todo lado. Suponho que continuava alcoolizado. Sentia a cabeça clara, clara demais, e uma forte dor no fundo dos olhos. Não era tão dolorosa quanto receptiva à promessa de que isso iria durar mais de um dia. Meu corpo estava bêbado. Os nervos, vivos, minha pele, renovada – fato, era quase um prazer andar, porque eu sentia as ligações que um passo exigia. E o ar entrava em meu nariz com a história dos seus circuitos – todas as almas dos mortos conciliadas saídas do rio e as pedras do calçamento permeadas com carroças puxadas a cavalo do penoso século anterior, os cães na esquina, gordura de cachorros-quentes subindo de uma grelha como o aperitivo rançoso dos pobres no cio, a descarga de gás de um ônibus (aquela múmia egípcia que vive sob a podridão), um momento de falta de ar e sufocos como em uma briga de garotos em que um está sendo apagado por um valentão (Deborah devia ter morrido com um cheiro desses nos pulmões), e então ouvi nitidamente do outro lado da cidade e do rio Hudson, nos quintais de New Jersey, o apito agudo de uma locomotiva que me lembrou um trem noturno cruzando o meio do Oeste em alta velocidade, seu urro de ferro cortando a noite. Cem anos antes os primeiros trens haviam irrompido pela planície e seu apito congelara os nervos. "Cuidado", dizia o som. "Pare onde está. Atrás desta locomotiva vem um século de maníacos e um calor que visa consumir a terra." Que inquietação aqueles animais de outrora devem ter conhecido.

Tomei um táxi. O motorista estava fumando um charuto e durante todo o trajeto conversou sobre o Harlem e sua recusa absoluta de entrar no bairro. Finalmente me desliguei e fiquei sentado ali lutando com um desejo incontido de beber. Não sei se algum dia desejei tanto uma bebida – eu gritava por dentro como um vaso rachado poderia gritar por cimento (aquele segundo em que pensei em Leznicki separara minhas duas metades), sentei-me reto no banco traseiro do táxi, um suor fraco e doentio umedecendo minhas roupas –, a tal ponto fora o meu esforço para não mandar o motorista parar a cada vinte metros que passávamos por um bar. Lembro-me de ter cerrado os maxilares, molar contra molar, resistindo, sabendo que chegara a um ponto decisivo, se tomasse uma bebida agora – eu, que adorava beber, eu, que poderia ter uísque correndo nas veias – que, se cedesse, estaria perdido, uísque, o meu ópio. Não, eu precisava terminar o dia, agüentar firme, tinha de agüentar firme, não beber, não até voltar para Cherry – essa era a primeira exigência do meu novo contrato, daquele momento pela manhã, quando fizera um pacto. E pensei em Ruta então e o desejo de beber a incluía em tudo. Doente, molhado, trêmulo de pânico, ainda assim pensei brevemente nela diante daquelas flores de felpa vermelhas, pimenta ardida de comichar, o paraíso de Satã só de pensar em me enfiar em um bar e ligar para ela.

– Ruta, você se lembra do seu amigo médico, o médico maluco que estava pior do que o paciente?

Um momento de espera.

– Ah. Lembro. O Gênio.

– O Gênio viu você no colo de policiais uniformizados.

– A polícia de Nova York tem boa aparência quando o caso é bom.

– Você consideraria a idéia de deixá-los?

– Somente para um exame muito completo, *geliebter Doktor*.

– Me procure para uma consulta.

– Mas o senhor mudou o seu consultório para outro endereço.

– Para o bar irlandês na First Avenue...

Bebíamos durante horas, depois desaparecíamos em algum pulgueiro alemão, um hotel com a cama reforçada por enlouquecidas moléculas de milhares de fornicações, centenas de sodomias e o diabo de línguas. Emendávamos numa boa, dois dias, três dias, cinco garrafas vazias ao pé da cama.

Mais uma vez o meu coração disparou como um passarinho preso. Eu estava fugindo. Como um ladrãozinho barato, vendera minhas jóias ao Diabo na noite anterior e tornara a prometê-las essa manhã a uma criança sussurrante. Tinha a sensação literal de lançar minha semente em viagens distintas no mar do ventre de Cherry, nos ricos confins da barriga de Ruta. Naquela segunda vez em que fiz amor com Ruta – onde o teria deixado? Não conseguia lembrar nem o fato: o sim ao Diabo e o sim ao Senhor agora pareciam ter exacerbada importância, maior do que Leznicki, Deborah, o pai de Deborah – meu coração desembestou como um cavalo –, mais importante até do que a minha ânsia por um trago.

Conhece psicose? Já explorou sua caverna? Eu chegara ao fim da corda. Estava esticada às minhas costas, eu a sentia prestes a se romper.

– Ele me faz sinal e nem quero olhar para ele. Mas tem um tira no cruzamento...

Minha mente saiu em perseguição dos milhões de peixes de sua semente extinta, meu cérebro foi se elevando por trás, tinha decidido sair flutuando.

– E me faz passar um aperto. Os tiras têm pavor dos negros nesta cidade.

– Pare aqui – falei.

– Bem, para encurtar a história...

– Tome o dinheiro da corrida.

O ar fresco estava me mantendo vivo. Passei por um bar. Não parei. Meu pés seguiram caminhando.

O suor não porejava mais, formara rios. Eu me sentia fraco, mas estava me reunindo às minhas partes separadas: professor de faculdade, artista de televisão, marginal de elite, autor, suspeito de crime, devasso, amante recém-cunhado de uma cantora popular chamada Cherry. Eu tinha raízes, raízes de erva daninha: pai judeu, descendente de imigrantes; mãe protestante, família de banqueiros da Nova Inglaterra, segunda classe. Sim, agora eu voltara ao convívio dos vivos. Poderia passar pelos bares. Eles surgiam como marcos na estrada, satisfazendo o meu sentido de distância percorrida para me afastar de um cruzamento onde uma emboscada me aguardava. Agora eu me sentia pequeno como um homem de negócios com uma carga de preocupações próxima à de uma falência.

Comprei vários jornais, tomei outro táxi e voltei ao meu apartamento. Li-os no caminho. Não havia necessidade de ler as notícias em detalhe. Elas ocupavam a primeira página, falavam da morte como suicídio, forneciam detalhes sobre Deborah e sobre mim, metade certos, metade errados, prometiam, por sua animação, que a história ainda renderia dois dias, e provavelmente uma reportagem na resenha dos acontecimentos da semana, e insinuavam – mas muito por alto – que a polícia estava trabalhando no caso, que eu não fora encontrado para comentar e tampouco Barney Oswald Kelly, e que a estação de televisão e a universidade se recusavam a fazer declarações. Citavam a opinião de um colega de universidade não-identificado: "Formavam um casal maravilhoso". Dois dos jornais tinham publicado a mesma foto de Deborah. Era péssima e antiga. "Bela e jovem socialite perde a vida em mergulho suicida", dizia a breve chamada acima da foto, abaixo Deborah gorda e feia e meio retardada quando desembarcava de uma limusine para um casamento, surpreendida com um sorriso de superioridade como se perguntasse mentalmente ao fotógrafo: "Estou bem assim para o povão?".

Abri na página de notícias da sociedade. Havia uma coluna que eu sempre lia: "As rédeas da sociedade", Francis "Buck" Buchanan. Era um amigo de Deborah, e no meu entender um namorado, e durante o ano de nossa separação eu por vezes podia acompanhar as alterações de seus sentimentos por mim, pois Buchanan imprimia o que ela queria ver impresso, e um comentário simpático significava que eu estava novamente em suas boas graças; a exclusão do meu nome em uma festa de vinte pessoas significava que ela continuava aborrecida comigo.

"Deborah nos deixou", anunciava a manchete de Buchanan de fora a fora no alto da página do jornal.

Nas primeiras horas desta manhã, a alta sociedade e os freqüentadores da noite foram abalados pela trágica e inesquecível partida de Deborah Kelly Rojack. Ninguém quis acreditar que a encantadora Deborah, primogênita de Barney Oswald Kelly, eminência parda internacionalmente respeitada, e da rainha-mãe de Newport Leonora Caughlin Mangaravidi Kelly, tinha nos deixado. A bela Deborah morreu. Nunca mais ouviremos o som aristocrático de suas alegres risadas nem veremos o brilho malicioso do seu olhar. "Quero dançar até a última nota" era o lema de Deborah. "Os anos de inocência ainda não acabaram, estão apenas um pouco maçantes, pobre e gloriosa idade da inocência" era a confissão íntima de Deborah aos amigos. Orgulhosa demais para se queixar, ela deve ter ouvido a última nota ontem à noite. Os que a conheciam bem sabiam de sua mágoa secreta pelo fracasso de seu casamento com o ex-deputado Stephen Richar Rojack, e na hora em que fechamos o jornal corria a notícia de que Steve estava no quarto com Deborah quando ela se matou. Talvez ela quisesse que o marido ouvisse a última nota. Talvez... O fim de Deborah está amortalhado em mistério. É difícil acreditar que tenha morrido. Era tão cheia de vida. Coitada da Tootsie Haninger. Emprestou a Deborah seu dúplex no East Side, um mimo, durante o mês em que estaria na Europa. Ao voltar, Tootsie encontrará apenas ecos do passado.

E não parava aí. Enchia uma coluna dupla do comprimento da página e extravasava vários centímetros para uma terceira, um breve apanhado de histórias engraçadas, uma lista de cinqüenta pessoas – seus amigos favoritos – e, então, como uma trombeta que tocasse um improviso à grandiosidade fúnebre de uma morte violenta, como se uma das virtudes de uma morte violenta fosse finalmente abrir uma porta secreta aos leitores conscienciosos, Buchanan concluiu com um quadro de todas as atividades de que Deborah participara em algum momento da vida: filantropia, ligas, cotilhões, bailes, fundações, irmandades, sociedades e um amontoado de coisas de nomes estranhos como Caveat Napoleon, Lasters, Bahama Rifles, Clambs, Quainger, Croyden Heart, Spring Oak Subscription, Philadelphia Riding, Kerrybombos.

Que vida secreta tinha Deborah. Eu não conhecia um terço de tudo em que estava metida. A sucessão infindável de almoços só para mulheres em que ela desaparecera, perfumada, ao meio-dia durante anos – quantos príncipes devem ter sido eleitos, quantos pretendentes guilhotinados, quantos casamentos desviados da rota. Com a intuição de um furador de gelo ocorreu-me o pensamento exato de que eu perdera o meu casamento sem ter tido chance de lutar por ele em campo aberto. Que garrote devem ter me aplicado as mulheres naqueles almoços, as mesmas mulheres, ou suas mães, que trabalharam tão bem para construir a minha carreira política dezoito anos antes. Não importava. Nesse momento o passado era um campo calcinado em seguida à passagem do fogo.

Passei um mau momento quando girei a chave do meu apartamento. Senti-me como um jogador sempre apreensivo com uma carta. A rainha de espadas, e toda vez que ela aparece a desgraça dá um passo à frente. Então toda vez que eu sentia a presença de Deborah, era como se aquela carta fosse aparecer por cima no baralho. E ela estava por toda parte no meu apartamento, na lembrança de todas aquelas noites que dormi sem ela, travando batalhas matinais em que cada célula do meu organismo insistia que eu estava perdendo Deborah em um novo nível da separação, e meu orgulho jurava que eu não ia telefonar. Agora, no apartamento, alguma coisa morrera – todas as lembranças da Deborah viva. Um cheiro de cadáver em lixão subia das cestas de papel com seus tocos de cigarro mofados, a lata de lixo da cozinha, o fedor de memórias mofadas em móveis mofados, a morte viva como uma fera no ar. Será que alguém iria raspar a crosta da tampa do incinerador até o amargo fundo das cinzas amargas? Como uma febre, tornei a sentir a ânsia de tomar um trago puro. Passei pela sala de estar, aquela odiosa sala de estar de sofás cor de champanhe e papel de parede cor de champanhe, mais um namoro de Deborah com um decorador, cinza-prateado, verde-claro, creme, todas cores dos pós-de-arroz, a paleta arbitrária da elegância: eu sempre me sentira um lacaio de Deborah sentado naquela sala. Meu punho se fechou.

O telefone estava tocando. Tocou quatro vezes, cinco vezes, o serviço de atendimento interceptou a chamada e eu continuei ouvindo um eco – o som do telefone lembrava uma criança mimada berrando no sótão da casa. Devia haver umas cem mensagens agora, mas eu não podia pensar nelas. Não sabia quanto tempo poderia suportar o apartamento – o pavor revolvendo no meu peito como a água parda nas máquinas de uma lavanderia noturna. No banheiro, eu poderia ter me enterrado até a cintura nessa água engordurada do pavor: somente o toque do barbeador possuía vida – passava uma faixa limpa em minha face como o cheiro do mar em uma manhã de verão. Meu rosto dava a sensação de ser uma janela aberta para essa luz enquanto eu permanecia enrustido. O telefone tocava novamente, lavei o rosto e debati se queria me vestir ou ouvir as mensagens primeiro, mas a resposta era simples. Eu tinha de estar vestido para poder sair dentro de um minuto. Apanhei um terno cinzento de verão com um discreto xadrez acinzentado, sapatos pretos, uma camisa cinza-azulada, uma gravata preta de tricô, um lenço para o bolsinho do paletó, e vesti tudo, até escovei os sapatos, todo o tempo respirando sôfrego como um asmático à beira de um acesso.

O telefone tornou a tocar. Dessa vez eu atendi. Era o produtor do meu programa de televisão.

– Steve, ah, que coisa, meu amigo. Como está se sentindo?

– Gelado, Arthur.

O serviço de atendimento também estava na linha.

– Sr. Rojack, pode nos ligar assim que terminar de falar. Temos várias mensagens.

– Claro, Gloria, obrigado.

– Ah, puxa, cara, você deixou o estúdio em pânico. Quer aceitar os nossos pêsames?

– Obrigado, Arthur.

– Steve, a *ansiedade* está solta aqui hoje. Nunca foi tão ruim desde que Kennedy enfrentou Krushov no episódio dos mísseis. Coitada da Deborah. Só a encontrei uma vez, mas ela é uma grande mulher.

– É. Era.

– Steve, você deve estar em estado de choque.

– Estou um pouco abalado, cara.

– Com certeza. Com certeza. Como dependemos das nossas mulheres. Quando nos deixam é como se perdêssemos a mãe.

Se Deborah não estivesse morta, mas tivesse apenas fugido com outro homem para a Europa, Arthur teria dito: "É como se perdêssemos o peito da mãe".

– Você esteve com o seu analista hoje de manhã? – perguntei.

– Com certeza, Steve. Estive com ele às oito da manhã. Ouvi a notícia, ontem, no telejornal da meia-noite.

– Sei.

Ele mudou o tom por um momento, como se, de repente, recuperasse a consciência do acontecido.

– Steve, você está bem mesmo? Pode falar?

– Claro, estou bem.

– Meu analista disse que tenho de ser franco com você. Um dos grandes problemas do programa é que nunca fui capaz de estabelecer uma relação pessoal com você. Minhas ansiedades normalmente estão sujeitas a padrões sociais, e não pessoais. Acho que tenho me frustrado diante do seu senso de superioridade social.

– Arthur pare com essas bobagens, por favor. Se não eu vou gritar.

– Tentei falar com você seis vezes hoje. Me dispus a isso seis vezes e em cada uma, Steve, falei com o espantalho do seu serviço de atendimento. Estou atordoado agora, Steve, estou histérico. Hoje de manhã isto aqui parecia uma panela de pressão. Os jornais querem uma declaração sobre o futuro do programa.

– Não posso pensar nisso agora.

– Tem de pensar, cara. Escute, eu sei que sempre fui deficiente em amenidades e que penso demais em receptividade social, status, reação do público...

– Pode parar.

– ... em vez de tentar manifestar uma falsa cortesia senhoril em momentos terríveis como este.

– Seu miserável! – gritei para ele. – Seu merda.

– Você está consternado.

Afastei o telefone do ouvido. Ouvi as explicações se transformarem em restrições, depois em reflexões de auto-análise, o tecido cicatricial das adenóides extraídas do nariz vibrando com a elasticidade de uma palheta de oboé. Então ouvi-o fazer uma pausa e mudar de tom – tínhamos entrado em outro assunto.

– Sem dúvida isto aqui é um câncer, mas uma estação local sofre tensões a que as redes não estão sujeitas. Você sabe que temos lutado mais pelo seu programa do que por qualquer outro, e agora, entende, além do seu temos dois projetos de grande impacto. Você sabe que estamos começando o programa do Shago Martin no mês que vem, é a nossa contribuição para a integração, a primeira vez que teremos um cantor negro fazendo um dueto *intime* e *funky* com uma canarinha branca.

– Como é o nome dela – perguntei – da canarinha?

– Rosalie... acho.

– Não é Cherry?

– Não, Cherry Melanie se candidatou mas foi cortada.

– Como é que você soletra Melanie?

– M-e-l-a-n-i-e. Você bebeu?

– Por que ela não ganhou o papel?

– Porque Rosalie faz um papel sensual com o Número Um.

– Dodds Mercer Merrill?

– Dodds, o nosso patrão, aquele maricão espalhafatoso, acredite se quiser. Ele encena um envolvimento com mulher de vez em quando. – Arthur abafou o riso. – Você sabe o que ele me disse uma vez? "É tudo fricção."

– E ele vai apresentar essa tal Rosalie com Shago Martin?

– Dodds agora está interessado em negros. Será que você não entende como é? – Ele fez uma pausa. – Stephen – continuou ele em tom normal –, meu analista me deu uma diretriz verbal para não me atrapalhar quando falasse com você.

Ainda não mencionei o objetivo desta conversa. Temos problemas, cara.

– Por que você não diz simplesmente que o programa vai sair do ar por um breve período?

– Steve?

– Que é?

– Lembra da vez que você fez uma citação de Marx: "A quantidade muda a qualidade"?

– Lembro que nos mandaram cinqüenta cartas reclamando que citei Marx favoravelmente.

– Foi uma dessas vezes. O volume de publicidade, e as imputações contingentes...

– Ótimo, cara. É assim que fala um advogado corporativo.

– Steve, não que alguém esteja pensando que você deu um empurrão em Deborah, pô, eu não penso. Enfrentei Dodds hoje durante cinco minutos dizendo a ele que você era essencialmente um sujeito amável com uma mente brilhante, um gênio potencial, e se o casal tinha problemas íntimos, ora, você não era o único homem de televisão que tomava uns tragos e corria atrás de mulheres. Mas não derreti o gelo. Nunca vi tanto gelo como hoje de manhã. Um necrotério. Um necrotério polar.

– Um necrotério polar.

– Dodds disse que o fator crucial é o seguinte: nenhuma audiência vai confiar em um homem cuja mulher se atira pela janela.

– Confere.

– Entende o que quero dizer? Nenhuma audiência no mundo.

– Entendo.

– Tive vontade de chorar, Steve.

– Certo.

– Foi um grande programa, Steve.

– Foi bom trabalhar com você, Arthur.

– Deus o abençoe, cara, por me dizer isso. Entendo, agora entendo a ansiedade que senti antes desta conversa. Foi uma coisa podre me obrigarem a lhe fazer isso.

– Deus o abençoe, Arthur, Deus o abençoe.

– É.

– Até logo.

– *Ciao*.

O telefone tocou. Era o serviço de atendimento. As mensagens não eram tão numerosas quanto eu pensara. Havia um recado para telefonar ao chefe do Departamento de Psicologia, havia de fato cinco ligações de Arthur, três de diferentes jornais, várias de bons amigos com os quais eu queria falar e de outros com quem eu não queria, e um pedido da secretária de Barney Oswald Kelly para eu telefonar ao meu sogro em sua suíte no Waldorf Towers. Não havia ligação de nenhum amigo de Deborah, nem dos amigos comuns que eu supunha que pudéssemos ter. Nunca alimentei muita ilusão de que os amigos de Deborah algum dia pudessem estar minimamente divididos em sua lealdade, mas o silêncio absoluto desse momento pareceu aprofundar o seu silêncio em meu apartamento.

– Gloria – pedi à telefonista quando ela terminou –, faça-me um favor. Ligue para o Waldorf Towers e marque um encontro com o sr. Kelly. Diga à secretária dele que eu gostaria de vê-lo hoje às sete e meia da noite. Se a hora não for conveniente, peça para ele me ligar.

– Está bem, sr. Rojack, claro que farei... e sr. Rojack ...

– Sim.

– As garotas aqui gostariam de dizer que se solidarizam com a sua trágica perda.

– Ah, obrigado, Gloria, é muita gentileza sua.

Será que os franceses se sentiram assim quando os nazistas romperam a Linha Maginot pela retaguarda e eles precisaram erguer os canhões das bases de concreto e virá-los para trás? Eu sabia que não devia parar de telefonar até estar pronto para sair.

Liguei para o chefe do meu departamento.

– Dr. Tharchman – comecei.

– Stephen – disse ele –, foi ótimo ter me ligado. Fiquei tão preocupado. Não posso imaginar uma ocasião mais atroz para nenhum de nós, coitado.

– Tem sido difícil, Frederick. Como você sabe, Deborah e eu estávamos há algum tempo afastados, mas sem dúvida foi um terremoto.

– Sem dúvida um tranco.

Fez-se silêncio entre nós.

– Suponho que a universidade tenha sido bombardeada pelos jornais.

– Eles são verdadeiros cupins. Realmente acredito que sejam cupins que comem a própria essência da civilização ocidental.

O segundo silêncio foi decididamente constrangedor.

– Foi muita gentileza me ligar, Stephen. Agradeço sua consideração.

– Na verdade eu queria ligar. Não me importo de falar ao telefone.

– Stephen, como você sabe, não sou um homem muito religioso, mas fui à capela hoje de manhã. Queria fazer uma oração por Deborah.

Imaginei sua consciência presbiteriana magra e grisalha conduzindo-o pela manhã chuvosa. Ele encontrara Deborah apenas uma vez em um jantar do corpo docente, mas ela o deixara absolutamente encantado, uma demonstração do que era capaz de fazer por mim.

– Bem, Deborah era religiosa, como sabe – respondi –, e talvez ela tenha ouvido sua prece.

Agora estávamos ambos constrangidos. Senti-o angustiado à procura de uma resposta.

– Deus do céu, espero que não.

– Dr. Tarchman, sei que temos de discutir questões práticas e acho que nas atuais circunstâncias sou eu quem deve levantar o assunto.

– Obrigado, Stephen, temos realmente de conversar. Seria bom se a universidade pudesse fazer uma simples declaração a esses malditos cupins. O que receio é que eles comecem a falar com os professores e, Deus nos livre, os piores alunos de graduação. Você sabe como são os repórteres. Eles procuram os casados enrustidos. – Ele procurou limpar a garganta. –

Não vou fingir, Stephen, que tenha ficado entusiasmado com as suas idéias, mas o que você não percebeu devidamente foi a proteção especial com que o cerquei. Odeio pensar no modo como poderiam apresentá-lo. Um professor me ligou hoje de manhã, não vou lhe dizer o nome, insistindo que um de seus doutorandos que fez o seminário sobre vodu com você ficou desconfiado – receio ter de lhe contar isto – de que você estava administrando ritos vodus a Deborah. Por um bom tempo.

– Meu Deus!

– Isso é suficiente para deprimir a pessoa sobre a natureza de uma faculdade. Grande saber, inocência e um delírio total.

– Eu nunca soube que falassem de mim nesses termos.

– Stephen, você é uma lenda viva – a vozinha seca prendeu por um instante nas duas últimas palavras. – Disciplina, inveja e decência eram os protagonistas distintos do seu caráter. – Pela primeira vez eu estava gostando de Frederick. Fazia alguns anos que chegara à faculdade, vindo do Meio-Oeste, para chefiar o departamento, e era considerado prosaico, bom para fazer o moinho produzir doutores. Contudo, não deve ter sido fácil para ele dispensar as porções decentes de sal e farinha para cada um de nós. Velho centro protestante de uma nação enlouquecida. Eu ouvia seus dedos tamborilando na escrivaninha.

– Bem, Fred, qual é a sua sugestão?

– A primeira pergunta é se você se sente capaz de retomar suas aulas imediatamente. Eu diria que não. – Sua voz fechou aquela porta quase com perfeição.

– Não tenho bem certeza – respondi. – Preciso pensar.

– Aí reside a dificuldade. Temos que dizer uma coisa ou outra aos jornais sem demora. A comunicação de massa produz um vácuo.

– Mas Frederick, não posso decidir hoje.

– Bem, não vejo como poderia.

– E acho que eu talvez queira trabalhar.

– Isso é o que não sei. Pensei no assunto a manhã inteira. Se você estivesse ensinando química orgânica ou estatística, eu diria: “Mergulhe de cabeça. Esqueça todo o resto”. Mas seus cursos são subjetivos. Você tem de dar de si.

– Tolice, Fred, estou ensinando há anos.

– Não é tolice. Magia, temor e morte como centro de motivação não é o tipo de assunto que possa lhe trazer paz. Acho que haveria uma horrível tensão na sala de aula. Você talvez não suportasse.

– O senhor quer dizer que algum anjo da empresa receia que eu possa trazer uma garrafa de bebida para a aula?

– Você concorda que enfrentamos o conselho diretor tão bem quanto qualquer universidade que você possa citar. Mas não podemos *desprezá-los* completamente, não é?

– Fred, você percebe que tipo de conversa estamos tendo?

– Acho que nunca tive uma assim antes.

– Francamente – disse eu –, o que você tem a perder?

– Não é mensurável. Uma universidade pode absorver um escândalo após o outro. Então, um grande demais, e é incalculável o que pode acontecer. – Ele tossiu. – Steve, isto é acadêmico. Não posso acreditar que você queira voltar ao trabalho imediatamente.

– Mas e se eu quiser? Fred, se eu insistir? Que é que você vai fazer?

– Ah, se você insistir, eu serei obrigado a procurar o presidente e dizer a ele que você tem o direito de trabalhar.

– E o que fará ele?

– Rejeitará o que eu disser. – Humor de sacristia. Ouvi um leve aflautado na garanta de Frederick.

– Uma vez que sou professor efetivo, presumo que poderei me sentir obrigado a processar a universidade.

– Ah, você não faria isso – replicou Frederick. – Seria extremamente desagradável.

– Onde você quer chegar?

– Não quero continuar a falar neste assunto. A morte de sua mulher é suficientemente trágica sem mencionarmos os aspectos infelizes... medonhos... *ambíguos* do acontecimento.

– Ah, não!

– Steve, esta é a conversa mais insuportável que já tive com alguém em muitos anos. Nunca nos perdoaremos pelo que for dito.

– Não.

– Conduzi-a abominavelmente. Aceite a realidade, aceite a realidade. Veja-a do ponto de vista da universidade. Talvez achemos que nos empenhamos ao máximo para pagar o preço indefinível e, sim, para talvez ganhar o benefício ainda mais indefinível de ter uma inteligência criativa no departamento que inspira nas pessoas respeitáveis uma profunda sensação de constrangimento. Considere que nem toda universidade teria tolerado aquele seu programa de televisão. Steve, será que não podemos aceitar que é um dia de merda para todos nós?

Silêncio.

– Está bem, Fred. Que é que você quer?

– Tire uma licença até o início do semestre de outono. Anunciaremos sua consternação e a interrupção de suas atividades docentes por um período indeterminado. Depois veremos.

– Fred, de uma maneira ou de outra esta você ganhou.

– Não ganhei, acredite. – Então acrescentou rápido – Steve?

Estava com pressa de continuar. Sua voz fraquejou pela primeira vez.

– Steve, não posso imaginar nada mais impróprio, mas preciso lhe fazer uma pergunta. Talvez você não saiba, mas a minha mulher é uma religiosa devota.

– Eu não sabia. – Mas devia ter adivinhado. Podia imaginar Gladys Tharchman em Vermont na temporada de verão, trajando um vestido roxo, óculos de aros de prata, os cabelos brancos e uma aristocrática corcunda em um corpo magro.

– Ela concorda com algumas de suas idéias.

– Quê?

– Ah, excluindo o sexo, naturalmente. – Ele abafou uma risada; voltávamos ao normal. – Ela acredita que a última refeição que uma pessoa faz antes de morrer determina a migração de sua alma.

– Você está querendo dizer que se a pessoa morre de barriga cheia de cereal migra para os campos de trigo?

– A idéia dela é um pouco mais complicada. Depende de presságios e sortes e portentos, se o morto tem uma alma carnívora ou piscívora, e, é claro, está também associado às fases da lua e aos horóscopos.

– Demétrio e Perséfone. Coitado de você, Tharchman.

– Ela é uma mulher maravilhosa, minha mulher, e isto talvez seja uma cruz pequena para carregar. Mas posso lhe dizer que ela não me dará sossego se eu não lhe perguntar. Por que, entende, com a melhor intenção, ela quer se comunicar com Deborah: sua mulher lhe causou uma profunda impressão, e para isso ela precisa saber...

– O que Deborah comeu?

– Isso mesmo, meu Deus, Steve. Hécate precisa saber. – Percebi em sua voz um fiapinho de hilaridade, como se ele fosse um garoto magrelo passando pelo ditoso constrangimento de perguntar a um atleta qual é o fecho de uma piada suja. – É. Steve, o que havia no estômago de Deborah quando ela morreu?

Não pude resistir.

– Ora, Fred, eu lhe direi.

– Diga.

– Era rum. Quase uma garrafa de rum. – E desliguei.

Dez segundos depois o telefone tornou a tocar. Era Tharchman. Estava aborrecido.

– Você não devia ter desligado, Stephen, porque havia mais uma coisa.

– Qual?

Sua voz tinha uma entonação do Meio-Oeste, como se dissesse: "Não me venha com brincadeiras, *cara*". Estalou a língua.

– Acho que você deve saber. Hoje fui formalmente interrogado a seu respeito.

– Pela polícia?

– Não. Alguém mais discreto. Que diabos você e Deborah andaram fazendo? – E então *ele* desligou.

No momento seguinte o telefone tocou novamente. Meu suor escorria.

– Olá, Stephen? – ouvi uma voz ofegante.

– Ele.

– Stephen, preciso cochichar.

– Quem é?

– Chuca.

– *Quem?*

– Chuquinha. Gigot!

– *Gigot, como vai*?

– Chuquinha, ninguém mais.

– Ora, viva!

Foi uma idiotice dizer isso, mas a essa altura eu entrara em um estado de euforia. Era uma euforia curiosa, como se fôssemos todos súditos de uma nação que acabara de declarar guerra. Então repeti "Viva", mais uma vez.

– Bem, não – respondeu Gigot. – Não sou Chuquinha. Tenho de cochichar. Blake está na outra sala e não quer falar com você. Mas eu preciso.

– Então fale.

Ela era uma das dez melhores amigas de Deborah, o que significa que era amiga de Deborah durante um mês em cada dez. Era também enorme. Media quase um metro e oitenta e devia pesar uns noventa quilos. Tinha uma fortuna em cabelos louros que lhe batiam na cintura ou eram amontoados como uma paliçada a quinze centímetros de seus olhos. E a voz de uma lourinha de cinco anos de idade.

– Blake acha que eu estou a caminho do manicômio outra vez. Eu disse que pediria a Minot para matá-lo a tiros se me internasse e ele respondeu "Seu irmão Minot não consegue dar um tiro nem nas próprias calças". Blake foi *obsceno*. Acho que está maluco. Nunca fala assim. Além disso ele sabe que Minot é sexy. Eu disse isso a ele.

– E a paz voltou.

– Blake acha que estou pirada por causa de Deborah. Não estou. No ano passado eu disse a ela para pular. Disse "Benzinho, é melhor você se atirar pela janela e se esborrachar. Você está ficando gorda". E Deborah simplesmente deu aquela risada dela de porquinho, oinc, oinc, oinc, você sabe, e me respondeu: "Bettina, o seu conselho é ótimo, mas se você não parar, vou ligar para o Blake e dizer a ele que está na hora de trancafiar você outra vez", e sei que faria isso. Já tinha feito isso uma vez. Eu disse que sabia que tinha andado aprontando com o velhote dela, então ligou para minha família e seis horas depois eu estava trancafiada, em *Paris*, só nós duas, ela era minha *companheira de quarto*.

– Quando, Gigot?

– Ah, isso faz anos, nem sei, uma enormidade de tempo. Nunca lhe perdoei. Os hospitais para alienados na França são indescritíveis. Quase não consegui sair. Tive de ameaçar minha família de casar com o médico residente, um velhote franco-judeu moreno e estranho que cheirava a Enciclopédia Britânica, juro que cheirava, e minha família me tirou de lá. Não iam tolerar um judeuzinho francês chupando a colher de sopa e ensinando a eles como caçar javalis, você conhece os franceses, eles ditam regra mesmo sem conhecer o assunto. Nossa, eu odeio os franceses.

– Benzinho, será que você não tem uma fofoca para me contar?

– Tenho, mas não posso contar agora. Meu couro cabeludo está coçando e isso é um aviso de que Blake já está voltando aqui para a sala.

– Bem, antes que ele entre.

– Ah. Não me lembro. Ah, agora lembrei. Escute, quando eu disse a Deborah que ela devia pular da janela, ela deu aquela risadinha safada e me serviu um cálice de xerez, não, de um Madeira de 150 anos, e lembro que me disse: "Vamos acabar com o Madeira do Steve, ele fica furioso quando não encontra nenhum", e acrescentou, "Benzinho, não vou pular da janela, vou ser assassinada".

– Quê?

– É. Foi o que ela disse. Disse que estava no seu horóscopo. Disse que seria uma catástrofe medonha porque Vênus estava em conjunção com Saturno e Urano estava em Aquário. E até pior. Todos os planetas estavam desfavoráveis para o tipo de Escorpião que ela era.

– Você está dizendo que ela falou que ia ser morta na noite passada?

– Acho que sim.

– Ela se suicidou. Você está esquecendo, Gigot.

Ela suspirou audivelmente.

– Steve, não foi você, foi?

– Não – respondi baixinho.

– Steve, que bom que liguei para você. Achei que devia ligar para a polícia. Blake disse que partiria o meu nariz se eu ligasse e minha foto acabasse estampada nos jornais. E partiria mesmo o meu nariz. Ele detesta o meu olfato apurado: uma vez senti um nadinha de perfume nele mesmo depois de ele ter ido a uma sauna para tentar voltar cheirando a bétula. Mas eu senti o cheiro do perfume e até das mãos da macaca que tinha lhe dado uma massagem. Que tal?

– Fenomenal.

– Steve, você *está* me dizendo a verdade. Sei que gosta de mim.

– Bem, Gigot, se eu tivesse matado Deborah, será que poderia lhe dizer a verdade?

– Mas não matou?

– Bem, talvez eu tenha matado. Parece que é isso que pensa.

– Ah, acho que ela poderia ter cometido suicídio. Estava muito aflita por causa de Deirdre, sabe. Não sabia o que contar à garota sobre o pai.

– Pamphli?

– Como é que você sabe que Pamphli era o pai? Não sabemos, não é mesmo, xeque?

– Nunca tive nenhuma razão para duvidar.

– Bem, um homem nunca tem nada exceto lacunas entre suas certezas – disse Gigot. – Ah, querido Steve, eu sei que não foi suicídio. Deborah *sabia* que ia ser assassinada. Nunca se enganava nesse tipo de coisa. Steve, talvez alguém tenha lhe dado um veneno que transmitiu uma mensagem ao cérebro dela e a fez pular. Você sabe, alguma droga alucinógena nova ou coisa parecida. Hoje em dia todos os médicos são doidões. Gastam o tempo inventando coisas desse tipo. Quero dizer, talvez a empregada tenha posto a droga no rum dela.

– Ora, vamos, amorzinho.

– Não, a empregada era cúmplice.

– Bettina, meu anjo...

– Sei de uma coisa que você não sabe. Deborah nunca lhe contava nada. Você sabe por que eu era a melhor amiga dela? Porque podia me dizer o que quisesse que ninguém acreditava. Além do mais, sei uma coisa sobre a empregada.

– Quê?

– Promete acreditar em mim?

– Prometo.

– Aquela empregada é amante do Barney Kelly. Você sabe o tipo que um homem da idade dele sustenta. Elas sempre têm aqueles lábios finos que entram em qualquer parte.

– E por que Barney Kelly estaria tão interessado no que Deborah fazia para dispensar uma amante dessas?

– Só o que sei é que a empregada era uma condição para a mesada de Deborah.

– Ela não tinha mesada.

– Kelly dava a Deborah quinhentos dólares por semana. Você achou que estava sustentando sua mulher sozinho, Horatio Algier?

– Não sei o que pensar.

– Alguém a matou.

– Eu realmente duvido, Gigot.

– Foi liquidada.

– Acho que não.

– *Eu sei que foi.*

– Então vá à polícia.

– Tenho medo.

– Por quê?

– Por que acho que isso terá *repercussões.* – Bettina falava em sussurros, que era bem o seu tom normal. – Deborah era espiã.

– Bettina, você *é* maluca.

– É melhor acreditar em mim, bonitão.

– Por que em nome de Deus Deborah seria espiã?

– Steve, ela estava entediada. Estava sempre entediada. Faria qualquer coisa para evitar o tédio.

– E para quem ela espionava?

– Bem, não sei. Ela era capaz de *tudo*. Uma vez eu a acusei de pertencer à CIA e ela riu. "Aqueles idiotas", exclamou. São todos professores de faculdade ou gorilas que usam botas de pára-quedistas. Em todo o caso, eu sei que pertenceu ao M16.

– Quando?

– Quando estávamos no convento em Londres. Era assim que conseguia um passe para sair. *Pelo menos* tinha um namorado que era M16.

– Gigot, você é realmente muito bobinha.

– E você é um retardado. Blake é um retardado e você também.

– Chuquinha, eu adoro você.

– É melhor adorar.

– Sempre achei que Deborah era comunista – falei.

– Santinha, era o que eu ia lhe contar. Aposto que ela era uma espécie de agente duplo, sabe, uma espiã de espiões. Tem uma coisa que quero lhe dizer sobre isso.

Gemi. Havia uma horrível possibilidade que houvesse um tênue fio de verdade naquilo tudo. Eu sentia mistérios revolverem por dentro de mistérios como galáxias em formação, e sabia com uma tristeza derrotista que nunca saberia um décimo do que realmente acontecera, jamais.

– Segura aí – sussurrou Bettina. – Ora, Blake – disse em voz alta –, meu garanhão divino, com quem você acha que estou falando? Com a Marguerite Ames. Está me ligando de um telefone público. Um momento, Marguerite, Blake quer falar com você. Ah, querida, apanhe outra moeda depressa ou me ligue mais tarde... Droga, caiu a ligação.

Desliguei quando senti que ele estendia a mão para o telefone. Minha camisa estava molhada. Sentia-me como um homem em uma casa pegando fogo que tem apenas três minutos para recolher seus valores. Tinha aqueles três minutos para me manter sóbrio e logo a minha ânsia por um trago calcinaria as paredes. Despi a camisa molhada que escolhera com tanto cuidado, esfreguei as costas e as axilas com uma toalha seca, vesti outra que consegui encontrar às pressas. Não percebi até chegar à rua que estivera prendendo a respiração. O meu mal-estar era quase palpável agora; eu sentia um ar pesado de calmaria, exatamente aquela calma modorrenta que precede um furacão. Fora estava quase escuro. Chegaria atrasado, mas tinha de caminhar até o distrito, estava convencido que se tomasse um táxi haveria um acidente. Virei-me bruscamente e senti uma variação de humor. Tive a momentânea sensação de que havia uma inteligência embotada mas atenta por perto. Então compreendi que estava sendo seguido. Localizei um homem do lado oposto da rua a meio quarteirão às minhas costas, que continuou a andar. Com certeza um detetive. A sensação era quase agradável. Será que tinham estado me seguindo desde que deixara o distrito na noite anterior?

Para esta entrevista, Roberts estava numa sala no porão, um cubículo de três metros por três e sessenta com uma escrivaninha, algumas cadeiras de madeira, dois arquivos e um calendário de parede. Havia também um mapa ampliado do distrito com alfinetes vermelhos. Fui conduzido até lá por um policial de serviço perto da tribuna do sargento, descemos um lance de escadas de ferro e seguimos por um longo corredor com uma janela por onde se avistava o bloco de celas, uma fileira de portas de aço e paredes de azulejos amarelos usados em prédios do governo. Quando passamos, ouvi alguém gritando – um dos bêbados.

Roberts não se levantou para apertar minha mão.

– Está atrasado – disse.

– Precisava andar.

– Para eliminar a bebida do organismo?

– Você também parece que está curtindo uma ressaca.

Ele assentiu.

– Não estou acostumado a me envenenar. – Seus olhos azuis, alertas na noite anterior e precisos como um micrômetro, agora pareciam maiores e zonzos, os contornos vermelhos, o azul empalidecera. Ao se curvar para frente, exalou um bafo de suor, azedo, mas também muito adocicado, como se tivesse pedido emprestado um pouco do cheiro do O'Brien. Ele abriu então uma pasta. – Já temos a autópsia. Está tudo escrito aqui – disse ele e deu uma batida lenta na pasta. – Não parece muito boa para você..

– Quer me dar os detalhes?

– Tenho o suficiente aqui para prendê-lo.

– E por que não prende?

– Provavelmente é o que farei.

– Talvez esteja na hora de procurar um advogado – não dei ênfase alguma à frase. Ainda não podia ter certeza se ele estava falando sério ou apenas iniciando um jogo sério.

– Gostaria de conversar um pouco primeiro.

– Por quê?

– Você é um homem inteligente. Acho que tem o direito de saber a gravidade de sua situação. Quero sua confissão, aqui, hoje à noite.

O desejo de tomar um trago passara. Era como se eu tivesse passado as últimas horas em dores me preparando para encontrá-lo.

– Você sabe, é claro, que quando um corpo está morto há seis horas sobrevém o *rigor mortis*.

– Sei disso.

– Bem, não havia sinal de *rigor mortis* em sua mulher quando a encontramos na rua.

– E como poderia haver?

– Não havia. Mas conhecemos outro método para determinar a hora do óbito. Imagino que não o conheça.

Alguma coisa em sua postura me desaconselhou a responder.

– Já ouviu falar em "lividez cadavérica"?

– Não tenho certeza.

– Bem, Rojack, quando a morte ocorre, o sangue começa a coagular exatamente nas partes do corpo que estão apoiadas no chão ou encostadas em uma parede. Isto é a lividez cadavérica. – Transcorrida uma hora e meia, pode-se começar a ver manchas roxas e azuis a olho nu. Ora, na altura em que a autópsia foi realizada em sua mulher, o corpo dela apresentava lividez cadavérica na frente e nas costas.

Ela estava deitada de bruços e então eu a virara.

– Sua mulher estava caída de costas na rua. Isso poderia justificar a lividez cadavérica ali, mas não explica por que haveria também na face, nos seios, nas costelas, na barriga, nas coxas, nos joelhos e nas pontas dos dedos dos pés. Quer fazer algum comentário?

– Ainda não.

– Só esses indícios são suficientes para levá-lo à cadeira elétrica – seus olhos me olharam vazios, como se não visse nada exceto pedra –, mas este é apenas o primeiro indício claramente definido dos três que temos.

– Não sou culpado. Por isso suponho que haja algum erro com os seus indícios.

– Segundo: o hióide de sua mulher está fraturado. Isso é um sinal inequívoco de estrangulamento principalmente quando é acompanhado, como demonstra a autópsia, por extensa hemorragia.

– Deve haver outra razão.

– Quer citá-la, Rojack?

– Você está convencido de que a matei. Para que continuar?

– Vou lhe apresentar suas alternativas. A: Você consegue sair daqui como entrou. B: Você me entrega sua confissão. C: Você fica calado e eu o prendo imediatamente naquela cadeia ali adiante. Amanhã você será denunciado.

Eu passara o dia na esperança de que iria poder voltar para Cherry à noite. Se naquele exato momento Roberts tivesse me oferecido 24 horas de liberdade, acho que eu teria assinado a confissão, porque eu precisava revê-la, só isso. Uma cautela indefinida tentou argumentar comigo para não dizer mais nada sem a presença de um advogado, contudo não pude me refrear.

– Roberts – falei –, admito que se eu fosse culpado ligaria agora mesmo para o melhor advogado criminalista da cidade.

– Recomendo que faça isso.

– Você quer que eu discuta o caso com você e, contudo, não concorda que eu concederia uma vantagem a você revelando uma possível linha de defesa.

– Que me concederia? Acha que somos incapazes de pensar sozinhos? – Ele deu um soco na escrivaninha. – Você quer conversar porque é o tipo de degenerado que persegue uma probabilidade em cem. Você quer estar de volta ao Lower East Side com sua nova amante hoje à noite. Não venha botar banca pra cima de mim, cara. Senta aí e dita uma confissão e lhe ofereço uma noite com ela em um hotel do centro com policiais.

E os policiais teriam os ouvidos colados à porta. Como ele desejava aquela confissão. Alguma coisa estava errada. Queria a minha confissão rápido demais. Eu sabia que devia me calar, mas também sabia que, se eu tivesse alguma força, certamente não tinha a simples força para suportar uma cela. Falando com ele, eu conseguia conservar minhas forças; sozinho, alguma coisa começaria a soltar em mim, eu desmoronaria, sim, eu desmoronaria.

– Estou esperando – falou ele.

– Roberts, você sempre pode encontrar um perito para contradizer outro. Deborah pulou daquela janela, é só o que sei. O seu perito diz que devia estar morta antes da queda. Eu poderia achar outro que explicasse que a lividez cadavérica foi uma conseqüência direta do impacto contra o solo de uma altura de dez andares, e de ser atirada para cá e para lá pelo carro que a atropelou, quebrou o hióide em seu pescoço e causou a extensa hemorragia.

– A lividez cadavérica não ocorre porque um corpo é revirado várias vezes. Mas por ter ficado parado em um lugar. Quando foi que ela esteve de bruços?

– Quando a puseram na maca.

– Quê?

– É, me lembro de ter estranhado a posição, então percebi por quê. A nuca de Deborah estava esmagada e, você sabe... Lembra que estava muito... Eles não queriam deitar a cabeça dela na maca.

– Ora – riu-se Roberts –, você perdeu uma promissora carreira de advogado. – Ele se recostou na cadeira. – Tenho de admitir que a sua versão explica alguns detalhes. É admissível. Uma probabilidade em dez. Não vou me estender sobre os indícios técnicos, mas suponho que você possa encontrar um perito amador para depor em seu favor para cada dez profissionais que pudermos apresentar. Mas vamos deixar isso de lado. O que temos até o momento, se entendi o que você disse, é que está disposto a assinar um depoimento de que sua mulher estava viva quando se atirou pela janela.

– Estou, assinarei um depoimento assim.

– Bem, poderíamos aproveitar o tempo e chamar uma estenógrafa da polícia para prepará-lo, mas isto tomaria apenas a próxima meia hora e não é necessário, não preciso usar esse tipo de pressão em você. A questão, Rojack, é que você ainda não ouviu o terceiro indício.

– Terceiro?

– Por que eu deveria revelar um indício que *nós* podemos usar no julgamento? Por que lhe diria isso gratuitamente?

– Pela mesma razão que estou disposto a falar francamente com você.

– Pare de brincar. Você me entrega sua confissão e eu lhe darei espaço para incluir toda e qualquer coisa em termos de insanidade temporária. Darei até umas duas dicas sobre o tipo de material que deve incluir. Mas se você não abrir suas cartas, se insistir em tentar se livrar da acusação, juro, Rojack, vou transformar isso em uma cruzada pessoal para pegar você e pegar para valer, de tal maneira que até o governador hesitará em comutar sua condenação à cadeira elétrica em troca de prisão perpétua. – Ele estava arquejando.

– Fez um discurso e tanto – falei.

– Recoste-se e ouça o terceiro. Sua mulher estava viva quando pulou pela janela. É o que está pronto a afirmar. Certo?

– Certo.

– Bem, você não deu atenção ao intestino grosso dela.

– Do que é que está falando?

– Acredite ou não, esses detalhes não são mais agradáveis para mim do que para qualquer outra pessoa, mas a autópsia revela que houve uma completa evacuação dos intestinos antes do suicídio.

– Não vejo o que isso pode significar.

– O estrangulamento provoca o completo relaxamento do esfíncter anal. Percebeu?

– Enquanto conversávamos, Deborah foi ao banheiro.

Ele me lançou um olhar de repugnância, como se eu fosse um atleta contratado tentando enganar o empresário.

– Suponho – falou ele – que quando ela se ocupava disso não tinha o hábito de deixar vestígios no robe.

– Esses vestígios podem ter resultado da queda ou se depositado em seguida. Algumas ações continuam depois da morte. – Poderíamos estar falando de um estranho. Senti um pesar breve e distante como se por fim tivesse que pagar um preço exorbitante por revelar a intimidade de Deborah daquele jeito.

Roberts abriu um largo sorriso de felicidade.

– Fizemos um exame minucioso do apartamento. Principalmente do quarto dela, Rojack, o tapete tinha manchas suficientes para estabelecermos um certo fato indiscutivelmente. O tapete forneceu uma amostra do mesmo material estranho de que estamos falando. Quando você me explicar isso de maneira convincente poderá ir embora.

Eu sabia a história que deveria contar a seguir, mas não sabia se poderia contá-la.

– Roberts, gostaria de resguardar alguma coisa da intimidade de minha mulher.

– Experimente convencer um júri assim.

– No fim Deborah ficou desequilibrada.

– Você está insinuando o que penso que está?

– Não posso falar disso. – É claro, porém, que podia. Algum compartimento do meu cérebro preparara a história, e eu estava preparado para contá-la em cada detalhe, o discurso preciso de Deborah embora imaginário: “Agora que você viu isto, não resta muito mais para ver”, e seu corpo voou pela janela com três passos; sim, esse relato imaginário agora tinha a nitidez da realidade. Eu sabia que se mudasse para psicose a história me acompanharia. Roberts fez uma cara atenta e meio convencida, a mesma que fizera no quarto de Deborah na noite anterior. Mas não consegui prosseguir. Se a história pegasse, o passado entranharia como uma doença.

– Não – falei – acho melhor você me prender. – O telefone do detetive tocou uma vez.

– Por que não assina uma confissão? – perguntou-me.

– Não.

Roberts atendeu o telefone.

– Não... não. Ele não quer dar. Precisa de setenta e duas horas... Quê? Filho-da-puta, não. – Ele xingou durante os vinte minutos seguintes, seus olhos tão injetados de sangue que pensei que ia bater na minha cabeça com o fone. Levou então a mão ao queixo e apertou-o como se comprimisse um botão em sua máquina porque o gesto serviu para lhe devolver a calma. – Espere aqui – disse. – Volto dentro de uns minutos. – Ele não era um homem corpulento, mas saiu como um gato empanturrado preso à ponta de uma corrente.

Roberts deixara a pasta em cima da escrivaninha. Dei uma espiada. Ele não tinha o laudo da autópsia, tinha anotações sobre a autópsia, e embora eu não entendesse a maior parte dos termos técnicos, pude ver que não estivera me dizendo a verdade: o laudo médico era sigiloso – e, pelo que pude entender das anotações, havia dúvida sobre o suicídio, mas também não havia certeza se Deborah estava morta antes de cair. Somente os vestígios no tapete se destacavam – alguém os sublinhara com tinta vermelha.

E havia folhas de um artigo de minha autoria rasgadas de uma revista especializada, o texto de uma conferência para a entrega de um prêmio na universidade, que eu fizera em meu primeiro ano de docência, o primeiro em que estivera casado com Deborah. Agora, como a flor descolorida guardada dentro da Bíblia por uma velha solteirona, eu via as palavras descoradas dessa palestra. Lê-las ali naquela sala ouvindo o silvo irritante do radiador às minhas costas, mirando as paredes, pintadas naquele tom sujo de charuto desbotado, tive uma breve percepção sobre o segredo da sanidade – tornara-se a habilidade de guardar o maior número de combinações impossíveis na mente, os alfinetes vermelhos de Roberts no mapa do distrito e um parágrafo retirado da conferência para o prêmio Clark Reed Powell – *Sobre a visão primitiva do mistério*:

Em contraposição à visão civilizada que coloca o homem acima dos animais, os primitivos tinham uma crença instintiva de que ele era subordinado ao pacto primordial entre as feras da selva e a fera do mistério.

Para os selvagens, o medo era o resultado inevitável de qualquer invasão do sobrenatural: se o homem desejava roubar os segredos dos deuses, poderíamos apenas supor que os deuses se defenderiam e destruiriam quem se aproximasse demais. Por essa lógica, a civilização é o roubo bem-sucedido, embora imperfeito, de um punhado desses segredos, e o preço que pagamos foi acelerar a nossa percepção particular de uma catástrofe enorme, ainda que indefinível, que nos aguarda.

Era uma conferência que tinha agradado e fora republicada em uma revista mensal – revista, ampliada e em duas partes –, suponho que houvesse alguma coisa agradavelmente vulgar na sonoridade do estilo. Agora, relendo-a, ela ressoou em meus ouvidos com a força de uma idéia verdadeira, e senti uma súbita ansiedade pela volta de Roberts, como se a decisão de lhe resistir pudesse se perder se eu continuasse sozinho por muito tempo naquela sala abafada. Então, procurando me concentrar na pasta, percebi que a conferência estava ali quase por acaso, pois a pasta reunia textos dispersos que eu escrevera, mas também colunas de fofocas em que meu nome aparecia, e até umas duas críticas do programa de televisão, uma coleção displicente que Roberts devia ter examinado com meio olho. Ouvi então os seus passos no corredor e voltei à minha cadeira.

Ele entrou assoviando. Era o assovio calmo e controlado de um homem que tem um furúnculo no pescoço.

– Bem, Rojack – disse ele mostrando os dentes superiores em um sorriso –, você está livre de suspeitas. Vamos sair e tomar uma cerveja. Seus olhos estavam inexpressivos. – Eu sabia, eu sabia que havia alguma coisa errada com este caso desde o princípio.

– Que é que você está me dizendo?

– Chegou o laudo oficial do legista. Suicídio. Sim. – Ele confirmou com a cabeça. – Você tem um *big brother* por aí.

Senti que precisava começar a fazer perguntas, ou me trairia.

– Era por isso que você queria a minha confissão com tanta pressa? – perguntei.

– Eu deveria ter esperado. Foi idéia de Leznicki pressionar você. – A cada palavra, Roberts se tornava mais cordial. Era como se fôssemos lutadores e ele tivesse agido na suposição de que era sua noite de vitória. Então o juiz cochichara em seu ouvido – era a vez de perder. Então ele encenara ferocidade no ringue. Agora estávamos de volta ao vestiário contando anedotas, trocando desculpas.

– Mas mandaram você me soltar ontem à noite?

– Digamos que nos deram uma dica. Eu era a favor de deixar mesmo você, calculei que seria interessante observá-lo.

– E estava esperando receber pressão hoje?

– Eu daria quase tudo, Rojack, para saber quanto é que você realmente sabe.

– Não sei muita coisa.

– Papai, você me leva a beber.

– Você acha que se obtivesse uma confissão minha poderia resistir à pressão?

Ele nunca parecera tanto com um tira. A dedicação do seu nariz curto e reto encimava o sorriso inegável de corrupção no canto da boca. Retidão, cinismo e cobiça faiscavam separadamente em seus olhos.

– Bem, não sabíamos. Talvez pudéssemos agüentar a pressão, talvez tivéssemos de trocar você por outra coisa. Mas uma confissão teria sido interessante. – Ele deu o sorriso curtido de um técnico de beisebol que perdeu um novato que poderia ter treinado ou devolvido aos juniores em uma barganha. – Não se preocupe com a política da polícia. Poderíamos discuti-la a noite toda e você continuaria sem entender.

– Eu gostaria de ouvir.

– Que está querendo, um bilhete premiado? Aceite a cerveja.

Sorri.

– Vou ficar sem beber mais uma hora. – Levantei-me. – Foi um prazer conhecê-lo, Roberts.

Ele tornou a rir.

– Se você não fosse tão importante, eu diria "Mantenha o nariz limpo".

– Não sou importante. – Ele fez um ar preocupado como se pudesse ser um erro fazer a próxima pergunta.

– Escute – disse finalmente quando cheguei à porta –, se você me responder uma coisa, acho que poderia lhe oferecer uma informação em troca.

– Vamos ouvir sua pergunta.

– Rojack, você é da CIA?

– Não posso responder uma coisa dessas.

– Tudo bem, então escute isto de graça. Talvez você já saiba. Pegamos Eddie Ganucci por um detalhe técnico. Não tínhamos certeza se poderíamos mantê-lo preso por mais de duas horas. Mas houve uma pressão muito esquisita para soltá-lo. E a minha intuição é que veio do mesmo lugar que a sua.

– Tem certeza disso?

– Não. Pressão nunca tem assinatura.

– Você não é burro, não é, Roberts?

– Fui um bom agente do FBI no passado. – Ele me deu um tapinha nas costas. – Agüente firme.

Tinha esfriado do lado de fora. Passei por um bar, depois outro e ainda por um terceiro. Não fazia idéia se devia comemorar ou me esconder. Parei junto a um telefone público e liguei para o meu serviço de atendimento. Tinham falado com a secretária do sr. Kelly e agora tinham um recado: o sr. Kelly me receberia à meia-noite.

– Ligue de volta, Gloria, e diga que vou tentar comparecer.

– Não sei se podemos lhe oferecer este serviço regularmente, sr. Rojack.

– Gloria, só por hoje.

No táxi, a caminho do centro, fui me lembrando de tudo, onda sobre onda, ondas perigosas como estacas que atravessassem as águas e batessem na praia. Ventava forte. Toda vez que eu fechava a janela do táxi o ar do aquecedor fedia, o escapamento deficiente se infiltrara no carro. Mas com o vidro baixado eu ouvia claramente o vento, e ele produzia o som longo e cortante de um vento marítimo voraz que rasga as águas e arranca o capim pela raiz. Havia uma ruptura no céu essa noite: uma sirene tocava, havia uma atenção presente, eu quase podia cheirar a decomposição do sangue coagulando no fundo daquele vento. Recostei-me no banco e senti algo próximo à náusea, porque o mistério revolvia em torno de mim agora e eu não sabia se era um mistério sólido e definido com solução detalhada ou um mistério gerado pela colisão de mistérios maiores, algo tão impossível de determinar quanto a borda de uma nuvem, ou talvez um mistério ainda pior; algo entre os dois, uma terra de ninguém sem esperança da qual nada podia retornar exceto a exaustão? E senti um súbito ódio de mistérios, um instante em que quis estar em uma cela, minha vida incinerada, resumida às simples linhas de uma defesa legal. Não queria ver Barney Oswald Kelly naquela noite, contudo eu sabia que era obrigado a fazê-lo porque era parte do contrato que eu aceitara ao ar matinal. Não me deixariam fugir do mistério. Eu estava quase rezando então, muito próximo disso, pois o que era a oração senão uma súplica para *não* perseguir o mistério, “Deus, eu queria orar, me deixe amar aquela garota, e me tornar pai, e tentar ser um bom homem, e trabalhar decentemente. Sim, Deus”, eu estava quase esmolando, “não me faça voltar sempre para a capela mortuária da lua”. Como um soldado com licença de seis horas para ir à cantina, eu sabia que retornaria. Não me afastara um milímetro das trincheiras, eu podia ouvir Deborah no cio, borracha queimando e um javali selvagem, uma voz quase penetrou em mim no vento, aquele vento forte – de que cume ele soprava? –, então o táxi parou na rua de Cherry, e com o coração palpitando subi aquelas escadas sórdidas infestadas de derrotas e bati na porta, e percebi no instante em que não ouvi ninguém se mexer que mais forte do que o meu medo, era o outro medo de que ela não estivesse ali. Então ouvi-a se mexer, a porta abriu, nos beijamos.

– Ah, querido – disse ela. – Alguma coisa não vai bem esta noite.

Tornamos a nos beijar e levei-a para a cama. Sentamos lado a lado e tocamos as pontas dos dedos. Isso fez com que me sentisse bem pela primeira vez desde que saíra dali à tarde. O alívio me envolveu como o sono triunfal de um vencedor.

– Quer tomar alguma coisa? – perguntou ela.

– Daqui a pouco.

– Amo você – disse Cherry.

– Sei. Eu amo você.

Cherry descansara. A exaustão desaparecera do seu rosto e ela parecia ter dezessete anos.

– Você nunca foi chefe de torcida? – perguntei.

– Acho que eu tinha uma aparência meio engraçada na escola secundária.

– Mesmo no último ano?

– Não, mas eu estava chegando lá. O capitão do time de futebol passou o ano inteiro tentando mudar o meu nome.

– Mas você conseguiu mantê-lo?

– Não.

De repente rimos um do outro.

– Como é que ninguém nunca tentou comer você viva?

– Ah, tentaram, moço, sem dúvida tentaram. – E ela me deu um beijo como o da noite anterior no bar, mas não havia o sabor de ferro, parte do sabor do ferro, e aspirei a madressilva que existira no ar certa noite quente de junho no banco traseiro de um carro.

– Vamos, vamos voltar para hoje de manhã.

Voltamos. Em algum momento, nascida da fadiga, da tensão e da exaustão de cada mentira que eu contara durante o dia, como uma dádiva que eu não merecia, aquela nova vida recomeçou em mim, doce e perigosa e tão difícil de acompanhar, e subi com ela e dei uma cambalhota em direção àquelas rosas atiradas à praia lavadas pelas lágrimas do mar, vindas a mim no momento em que minha vida retornou, e deparei com uma cornucópia de carne e pesar, pesar escaldante, aquelas asas estavam ali no quarto, transparentes e delicadas como uma boa intenção, aquela presença suave falou do significado do amor para os que o traíram, sim, eu entendi e disse, porque agora sabia, "Acho que temos de ser bons", querendo com isso dizer que teríamos de ser corajosos.

– Eu sei – disse ela. Então ficamos em silêncio por algum tempo. – Eu sei – repetiu ela.

– Tem certeza? – perguntei. Pus o meu pé sobre o dela – Tem certeza mesmo?

– Tenho.

– Você sabe o que a Broadway diz?

– O que diz a Broadway?

– Ora, "Merda, *señorita*", diz a Broadway.

– Ah, meu deusinho. Ah, meu deusinho! Você é tão querido – disse ela e, inclinando-se, beijou meu pé.

6
Uma visão no deserto

Fiquei deitado ali, satisfeito em tocar a ponta de um seio com a ponta de um dedo, e tive aquela percepção que cai como chuva, pois agora compreendia que o amor não era uma dádiva, e sim um juramento. Somente os bravos podiam conviver com o amor por mais do que um instante. Então me lembrei de Deborah e daquelas noites anos atrás quando me deitava ao seu lado sentindo um amor um tanto diferente, mas já o vivenciara antes, com Deborah, com outras garotas, garotas que tivera por uma noite e jamais voltara a ter – os trens corriam em direções opostas. Às vezes, com mulheres com quem ficara por muitos meses, eu talvez o tivesse encontrado em uma noite especial no fundo de um barril de cerveja. Fora sempre a mesma coisa, amor era amor, podia-se encontrá-lo com qualquer um, podia-se encontrá-lo em qualquer lugar. O problema é que nunca se podia conservá-lo. A não ser, meu amigo, que você estivesse disposto a morrer por ele.

Bem, voltei àquele abraço com Cherry. Já tínhamos terminado, mas ainda não de fato, pois houve um momento em que nos tocamos e nos encontramos tal como um pássaro pode pousar na superfície de um mar noturno, e seguimos com a maré, mergulhando fundo um no outro como a demorada vaga da memória na calada da noite. Não conseguia deixar de abraçá-la – alguma vez a carne teria prometido me perdoar de tal forma? Coloquei a mão na cintura dela: uma oferenda subiu de seu peito e pegou minha mão. Sentei-me na cama, inclinei-me para tocar-lhe o pé. Ei-lo para eu examinar, aqueles dedos do pé, que detesto, a forma larga e curta do peito do pé, as calosidades, a sola. Seu pé prometia seguir um caminho próprio, mas ainda assim o abracei. Agarrei-o como se dissesse "Você vai comigo". Aquele pé era capaz de ouvir meu pensamento, aquecia minha mão como um cachorrinho intrépido. Então ergui o olhar do pé, percorri todas as nuanças do seu corpo até os sutis traços de alfazema e prata nas sombras do rosto, sorri alegremente e disse:

– Você acha que podemos beber alguma coisa?

Ela apanhou a garrafa e bebemos lentamente, já não me lembrava da última vez em que tomara uma bebida gole a gole. Parecia-me suficiente pôr algum gelo em um copo, virar meio centímetro de uísque sobre os cubos e observá-lo transferir sua cor dourada à água. De fato, os objetos no quarto – a cadeira de diretor de cinema surrada, a alavanca de cobre da torneira na pia da cozinha, as franjas carcomidas do abajur – pareciam nos cercar como sentinelas dotadas de alguma propriedade primitiva do rádio, como se pudessem ser os primeiros a nos informar a presença de uma visita na escada. Eu estava falando a Cherry sobre o meu programa de televisão – fizera parte de nossa conversa quando nos conhecemos na rua, e então continuamos a falar, mas na verdade era mais agradável retardar o momento em que falaríamos de nós mesmos; portanto, era quase agradável pensar no programa. Tínhamos começado como um circo de vanguarda: entrevistas com garanhões barbudos que fumavam maconha há 22 anos, confissões de ex-detentos sobre a homossexualidade nos presídios, uma palestra minha sobre "Picasso e sua Pistola" (um estudo sobre Picasso como Mestre de Cerimônias do impulso canibalesco na Europa moderna – a palestra mais difícil da história da televisão), um bate-papo com uma garota de programa, com o líder de uma gangue de motoqueiros, com o líder de uma gangue no Harlem, como uma dona de casa que perdeu 81 quilos em um ano, com um padre excomungado, com uma suicida malsucedida (uma menina, três cicatrizes no pulso). Eu tinha tido uma idéia inicial, garanti-lhe, queria abrir caminho através da psicanálise e do bem-estar social.

– Você é brilhante – disse ela. E beliscou a pele de minha orelha com uma mordida tão pequena e exata como a picada de um palito de dentes. – Lembre-se – disse, aplicando uma gota de saliva na minha orelha à guisa de bálsamo – daquela crítica que Mac N. Ryan escreveu: "Isso é um festival de mau gosto que violenta os cânones da dignidade da televisão". – Ela riu da sonoridade das palavras. – Sabe que eu saí com Mac N. Ryan uma vez?

– Ele violentou algum cânone?

– Ah, ele detestou não ter feito amor comigo, mas não é que eu estava com uma doença? Então disse a ele, "Sabe, benzinho, a sífilis está correndo solta". Isso manteve a coisinha dele dentro das calças. Tive que chamar um táxi para ele.

Eu ri. Certa insensibilidade na mágoa desapareceu. Pobre Mac N. Ryan. Exceto por sua honrosa atenção, os críticos de televisão tinham ignorado o programa. Estávamos sempre perdendo patrocinadores e conseguindo outros piores, a Comissão Federal de Comunicação (Federal Communication Commission) ligava todos os dias, o produtor (você o conheceu) tomava tranqüilizantes e eu simplesmente não era bom o suficiente. Passamos a convidar profissionais, funcionários públicos, professores, fornecedores, discutíamos livros e atualidades – aos poucos ganhamos popularidade.

Contei-lhe um pouco de tudo isso e tentei fazer um esboço do meu passado (sinceramente, queria que me conhecesse um pouco). Falei sobre minha carreira acadêmica, me orgulhava dela porque, ao encerrar minha vida política, requentara uma no Meio-Oeste e em cinco anos conquistara um doutorado, uma vaga de professor assistente e de professor adjunto. E, dois anos depois, de volta a Nova York, me tornei professor titular (a tal conferência Clark Reed Powell). A conversa mudou de rumo informalmente, uma história aqui, um caso engraçado ali, o nosso humor oscilando com a indolência de barcos no porto, subindo e descendo a crista de cada onda que se erguia.

– Vamos comer – disse ela por fim e saiu da cama para preparar dois bifes pequenos, um pouco de macarrão e ovos mexidos para nós.

Comemos – ataquei a comida, perdera a noção da fome que sentia – e, quando terminamos, tomando o café e fumando cigarros, pareceu ser sua vez de falar. Sentada à mesa, enrolada em seu robe cor de trigo (ela me ofereceu um roupão que já devia ter pertencido a Shago Martin), ouvi Cherry falar de si mesma. Fora criada pelo meio-irmão e pela meia-irmã. Lembrava-me daquilo. Seu meio-irmão tinha dezoito quando os pais dela morreram em um acidente de carro, a irmã mais velha tinha dezesseis, ela, quatro, e a irmã caçula, um ano. O irmão era admirado pelos vizinhos porque trabalhava em dois empregos. Dava duro, mantinha a família unida.

– Havia somente um pequeno problema – disse Cherry. – Toda noite o irmão estava comendo a irmã – ela balançou a cabeça. – Eu ouvia mamãe e papai falarem comigo a caminho da escola. "Mande o seu irmão parar com as tolices", diziam. E quando eu estava para completar nove anos, descobri que todo o mundo na cidade sabia o que estava acontecendo. Mas isso não parecia abalar nossa cega respeitabilidade. Eu brincava no quintal das outras garotas, e de vez em quando elas vinham brincar no meu. E meu irmão estava conquistando um razoável sucesso na cidade. Não que ele gostasse de minha irmãzinha e de mim. Até nos odiava. Mas sabia que o fato de assumir o encargo da família aos dezoito anos impressionaria uma cidade de seiscentos carolas. Quero dizer, ele pensava assim. Mesmo antes dos dezoito anos, tinha um queixo grande e um charuto enfiado na boca.

– O que ele faz agora?

– É xerife. Da última vez que tive notícias estava se candidatando à Câmara Estadual. Fiquei tentada a mandar para ele uma foto minha e de Shago. – Cherry desviou o olhar por um instante, como se Shago tivesse se tornado novamente real. – Bem – disse ela –, fingíamos ter guardado nosso segredinho de família e éramos gente de bem como todo mundo; quero dizer, todos vínhamos de boas famílias sulistas, todos os seiscentos. Em uma cidade daquele tamanho, tudo que a gente precisa para ser de boa família é ter um tio-avô rico que nunca se viu na vida e ter dinheiro suficiente para mudar o banheiro externo para dentro de casa, mas – ela tomou um golinho do café – o *big brother* foi embora e se casou, obrigando assim a *big sister* a cuidar da família. E ela endoidou.

Saía cada noite com um homem diferente, dava por qualquer trocado, o que deixou a mim e a caçula com má fama. Ainda admiravam meu irmão, acho que todo aquele incesto o ensinou a se virar politicamente, mas minhas irmãs e eu seríamos marginalizadas. Eu ia para escola sozinha e voltava sozinha. Finalmente, tivemos que sair da cidade com a mais velha.

Elas foram morar na Geórgia, depois no norte da Flórida, a irmã mais velha se casou, Cherry passou o ensino médio morando na casa de um cunhado que se mostrava cada vez mais nervoso com a sua presença. Por fim, teve que deixar a irmã. Terminou o ensino médio dormindo em uma pensão, trabalhando como garçonete.

– E, é claro – disse Cherry –, andava por todos os bares com *jukeboxes* e boates baratas, pois tinha uma voz animada de caipira e queria ser cantora. Foi o ano em que gamei por aquele astro de futebol americano, mas ele decidiu sair da cidade para fazer faculdade. Não respondi à carta dele. Eu me sentia como a gente se sente em um sonho quando começa a acordar. Acho que o incesto ressuscita os mortos. – Ela disse isso de modo tão decisivo, uma velha ressequida sem dúvidas sobre seus tônicos e receitas, que não pude saber se era um pensamento próprio ou um dito folclórico que o idiota da vila diria ao primeiro banqueiro da cidade.

– Bem, em seguida experimentei por um tempinho o êxtase de toda garota: um piloto da marinha. Íamos nos casar. Afinal descobri que era casado. Uma cacetada. Então conheci o Daddy Warbucks – ela disse e parou. – Tem certeza que é para continuar?

– Continue, quero saber mais.

– Bem, vivi um tempo com um ricaço. Um ricaço velho. Resumindo: ele me apanhou em uma boate, ele era um homem de negócios de passagem, e, bem, houve um certo clima entre nós – disse Cherry. – Ele me levou com ele para a próxima cidade.

– Sei.

– Fiquei com ele muitos anos. Era bem mais velho do que eu, mas...

– Mas o quê?

– Era uma atração carnal, querido.

Tínhamos um lucro para gastar. O que tínhamos ganhado naquela última hora – portanto, ela me contaria a verdade. Se por fim eu não suportasse ouvi-la, então, dizia o seu rosto, não merecíamos o lucro.

– Então – disse eu. – Carnal.

– O problema era que eu quase nunca o via. Ele me instalava em um apartamento agradável em uma cidade qualquer, e às vezes eu não o via por uma semana. Tinha a impressão de que ele cruzara o país três vezes de ponta a ponta.

– Você não se importava de ficar sozinha?

– Não, eu arranjava o melhor professor de canto das redondezas. E lia muito. Simplesmente esperava Daddy Warbucks voltar. Era um prazer conversar com ele. Enquanto eu achava que ele era apenas um homem rico e inteligente com uma família em algum lugar, correu tudo bem. Mas um dia vi uma foto em uma revista e descobri que ele não me dissera nem o nome verdadeiro. Quis abandoná-lo então. Mas fui convencida a ir com ele para Las Vegas. Ele disse que se eu quisesse morar lá poderíamos aparecer juntos em público. Então saquei tudo. Porque em Vegas naturalmente conheci alguns dos seus amigos e, caiu a ficha, eram os chefões da máfia.

– Ele pertencia à máfia?

– Ele era rico. Um homem muito respeitável. Gostava de jogar. Às vezes eu acreditava que ele estava na cidade só para isso. Às vezes chegava à conclusão que era dono de um pedaço de Las Vegas. Porque passou a sumir por uma semana, ou, muitas vezes, por um mês – meu telefone não tocava a não ser que fosse uma ligação dele. E isso não seria plausível se ele fosse apenas um ricaço que tivesse deixado a namoradinha em casa. Então só me restava pensar que ou eu era feiosa demais para atrair alguém, ou Daddy era um chefão especial. Mas muito especial. Obviamente ele não tinha jeito de pertencer à máfia, pelo menos não diretamente. Quer mais café?

– Não, estou bem assim.

– Acho que eu também. – Ela interrompia a história nas horas mais estranhas. Fizera várias pausas quando me falara do irmão, e agora novamente.

– É claro que sempre houve uma discussão – continuou Cherry – sobre "O Chefão". Ele existe afinal? Era possível ver dois capangas discutindo a questão, dois sujeitos idênticos até no número de quilates do diamante no alfinete de gravata, mas um deles diria "O Chefão não existe, pode esquecer", enquanto o outro simplesmente se benzeria.

– E qual foi a sua conclusão?

– Não sei. Às vezes achava que Daddy Warbucks podia ser o Chefão, nada menos que isso. Então achava que era um exagero.

– E o que você diria agora?

– Acho que ele nem era da máfia. Mas a máfia lhe prestava uns serviços especiais. Serviços muito grandes e complexos. Alguns no estrangeiro. Era a minha impressão.

Aqui ela fez outra de suas pausas.

– Por outro lado – disse finalmente –, não tinha certeza se queria saber demais. Porque chegou uma hora em que eu quis me livrar daquele homem e não sabia como. Ele não era do tipo que faria ameaças nem discordaria, mas eu sabia que iria me machucar na saída, e a questão era o quanto – ela parou de falar. – Bem, nos separamos como amigos. Tivemos uma conversa tranqüila e ele me passou para um conhecido, com o meu consentimento. Compreendi que essa era a maneira de pagar minhas dívidas. Então fiquei com o amigo, o rei dos narcóticos em Los Angeles. Descobri dois dias depois. O amigo tinha gostos secretos que podiam mandá-lo para o inferno. E ele chegou a me ameaçar de morte quando eu disse que não queria. Reuni minha coragem para dizer isso. Finalmente enfrentei alguém, de igual para igual. "É melhor não fazer isso", disse ao cavalheiro, "ou vou fazer questão de vir assombrar você." Esses mafiosos são tão supersticiosos quanto bruxas. Falei a coisa certa. Só que na hora eu não sabia. Passei os próximos dois meses sem dormir esperando a porta se abrir. Mas pelo menos tive o bom senso de ficar onde estava, na cidade. Um dos homens mais inteligentes que conheci me disse uma vez, "Fuja de uma faca, mas encare um revólver". E esse cavalheiro traficante só usava pistolas. Se eu tivesse tentado fugir para outra cidade, ele me acertaria pelas costas – o que é uma péssima maneira de morrer, deixa a assombração menos ameaçadora.

– Você é uma profissional.

– É melhor acreditar nisso.

– Não, estou admirado.

– Eu era apenas uma folha seca à espera de cair da árvore. Mas tinha sorte. Por isso tive condições de me levantar. Comecei então a agendar apresentações como cantora em Vegas; por conta das minhas associações anteriores, eu tinha contatos, e vivi bem uns dois anos. Só saía com homens que me agradavam, e com alguns fiquei algum tempo, uns dois italianos classudos que encontrei. Bandidos, mas gostei deles. Os italianos são tão traiçoeiros que eu me sentia virtuosa ao lado deles – pausa. – Então percebi que estava na hora de voltar para Nova York.

– Por quê?

– Um dia eu conto.

– Conte agora.

Ela contraiu os lábios como se somasse uma conta.

– Conquistei em Las Vegas um poder que não merecia. Não sabia o que fazer com ele. Ninguém na máfia sabe o quanto os outros sabem. Na verdade, ninguém sabe o quanto realmente sabe. Então, levando em consideração os homens com quem eu saía, outras pessoas que eu mal conhecia se dispunham a me fazer favores. Achavam que eu era mais importante do que de fato era, e isso ajudou a me tornar ligeiramente importante. Não é legal me gabar disso, mas eu tinha o poder de mandar matar pessoas. Também me ocorreu que eu mesma podia acabar morta, e dessa vez sem saber por que ou por quem. Não fazia sentido. Posso ter sido gananciosa, mas também era muito carente, entende o que quero dizer? Cresci em uma cidade mesquinha; quando o cardápio ficou requintado demais, comecei a me sentir outra vez como uma garotinha sulista esfomeada.

Cherry deu um suspiro. No começo, explicou-me, sempre tinha a sensação que um anjinho a acompanhava. Todos os órfãos sentiam isso – fazia parte da economia da natureza. E, por companheira, o anjo tinha uma puta, pois os dois se davam bem.

– Quero dizer, a piranha tinha um caso e o anjo dizia, "tudo bem, querida, você merece um pouco de diversão depois de tanta tristeza".

Em Vegas, porém, o anjo tornou-se desejável, não parava de atrair pessoas.

– Sempre fui independente – disse Cherry –, ou pelo menos gosto de pensar que sim. Acho que tenho um lado que não quer nada de ninguém, e talvez fosse disso que aqueles malandros gostavam. Mas havia também o outro lado da minha personalidade que estava inchando como uma rã: eu estava me tornando má e cruel como uma dona de bordel negra. Estava pronta a mandar aquele anjo à vida – ela pareceu ansiosa ao dizer isso. – E por outro lado eu precisava ficar de olho no meu assassino. *Havia* um assassino louco dentro de mim.

– Tem certeza?

– Um legítimo assassino.

– Talvez você o tenha tomado emprestado de um de seus amigos.

– Jamais saberei – respondeu. – O pior é que, se eu procurar saber, vou descobrir que um ou dois homens em Vegas provavelmente morreram por minha causa. Estavam na outra ponta do cordão, mas eu era vingativa o suficiente para ter sido aquela que o puxara. Comecei a pensar naquele ódio de cidade pequena, que sempre considerei indigno de mim, naquela inveja e maldade, que agora fazia parte de mim. Cheguei à conclusão que se ficasse tempo demais em Vegas iria tão longe que jamais poderia voltar. Então decidi que era o ano de partir para Nova York.

– O anjo levou você a Shago Martin?

– Não – respondeu, e em seguida: – Levou.

Era óbvio que estávamos pensando na irmã dela.

– Bem, veja como você está bem agora – eu disse.

– Agora sou um espírito – replicou e deu um sorriso durão e sensual, carnudo.

– Eu devia ter convidado você para o meu programa.

– Eu teria explicado tudo. Teria dito à América que algumas pessoas têm alma e outras são espíritos.

– Tenho certeza que sim.

– As pessoas com alma são as que fazem o mundo girar – disse com sua entonação sulista, o sotaque fino e preciso de uma velha senhora batista –, e se fracassam, mas honrosamente, bem, Deus, por misericórdia, ou por condescendência, leva suas almas e as transforma em espírito. É muito triste, porque você não pode viver com os outros espíritos, triste demais. Então você tem que procurar alguém que tenha alma, mesmo que ele seja mau e cruel.

– Como Eddie Ganucci?

– Ele é horrível. É um velho doente que nunca teve classe.

– Mas as pessoas que têm classe têm medo dele?

– Têm – ela assentiu várias vezes. – Talvez esse tenha sido outro motivo por que parti. Não é bom viver perto de homens que enfrentam tudo a maior parte do tempo, sabendo que tem uma coisa que jamais defenderiam – ela deu um sorriso radiante. – Tinha certeza que você se acovardaria diante de Romeo ontem à noite.

– Estava tão bêbado que nem ligaria se ele me matasse de pancada.

– Você fez mais do que isso.

– Shago ensinou você a cantar? – perguntei.

– Ele me ensinou alguma coisa. Mas acho que sou uma péssima cantora.

Isso encerrou a conversa sobre Shago. Ela se espreguiçou e bocejou graciosamente. Eu estava muito tranqüilo. Por alguma razão, estava preparado para coisa pior em sua história. Assim o clima estava voltando ao normal. Logo estaríamos prontos a voltar para a cama.

– Steve – perguntou Cherry.

– Diga.

– Você matou sua mulher?

– Matei.

– Matou – ela falou.

– Você é uma belezinha esperta.

– Não, meu bem, eu sabia que você a tinha matado. Ah, meu Deus.

– Como soube? – perguntei.

– Uma vez vi um homem logo depois de ter cometido um assassinato. Você estava igual a ele.

– E como ele estava?

– Como se tivesse sido pintado com uma tinta mágica. – O rosto dela se enrugou. – Tinha esperança de estar enganada, mas sabia que não estava. Ah, espero que não seja tarde demais para nós.

– Espero que não.

– Estou com medo.

– Também estou um pouco.

– Você precisa ir a algum lugar hoje à noite? – perguntou ela.

Confirmei com um aceno de cabeça.

– Quem você vai ver?

– O pai de Deborah.

– Barney Oswald Kelly?

– Você sabe o nome dele?

– Li os jornais de hoje.

Senti-a, porém, distanciar-se de mim. Havia algo estranho no que disse.

– Já tinha ouvido falar dele antes?

Uma expressão espalhou-se pelo seu rosto. Fez-se a pausa mais longa até aquele momento. Prolongou-a por tanto tempo que pude ouvir um zumbido no ar.

– Stephen – ela falou –, conheci Kelly.

– Verdade?

– Ele foi o homem que me levou para Las Vegas.

Tive uma reprise daquela visão na cama de Ruta, daquela cidade no deserto com suas luzes ardendo ao amanhecer.

– Não quero mais falar nisso – disse ela. E como se a revelação a tivesse despido, seu robe cor de trigo foi caindo lentamente, abriu-se com um movimento solene.

– Como pôde? – exclamei.

– Ele é um homem atraente.

– Ele é odioso.

– Não, não é.

E ele não era. Na realidade, não era. Era outra coisa. Tive a sensação de que Kelly e eu compartilhávamos o mesmo sangue. E essa sensação de não pertencer a mim mesmo, de ser no meu íntimo propriedade de Deborah – a emoção que me sobreveio menos de cinco minutos antes de matá-la –, agora voltava. Senti o assassinato. Amedrontou-me. A possibilidade de que a sensação que experimentava quando fazíamos amor fosse apenas minha me deixou homicida. Pois como distinguir o amor da arte do Diabo?

Mas então, como uma criança, disse a mim mesmo, "o Diabo não tem asas". Aquelas rosas que vieram com a maré, aquele anjo que passou pelo quarto...

– Você acha que fizemos um filho hoje de manhã?

– Acho.

Não houve tremor algum no ar. Se ela estivesse mentindo, eu estava mortalmente cego, ou então ela era uma invenção perfeita do mal. Os segundos se passaram. A ternura retornou em mim.

– É menino ou menina?

– Posso lhe garantir uma coisa, moço – respondeu ela –, é um menino *ou* uma menina.

Mas havia providências a tomar. Eu tinha a selvageria prática de um amante.

– Vamos examinar os detalhes – falei.

– Já fizemos isso.

– Tem mais.

Percebi sua irritação assomar, um lampejo daquele orgulho sensual e bronzeado com que cantara seu número na noite anterior. Mas uma certa humildade apossou-se dela.

– Tudo bem – disse.

– Você já engravidou antes?

– Já.

– De Kelly?

– Foi.

– O que aconteceu com a criança?
– Tirei-a.
– Mais alguma vez?
Ela ficou calada.
– Shago Martin?
– Foi.
– Ficou com medo de ter o bebê?
– Foi Shago quem ficou.
– Faz quanto tempo?
– Três meses. – Ela confirmou com a cabeça. – Faz três meses. E na semana passada eu terminei com ele.

Certa vez, durante um temporal, observei um córrego se formar. A água tinha descido e o fio de água começara em um buraquinho na terra do tamanho de uma folha. Encheu-o e começou a correr. O pequeno córrego desceu o morro entre hastes de gramíneas e ervas daninhas, fluiu em borbotões, caiu em cascata de uma saliência formando um riacho. Não sabia que não era um rio. Foi assim que as lágrimas correram pelo rosto de Cherry. Nasceram em um poço apertado de mágoa, um oco de amargura, subiram aos seus olhos, transbordaram pelo rosto, pingaram em seu peito nu, caíram sobre a coxa e se depositaram na mata – uma colher de chá com dez anos de tristeza.

– Você entende – disse ela caindo no choro –, pensei que nunca poderia ter filhos. O médico que consultei por ordem de Kelly disse que havia alguma coisa errada, e eu nunca tentei descobrir a verdade. Simplesmente não engravidei durante todos aqueles anos. E então engravidei de Shago. Ele brigou comigo. Disse que eu era uma diaba branca – depois de todo o tempo que passamos juntos.

– E você não quis ter o bebê sozinha?
– Não tive coragem. Eu tinha *traído* Shago.
– Com Tony?
– É.
– Por quê?
– Acho que por hábito.
– Por hábito, um cacete. Por que com Tony? O que ele tem?
Ela balançou a cabeça. Parecia quase sentir dor.

– Tony tem uma certa doçura, acredite.

– Como posso acreditar?

– Eu estava tão magoada. Shago pode ser cruel.

Aquilo me bastou. Ela deitou a cabeça na mesa e se entregou à dor. Acariciei seus cabelos. Já tinham sido finos, mas a tintura engrossara os fios sedosos. Enquanto Cherry chorava, eu ouvia um eco do silêncio de cada pausa que ela fizera ao falar.

– Meu deusinho, meu deusinho – disse ela por fim, erguendo a cabeça e tentando sorrir. Ela aparentava aquele relaxamento puro característico do sexo, da dor ou do fim de um enorme esforço físico. – Me dê um cigarro – ela falou.

Eu o acendi para ela.

– E quanto a mim? – eu parecia uma criança desejando uma resposta. – Meu beijo aliviou sua mágoa? É essa que é a minha doce fama?

– Não fale demais.

– Quero saber.

– Aconteceu uma coisa quando estava com você – disse ela.

– O quê?

Ela balançou a cabeça.

– Por que você insiste? Dá azar continuar. Mas você insiste. Então escute, Stephen, vou lhe dizer, aconteceu com você. Tive um orgasmo com você. Nunca tinha tido. Agora, acredite se quiser. – Mas havia ligeiro toque de melancolia naquele comentário, como se tivesse acontecido com o homem errado na hora errada.

– Como assim, nunca? – perguntei, precisava ouvi-la repetir.

– Nunca. De outras formas, sim. Mas nunca, Stephen, com um homem em mim, com um homem enfiado dentro de mim.

– Todos esses anos?

– Nunca.

– Deus do céu.

– Juro.

– Posso acreditar em você?

– Claro que pode. Porque eu sempre tive a sensação de que o dia que acontecesse eu não tardaria a morrer. Eu sei que isso é especial e sem dúvida muito louco da minha parte, mas sempre foi o meu medo.

– E agora você o perdeu?

– Não sei se tenho medo, se o perdi ou o quê. Só sei que estou feliz. Agora cale-se e pare de tentar estragar tudo.

Ouvimos uma batidinha dura na porta. Afinal, as sentinelas não tinham nos avisado. A batida tinha um ritmo caprichoso, pesado por dentro como a batida do tamborileiro na borda da membrana. Cherry olhou-me do outro lado da mesa com o rosto despido de toda expressão.

– É Shago – ela disse.

Uma chave girou na fechadura, uma volta, depois outra. A porta se abriu. Um negro elegante com uma pele negra como a meia-noite estava parado ali. Olhou para o roupão que eu estava vestindo.

– Muito bem – disse-me –, vista-se. Tira essa bunda branca daí.

7

Faço uma promessa

Já vira Shago Martin em um filme sobre músicos de jazz e uma foto sua em capas de discos – um rosto bonito, magro e arrogante, uma máscara. Uma vez Deborah e eu tínhamos ido com um grupo ao Latin Quarter ou ao Copacabana, uma rara excursão, uma vez que nada era mais aflitivo para ela do que uma grande casa noturna, mas Martin estava cantando naquela noite, e Deborah e suas amigas foram vê-lo.

– Ele é o homem mais atraente da América –, disse-me quando ele começou a cantar.

– Que quer dizer com "mais atraente"? – perguntei. Eu estava fazendo tudo para parecer um jovem banqueiro de Harvard vindo de Boston naquela noite.

– Shago – falou Deborah – vem de uma das piores gangues do Harlem. Acho que dá para notar pelo jeito que ele anda. Existe algo de independente nele, algo muito belo.

– Pois me parece muito espalhafatoso.

– Bem – disse Deborah –, ele pode ser espalhafatoso às vezes, mas existem pessoas que sabem ouvir o que ele diz.

Havia alguns poucos assuntos em que Deborah era uma nulidade; música era um deles – era incapaz de distinguir o que fosse. Eu decidira há muito tempo que Shago era o cantor mais talentoso da América. Ao passo que Deborah e suas amigas só vieram a admirá-lo recentemente. Ele sempre havia sido respeitado, muitos especialistas diziam que ele era bom, mas nunca tantos quanto agora que ele ficara famoso; agora que a roleta da moda cravara o seu número: Shago era *in*. Estavam encantadas que ele fosse indiferente à moda; ou pelo menos à mudança de gosto que o tornara moda em Nova York na atual temporada. Ultimamente ele só cantava no Copa e no Latin Quarter – em qualquer outra temporada isso o teria desqualificado para sempre –, mas já que era impossível convidá-lo ou atraí-lo para as festas que compunham o calendário social da semana, a ansiedade de todos por uma noite daquelas ganhava as proporções de uma guerra de fronteiras. Deborah e eu estávamos lá naquela noite porque Deborah o perseguira (por telefone) até conseguir a promessa de uma entrevista depois do seu número das onze horas: ela iria convencê-lo a assinar um contrato para cantar em um baile de caridade a se realizar dentro de quatro semanas e três dias. Mas Shago não estava no camarim quando terminou o seu número; deixara um bilhete com o camareiro: *Desculpe, dona, mas não vai dar para ir naquela boxta de caridade*.

– Ai, ai – exclamou Deborah –, o pobrezinho deve ter tentado escrever bosta.

Ficou, no entanto, lívida. Agora o mundo estava mais bem definido. Para se vingar dessa afronta aos bons sentimentos, Deborah pegou Shago de jeito. Eu nunca soube quantas ligações foram necessárias nem quantas pessoas baixaram o olhar para quantos pisos de mármore: "Você realmente gosta desse homem?", mas em quatro semanas e três dias, na noite do baile de caridade, nenhuma anfitriã estava interessada em Shago. Havia algo no humor de Deborah que cheirava a latão velho.

Depois disso, passei a colecionar seus discos, e punha-os para tocar. Para dizer a verdade, não gostava tanto deles. Seu talento era muito radical. Ele raramente evocava o cheiro de fumaça em um nevoeiro, ou o estado de espírito que rodeia uma garota quando ela entra em uma sala; não sugeria que o melhor caso amoroso do ano ia começar, não me fazia pensar, como tantas vezes faziam outros cantores, em paisagens na Jamaica, em mangas, mel e em um seio ao luar, em amor tropical e doçura que iam do anoitecer ao amanhecer, não, Shago evocava isso, uma parte disso, mas havia cobras em seu jardim tropical, e um porco selvagem fugia pela floresta com um rasgo no flanco feito pela presa de um puma, evocava um mundo de estranhos gritos selvagens e o acorrentava a algo complexo em seu estilo, um pouco de ironia, uma sugestão de domínio, uma sugestão de que no fim tudo volta a ficar sob controle. E ele tinha uma batida que varava o ouvido e entrava em nosso corpo, era cruel, era perfeito, prometia ensinar um paralítico a andar: Shago era sempre anunciado em lugares como o Copa como "O ritmo do *showbiz*", e o pior era que pela primeira vez a publicidade estava certa, sua voz quicava com a força de uma bola de borracha dura em um chão de pedra, ouvi-lo lembrava aquela tarde em que jogamos uma partida de frontão com um campeão – a bola voava com a maior eficiência, ganhando velocidade no trajeto, subindo ao cortar o ar; de modo que a batida de Shago era sempre mais forte, mais rápida ou um nadinha mais lenta do que a percepção do seu ouvido, mas a pessoa estava aquecida quando ele terminava, havia uma sensação gostosa no ouvido, ela fora derrotada por um campeão.

O único problema era que o seu talento não parava de variar. Deborah começou a sentir um prazer espiritual ao dançar ao som dos seus últimos discos.

– Sabe, eu desprezo o homem – ela dizia –, mas a música dele está melhorando.

Tinha razão. A voz dele se aperfeiçoara a tal ponto que nem sempre era possível distingui-la de um trompete ou, em alguns momentos virtuosísticos, de um saxofone. Uma vez que embalava, seu canto parecia capaz de inserir um passo entre cada passo da dança elegante e rápida que os dedos de um *jazzman* executavam nas teclas. Era óbvio, porém, que ele se tornara especial demais – o público comum de uma casa noturna não conseguia acompanhá-lo. Ele era dissonante. Alguns dos seus trabalhos mais experimentais no primeiro momento soavam como um embate de histerias. Somente mais tarde foram descobrir sua capacidade de escolha – era como uma mente correndo entre loucuras distintas, como um carro abrindo caminho por um engavetamento de carros. Era dissonante. A última notícia que tive foi a de que ele às vezes estava cantando até no tipo de cabaré que fecha as portas na fatal quinta-feira, em que não há dinheiro na caixa registradora para o pagamento semanal de proteção à polícia. Era isso que fascinava Deborah. Era isso que ela por fim ouvia em sua música: já não havia perigo que ele se tornasse uma figura nacional.

Agora, parado à porta na sala de Cherry, ele usava um chapeuzinho de feltro preto com aba curta, as calças do terno de flanela cinza eram justas, usava botas de cano curto, de modelo novo e extraordinário (camurça cor de vinho com botões de madrepérola), e vestia um colete de veludo vermelho para combinar. Uma camisa de seda rosa refletia a cor do colete, como uma taça de cristal repica a cor de um vinho, e sua gravata era fina, de malha, com um pequeno alfinete. Trazia na mão esquerda um guarda-chuva fechado, esticado como uma espada na bainha, e segurava-o perpendicular ao corpo, o que dava – por ser alto e magro – a perfeita impressão de um lorde do Harlem parado na esquina de sua rua.

Era muita coisa para notar no tempo que ele levou para abrir a porta, entrar, olhar para Cherry, olhar para mim, ver que eu estava usando o seu roupão e me mandar vestir as roupas e dar o fora, mas eu vi tudo, minha percepção do tempo – como a paradinha que a montanha-russa dá antes de despencar – foi tão demorada quanto a primeira tragada de maconha quando o pulmão solta um longo suspiro lá do fundo e o tempo retorna ao ponto em que começou, sim, eu vi tudo, lembrei-me de Shago cantando, e de Deborah lendo o bilhete, e senti transcorrer um longuíssimo momento quando ele olhou para mim. Saía um sopro dele, uma emanação de cobra venenosa que penetrou meus pulmões como maconha, e o tempo começou a desacelerar.

Senti, então, uma estranha felicidade ao compreender que Shago era capaz de matar, como se a morte imediata pudesse me levar àquele momento que experimentara com Cherry em que algo subiu e em seguida despencou. Por isso apenas sorri para ele e estendi o maço de cigarros em sua direção.

– Dê o fora – disse ele.

Nossos olhos se encontraram e não se despregaram. Seu olhar era impassível e bruto e ardia como sal na superfície dos meus. Senti-me, porém, terrivelmente abstrato, como se as minhas reações tivessem sido despachadas, fossem instrumentos em um estojo. Ao ver que eu não me mexia, Shago se virou para Cherry e disse:

– Ele não vai fugir?

– Não.

– Ora veja só – exclamou Shago –, você arranjou um garanhão que é capaz de resistir.

– É.

– Não é como o Tony?

– Não.

– Então me enfrente! Seu filho-da-puta – falou Shago para mim.

Quando me levantei, Martin abriu os dedos. Segurava uma navalha na mão direita, e ela se abriu em sua palma como uma língua de cobra. O estalido da navalha não fez mais barulho do que um talo de grama ao ser arrancado do chão.

– Vou-lhe dizer o seguinte – falou Shago –, vista-se. Eu não gostaria de ser esfaqueado vestindo o roupão de outro homem.

– Guarde sua navalha – retruquei. Minha voz saiu bem calma.

– Vou guardar, cara, depois de gravar minhas iniciais em você. Elas são S. M.: Seu Merda – respondeu Shago. E virou a cabeça para Cherry, os olhos de um espantoso amarelo dourado em seu rosto negro. Quase combinavam com os de Cherry, e ele começou a rir. – Ah, meu Deus – disse ele –, puta merda, puta merda – e, erguendo o canivete, fechou-o com um estalo. Como um mágico. – Ela é o meu bem – disse para mim –, é minha mulher.

– Era sua mulher – falou Cherry –, até você ficar mau.

– Ora, grande merda – retorquiu Shago.

– É – repetiu ela –, grande merda.

Os dois eram como um homem e uma mulher se equilibrando numa corda esticada.

– Malvado – gritou ele –, malvado – repetiu. – Escute aqui, tição – falou para mim –, você me parece um macaco ignorante porque anda de sacanagem com a loirinha aqui, minha mulher, entendeu, sacou, sacou mesmo? Malvado! Malvado! Mau! Mau? Ora, a branquela é que é malvada, entendeu? – Havia uma espuminha no canto de seus imaculados lábios, uma vermelhidão no branco dos seus olhos. – Que está fazendo com ele? – perguntou Shago para ela –, ele é gordo.

– Não é – gritou Cherry –, não é não.

– Está perdendo seu tempo – disse Shago –, ele é uma barrica de banha.

– Continue falando – falei.

– Que foi que disse? – perguntou para mim.

– Eu disse isso mesmo. – Minha voz não saiu tão boa na segunda vez.

– Não abuse, moleque – ameaçou Shago. O canivete voltou a aparecer.

– Você é uma vergonha – disse Cherry.

– Todo negro é uma vergonha. Olha pra esse tição. É uma vergonha para a raça branca de gordos. O que você está fazendo com ele? Ah, ele é um professor, é? Ele é um professor. – Abraçou a mulher com tanta força que ela caiu dura. – Ha, ha. Ho, ho. – Depois a empurrou para longe.

– Feche o canivete – disse Cherry.

– Puta merda.

– Você machucou o lábio.

– Não está nem sangrando. – Ele pegou o guarda-chuva e o atirou para trás na direção da porta. Fez um som surdo, como uma mulher empurrada para o lado. – A barriga dela está cheia de sangue – falou para mim. – Estava grávida e teve medo de ter o bebê. Medo de ter uma criança com um besta preto. E você, tio, vai dar a ela uma criança de bunda branca, de bunda branca e cagona? Vá tomar você sabe onde.

– Cale a boca – falei.

– Venha tomar minha navalha, seu merda.

Avancei um passo em sua direção. Não sabia o que ia fazer, mas me pareceu certo dar aquele passo. Talvez eu tivesse pensado em pegar a garrafa de uísque e quebrá-la na borda da mesa. A sensação de alegria tornou a me invadir do mesmo modo com que uma letra de música poderia lembrar um homem à beira da loucura de que logo tornará a enlouquecer e que existe nisso um mundo mais interessante do que o dele.

Shago recuou um passo, a navalha na palma de sua mão, o pulso se movendo com um ritmo que eu percebera na atmosfera. Olhar para aquela navalha era como estar de pé na beira de um penhasco, o estômago sendo sugado para fora do corpo enquanto os olhos mergulhavam no precipício. Houve um instante em que me lembrei do alemão com a baioneta e deixei de sentir minhas pernas, já não as possuía; ouvi uma voz interior me mandando agarrar a garrafa de uísque e parti-la, parti-la agora que ele estava fora de alcance e não podia me golpear com a faca, não sem dar outro passo, mas a voz soou falsa aos meus nervos, por isso ignorei-a e avancei mais um passo contrariando a má vontade das minhas pernas, dei o passo e deixei a garrafa para trás, como se soubesse que seria inútil contra uma navalha. Meus reflexos jamais seriam páreo para os dele. Em vez disso, o que senti foi um vazio em seu estado de espírito em que eu podia penetrar.

Shago recuou mais um passo e fechou o canivete.

– Bem, Cherry – disse ele com uma voz tranqüila –, esse cara tem valor – dando à palavra uma pronúncia hispânica. E guardou a faca. E nos deu um sorriso meigo. – Querida – disse ele a Cherry –, ria! Esta foi a melhor atuação da minha vida.

– Ah, meu Deus, Shago, você é malvado – disse ela. Mas teve que balançar a cabeça. Ainda que não quisesse, ela o admirava.

– Sou apenas meigo e talentoso, meu bem – ele sorriu docemente para mim. – Aperte minha mão, Rojack, você é demais – disse ele, segurando minha mão.

Mas não gostei do toque da palma de sua mão. Havia algo flácido e áspero nela.

– E o que você achou da peça que eu preguei?

– Excelente.

– Ah, que beleza – disse ele. – Que belo desafio. Que *éclat*.

– Eu estava quase enjoando.

– É assim que Shago faz a pessoa se sentir mal – falou Cherry.

– Sou um pervertido, não resta dúvida – replicou ele com charme. E sua voz começou a se alterar. Sotaques entravam e saíam voando de sua fala como pavões e morcegos. – Sacode esse rabo, os negros começaram a marchar – disse-me Shago de repente –, e não vai parar até que seus direitos elementares sejam garantidos. Ralph Bunche. Certo? "Tire as mãos da minha braguilha", disse a duquesa ao bispo, pois ela era um duque travestido. Choque, choque, choque – ele me encarou com olhos tão inesperadamente selvagens que era como se a falta de descanso os fizesse girar como baratas tontas sob um foco luminoso.

– Shago, você se drogou com o quê? – perguntou Cherry.

– *É.*

– Ah, não.

– É, é assim que as coisas são, meu bem. Vem chorar comigo.

– Você não... Não pode estar se drogando novo.

– Ora, querida, você não percebeu? Quando eu cheguei fazendo aquela cena? No Central Park! *Tição*! Quero dizer, eu não faço essas coisas, meu bem. Você sabe disso. Sou bonito demais para brigar, pode crer. Rojack – ele se dirigiu a mim –, eu o amo, você é fantástico. Ponha um pouco de molho no pão. – E começou a gargalhar. – Ora, Deus abençoe a minha Cherry, já que tenho que perder, que seja para um careta que tem coração, quero dizer, ele só tem coração, não tem estofo, um bobalhão da elite. Harvard, imagino, doutor Rojack.

– Você não tomou heroína – falou Cherry.

– Estou chapado, boneca.

– Mas não com heroína.

– Já ia tomá-la. Era aonde meus pés estavam me levando – ele bateu com os pés um *riff* complicado. – Então vim vê-la. Você pode me ajudar a parar.

Ela balançou a cabeça. Estava muda.

– Meu bem – disse ele –, você ainda está gamada por mim.

– Não estou. Vá embora Shago, vá embora. – Ela manteve o rosto virado para não olhar para nenhum de nós.

– Nunca vai terminar – falou Shago. – Já lhe disse: meu bem, se nos virmos daqui a dez anos, nossa relação será a mesma. Está me ouvindo? – disse-me –, nunca vai terminar entre nós. Você só tem o uísque e cinzas. Um monte de cinza úmida de mijo.

– E quem é você para saber isso? – respondi. Mas podia haver verdade no que ele dizia, me ocorreu de repente.

– Cara, vamos ficar frios e nos curtir. Eu posso viver sem a minha Cherry. Já tive estrelas de cinema. Ponho as fotos delas no meu álbum. Isso é legal. Vamos manter a coisa assim. Pergunte a ela quantas vezes me descontrolei.

– Você se drogou com o quê? – ela tornou a perguntar.

– Merda e graxa de sapato. Ouça, boneca, tire umas férias. Estou controlado agora, recuperei o controle.

– Você acabou de mostrar uma navalha.

– Não, voltei ao mundo dos vivos. Juro. Estou aqui para divertir vocês. Quero dizer, li a minha parte. Eu e você, marido e mulher, à exceção do anel; mas nos *conhecemos*, não demos certo. Tenho vontade de chorar. Ainda desejo a vocês tudo de bom. Tudo de bom, Rojack, tudo de bom, Cherry.

– Faça-o ir embora – falou Cherry –, por favor, faça-o ir embora.

– Não, não, não – disse Shago.

A navalha estava mais uma vez aberta. Ele a segurava com a ponta para cima, observando-a com a cabeça inclinada como um padre a uma vela.

– Livre-se das restrições – disse ele –, jogue-as fora.

Ela se levantou da cadeira em que estivera sentada desde a entrada de Shago na sala e, segurando o robe cor de trigo contra o corpo com os braços, foi até ele.

– Jogue a arma fora – falou.

– Não. Conte a ele sobre a caravana da integração racial. – Porém, como a presença dela ao seu lado, sua proximidade da faca, lhe desse vertigem, ele fechou a navalha, tornou a guardá-la no bolso e se afastou de nós dois. Foi acometido por um espasmo lingüístico.

– Pense nisso – disse para mim –, participei da caravana da integração, da marcha pela liberdade. Como se estivesse me candidatando a presidente dos bundas-negras dos Estados Unidos. Era o papel do Dick Gregory, não o meu, mas fiz. Fiz. E, quero dizer, eu não tenho nada além de elegância para vender, mais aquele ritmo. E aquele ritmo vem lá do Alto, não vem de mim, eu sou um diabo branquelo no corpo de um negão. Eu sou só o futuro, apaixonado por mim mesmo, esse é o futuro. Tenho vinte caras, falo línguas, sou um diabo, e o que faz o Diabo na marcha pela liberdade? Ouça – ele ia ganhando ímpeto à medida que falava –, sou impedido de dizer minhas próprias frases, tento falar com o coração e me roubam as palavras. Isso é a marcha pela liberdade. Ora – disse ele, sem perceber que tomava outro rumo –, você viu o meu número, lembro-me disso, você levou sua mulher para me ver, aquela trampa com pérolas ao pescoço, você acha que me esqueci, tenho elegância, e elegância é apenas memória. Quero dizer, sou elegante quando faço o meu número.

– É – falei.

– E cuspi na cara da sua mulher.

– Metaforicamente.

– Metaforicamente. Foi, cuspi. E disse a mim mesmo, "Cara, você está cuspindo na cara do Diabo".

– Não sabia que tinha refletido sobre o que fez.

– Me dá um beijinho, meu bem. Não sabia que tinha refletido sobre o que fez. Ora, eu sabia que sua mulher era uma puta de sociedade. E que *puta*! Sabia que prometia, com todo aquele charme de Casa Branca, vem aparar a minha grama, negão, você é tão *sexy*. Você acha que gosto de perder uma oportunidade dessas? Mas ali estava sua mulher me pedindo para cantar em um baile de caridade de graça, só pelo seu sorriso. Disse a mim mesmo: ora, dona, a senhora não daria meio dólar para a coitada da negra que limpa a sujeira no banheiro das mulheres. Vinte cinco centavos, é o que deixaria, não é?

– Não sei.

– Atire quando estiver pronto, Gridley, já vimos o branco dos olhos deles.

Caí na gargalhada. A contragosto. Por fim, Shago riu.

– É cara, é *tão* engraçado. Mas fiquei em um grande dilema. Veja só. Elas estavam prontas a me adotar, me transformar em um cantor da sociedade, já estava farto daquela merda no Village, já estava farto daquela merda da máfia, aquela merda espetacular, "Que terno bonito o senhor está vestindo hoje à noite, sr. Ganucci"; não, eu queria a merda da sociedade porque era o que me caía como uma luva, mas dei uma olhada na sua mulher e desisti. Fiquei no meu canto o tempo todo, não quis as festas deles, "Não", mandaria o meu empregado dizer, "o sr. Martin não freqüenta festas". Eu era uma virgem, e os fazia comerem da minha mão, eu era a bunda de Buda no alto da escada, mas aquilo era demais, aquela sua esposa, ela *arrulhou* para mim, "sr. Martin, o senhor sabe que eu posso fazê-lo mudar de idéia", é, aposto que podia até que a vi sentada com você na frente, me comendo, cara, eu sentia o tutano escorrendo dos meus ossos, uma *canibal*. Então, disse a ela o que devia fazer. Pode ir tirando o cavalinho da chuva, Pedro o Grande – Shago Martin não vai dar a teta dele para o seu leite de caridade. – Ele balançou a cabeça. – Foi o fim daquela merda de sociedade, eu era o chá que queriam tomar. Elas sabiam. Porque eu sei falar línguas, todo aquele *lixo* internacional, um pouco de francês, um pouco de texano, um *soupçon* de Oxford... prometo – ele acrescentou com um perfeito sotaque londrino – que vamos nos divertir demais e ser felizes como ostras, ora – disse, estalando os dedos –, entendo alemão, chinês, russo (*Tovarich*, filho-da-puta), posso representar um pouco em cada uma, negro de alta classe da St. Nicholas Avenue, jamaicano, japonês, javanês, a arrogância dos mulatos, é só recorrer às minhas adenóides, meus lábios e minhas amígdalas, uau, sei fazer uma *grande dame*; qualquer coisa desde um falastrão até a Tallulah Bankhead, "Fora, seu pederasta", é uma bobageira, cara, exceto pelo uso que faço dela, porque eu deixo cada sotaque encontrar sua nota, cada um com sua nota própria, quando eu canto é uma congregação de línguas, esse é o segredo da minha música, é por isso que eles têm que pagar o que valho ou nada feito, não sou intimista, sou elizabetano, um verdadeiro coral, sacou?

– Você é um dínamo de outro planeta – disse Cherry. A ternura por ele voltara à sua voz. Senti um azedume dentro de mim.

– Quando eu começo a falar, ouço motores. Sou um diabo, entende. Eu costumava ver o seu programa. Você é um branquelo. Ela e eu sentávamos naquele sofá para ver o seu programa. "Que branquelo maneiro", eu dizia a ela. A gente ria.

– Agora *você* tem um programa de televisão – repliquei.

– É. Bem na hora do seu. Canal 41. Eles são tão duros que nem pagam o câmera. Tome um haxixe – ele puxou um baseado tão apertado que parecia um palito de dente, acendeu e fez menção de passá-lo para mim. Recusei. Sentia uma pressão estranha em minha nuca, um acúmulo sei lá do que que estava ali havia meia hora e me aconselhou a dizer não. Tomei um gole do meu copo de uísque.

– Para você, garota – disse estendendo-lhe o baseado.

– Hã-hã – ela balançou a cabeça. – Hã-hã.

– Está prenhe outra vez? – ele perguntou. E, ao ver a expressão no rosto dela, assobiou, riu, fez uma mímica. – Puta merda – exclamou –, você não sabe, não pode saber tão depressa. Muita gente comete esse erro. Você não sabe, garota. – Mas o estrago estava feito. Vi algo nos olhos dele quando a maconha fez efeito, ele não estava pronto para aquilo. Tinha a expressão de um peixe na ponta de um arpéu, o canto do olho transparecia horror; uma lembrança do passado acabara de ser mutilada para sempre. Shago não estava sofrendo pela possibilidade de que estivesse grávida, mas porque tivera uma experiência comigo que a fazia crer que estava grávida, e ele conhecia isso.

– Escute, boneca, você não vai me deixar – ele falou. – Eu arranco o seu coração. Você só tem piche por dentro e me deixou essa merda sulista. Fiquei prisioneiro dessa merda branca – falou olhando para mim, os olhos vazios como a parede de uma cela. – Absorvi-a na pele, seu besta – repetiu –, guardo-a para mim, toda essa sordidez branca, toda, mas Cherry não é branca, não é não, não a minha garota, ela tem a minha cor por dentro. *Sim, sinhô, patrão, brigado pelo trocado*. Ouça, cara, eu a fiz tirar o moleque porque ele era macaco, entende, preto como eu, e agora sou um homem branco.

– Seu bundão egoísta – disse ela. – Você não é branco, está é perdendo o pretume. É por isso que ainda guarda o seu piche por dentro e eu o meu branco. Porque eu não olho para trás. Quando uma coisa está feita, não tem volta. *Acabou.* – Uma baforada de maconha deve ter subido por suas narinas, porque ela falou com uma voz forte masculina, como um dono de fábrica ou um político de cidadezinha sulista: o irmão dela, percebi. – Você acha mesmo? – gritou. – Você acha que criamos merda branca e progresso dizendo "Eu te perdôo mais uma vez". Não, seu babaca, não não. Acabou, Shago. Dá o fora daqui.

– Cara – retrucou ele –, pegue os seus demônios e jogue para cima de nós. Somos a imagem fiel da bunda de vocês.

– Vamos, meu bem – disse Cherry –, não perca a sua calma – seu rosto corou, seus olhos brilharam, parecia ter dezoito anos, uma bela cantora durona, de dezoito anos. Os dois ficaram parados se encarando.

– Beleza! Boneca, fiquei mais calmo do que seria possível esse seu professor e você me verem em vinte anos. Escute aqui, você – ele se dirigiu a mim –, eu devia ter trazido meu exército. Poderíamos ter enfiado palitos embaixo de suas unhas. Eu sou um *príncipe* no meu território, *sacou*? Mas vim sozinho. Porque eu conheço essa puta, conheço essa puta mafiosa, ela transou com bandidos, com pretos, com figurões, e agora ela pegou você, professor, está querendo virar careta, está procurando uma coisa morna e tépida para esquentar os pés. Você já beijou os pés dela, seu trouxa? – e dizendo isso veio em minha direção, meteu os dedos no meu peito, me deu um empurrão desdenhoso. – Vai tomar no cu, seu filho-da-puta – e deu meia-volta, deixando um cheiro de maconha em minhas roupas. A pressão na minha nuca se desfez e meu cérebro se encheu de sangue, a luz ficou vermelha, era vermelha. Ataquei-o por trás, agarrei-o pela cintura, ergui-o no ar e atirei-o com tanta força no chão que as pernas dele dobraram, e terminamos com Shago sentado e eu ajoelhado por trás dele, meus braços expulsando o ar do seu peito, enquanto eu o erguia e socava com força no chão, erguia e socava com força no chão, repetidamente.

– Me largue, vou matar você, seu puto – gritou ele, e houve um instante em que eu poderia ter feito isso, tinha a escolha de soltá-lo, deixá-lo ficar em pé, nós lutaríamos, mas tive medo do que ouvi em sua voz, lembrava aquele grito vindo do fim do mundo que se ouve na voz de um bebê. A raiva me dominou. Ergui-o e atirei-o contra o chão não sei quantas vezes, dez, quinze, podem ter sido vinte, estava descontrolado, a violência parecia se libertar dele cada vez que eu o socava no chão e passar para mim, eu não parava de bater a base da coluna de Shago no chão, a onda de impacto subia à sua cabeça, eu nunca fizera idéia de que fosse tão forte, a exultação com a minha própria força, e então ele amoleceu e eu o soltei, recuei, ele tombou de costas, sua nuca bateu no chão com o ruído choco de uma maçã caindo da árvore.

Do chão Shago olhou para mim e disse:

– Vai tomar no cu.

Quase chutei a cabeça dele. Cheguei muito próximo disso. Em vez disso, levantei-o, abri a porta, arrastei-o até o hall. Ali ele resistiu um pouco, mas quando senti seu cheiro, uma mescla de derrota e de proximidade, como se tivéssemos passado uma hora juntos na cama – bem, foi proximidade demais: joguei-o escada abaixo. O medo encravado que eu sempre sentira dos negros estava presente nas pancadas e cotovelos partidos quando ele rolou pela escada, meu terror acompanhando-o em um longo e deliberado símile do que ocorre em um automóvel no instante que antecede um acidente – e a batida em si. A balaustrada estremecia a cada baque, ele olhou para mim lá de baixo, os cortes em seu rosto sangrando, os vergões inchando, sua cabeça quase disforme como a do negro que eu vira no distrito, e disse, "Seu merda", e, de quatro, começou a tentar subir a escada, o que liberou em mim mais um caroço de raiva, como se fosse duas vezes mais intolerável o fato de não poder enfraquecer sua força de vontade – eu sabia que era assim que as crianças acabavam matando gatinhos. Alcancei-o no quarto degrau de baixo para cima e levei um soco fraco no queixo que me causou uma leve pontada (e mais tarde um sangramento onde o seu anel deixou marca) e então empurrei-o pelo patamar fazendo-o descer mais um lance de escadas, mais um patamar, outro lance, os olhos dos porto-riquenhos nos observando pelas frestas de cada porta, eu o segurando pelo conservador terno cinza com as duas mãos, como se ele fosse um saco de batatas que eu pudesse carregar aos trancos, e quando, no último lance, ele tentou me morder, eu tornei a atirá-lo para baixo e esperei observando-o deitado e imóvel.

– Chega? – gritei olhando para baixo, como um pastor episcopal apocalíptico animado pelo uísque.

– À merda com a sua mãe – respondeu ele, ficando de quatro.

– Shago, vou te matar.

– Não, cara. Você mata mulheres. – Era conversa fiada, mas ele falou tão lentamente que eu arfei cinco, seis, oito, dez vezes.

– Ora, merda – disse Shago –, você matou a mulherzinha em mim – então ele fez uma nova tentativa de subir as escadas, mas sua perna afrouxou, ele se sentou no chão, vomitou de dor. Fiquei onde estava, esperando-o terminar. – Tudo bem – disse ele por fim –, estou indo.

– Shago, quer que eu chame um táxi?

Ele riu como se fosse meu amigo.

– Bem, colega, acho que isso é problema seu.

– Tudo bem – respondi.

– Maluco.

– Boa noite, Shago.

– Ei, paizinho – falou ele –, eu preferia ser comido vivo lá fora do que entrar num táxi arranjado por você.

– Ok.

Então ele sorriu.

– Rojack.

– Que é?

– Vou lhe dizer uma coisa, cara. Eu não odeio. Nunca. É isso aí.

– É isso aí.

– Diga a Cherry que eu desejo boa sorte, aos dois.

– Sério?

– Juro. É, juro. Boa sorte, cara.

– Obrigado, Shago.

– Sayonara – ele se levantou do chão e fez uma série de movimentos para passar pela porta e ganhar a rua, avançando como uma mosca sem as asas e três das pernas arrancadas.

Ouvi uma criança chorando. Pela fresta da porta, a mãe me olhava. Mas subi as escadas em meio a risinhos de aplauso dos porto-riquenhos. Subitamente, percebi que estava apenas de roupão. Sem dúvida, eu seria uma bela atração embarcando Shago em um táxi. Cambaleei, sentindo outra vez um assomo de tristeza. Era o pânico provocado por um sonho em que estou matando baratas. Elas à minha volta, literalmente; vi várias fugirem, erráticas, seguindo sua misteriosa trilha – aquela linha de pura ansiedade que se vê nas marcas deixadas por um carro na superfície gelada de um lago. Mas quem dirigia a barata? E o pavor do qual eu escapara desde que voltara da delegacia e Cherry me abrira a porta penetrou em mim silencioso como a sombra de um morcego, e meu corpo me parecia uma caverna em que se empilham mortes. O solitário olho verde de Deborah me observava. Tudo saíra errado mais uma vez. Eu sentia a ruptura nos céus. Se eu tivesse a possibilidade de voltar atrás, retornaria àquele instante em que comecei a socar Shago no chão e ele me desafiou a soltá-lo.

Aparentemente Cherry não tinha saído da cama. Ela estava deitada de costas e não se mexeu quando entrei. Seu rosto empalidecera muito, e, embora não tivesse chorado, suas pálpebras estavam vermelhas, seus olhos pareciam desbotados. Aproximei-me para tocar sua mão; um erro – sua pele não reagiu ao meu toque.

Sentei-me para tomar um drinque e terminei-o em três goladas. Passaram-se talvez noventa segundos até eu tornar a encher o copo. Este desceu mais lentamente, mas eu estava enchendo a cara novamente. Era um vício quando uísque e sangue pareciam uma coisa só.

– Quer um drinque? – eu perguntei.

Ela não respondeu. Tomei o gole seguinte pensando em ir embora. Era quase meia-noite, logo precisaria ir ao apartamento de Barney Kelly, e não encontraria forças para esse evento sentado ali.

Mas ela ergueu a cabeça e disse:

– Não estou me sentindo bem.

– Não parece estar bem.

– Bem – replicou ela –, você parece tão bem quanto no dia em que o vi na rua.

– Obrigado. – Ela parecia uma cantora de boate cansada, sem tirar nem pôr. Pus o drinque de lado e passei os próximos cinco minutos me vestindo.

– Acho que você é bom em apresentações de uma noite só – falou Cherry quando terminei.

– Às vezes sou.

– Está se sentindo bem, não é?

– Uma parte de mim, sim. Ganhei uma briga. É inevitável. Sempre me sinto bem quando ganho uma briga. – Então quase ri da facilidade com que disse isso. O uísque começara a calar o pavor, mas ele voltaria, certamente voltaria.

– Não se esqueça – falei –, ele tinha uma navalha, e eu não.

– É verdade.

– Pensei em soltá-lo, mas estava armado. – Havia um tom de falsidade em minha voz.

– Em uma briga de verdade, Shago não a teria usado.

– Não?

– Há integridade de caráter em Shago.

– Você tem certeza?

Ela começou a chorar silenciosamente. Entendi por quê. Eu lacrara o passado em um cofre... Mas se eu algum dia o abrisse... A lembrança de Deborah grávida sairia flutuando. Eu não podia chorar por Deborah. Não poderia sequer começar a chorar por Deborah, ou minha mente descarrilaria. Não existe nada mais delicado no mundo do que o último vestígio de controle de uma pessoa.

– Lamento que você e Shago não tenham dado certo.

Ela não respondeu. Depois de um longo silêncio, terminei meu segundo drinque e comecei um terceiro.

– Tem uma coisa que eu poderia lhe contar – disse Cherry. Mas não precisava. Senti o pensamento lhe ocorrer e passar para mim. Eles tinham ficado muito bem um do lado do outro, ela não precisava me explicar nada.

– Eu já sei – respondi. Era raro a pessoa se apaixonar, mas crer que não conseguiria encontrar um objetivo melhor na sua vida era raríssimo. – Sim, eu sei, você costumava achar que o país inteiro girava em torno de você e Shago.

– Era uma idéia maluca, mas eu achava que alguma coisa iria melhorar se eu e Shago conseguíssemos nos acertar. – Ela voltou a se entristecer. – Não sei, Steve, não é bom pensar demais, não do jeito que eu penso. Porque sempre acabo concluindo que Deus é mais fraco porque eu não dei certo ou coisa parecida.

– Você não acredita que tudo já estava escrito antes de acontecer?

– Ah, não. Se fosse assim então não existiria uma boa explicação para o mal. Acredito que Ele está se esforçando para aprender com o que acontece com alguns de nós. Às vezes acho que Ele sabe menos do que o Diabo, porque não somos suficientemente bons para que Ele nos ouça. Então o Diabo recebe a maioria das boas mensagens que pensamos estar enviando para Ele.

– Quando você começou a pensar assim?

– Ah, em lugares como Houston e Vegas, lendo livros e esperando Barney Kelly voltar. Por quê?

– Às vezes eu penso como você.

Ficamos novamente em silêncio.

– Stephen – disse ela por fim –, não podemos parar aqui. Não estou mais apaixonada por Shago.

– Não está?

– Shago matou a idéia mais bonita que eu fazia de mim mesma. Shago matou-a. Às vezes, eu tinha a sensação de estar vivendo com um bicho e não com um homem. E o Diabo tinha um tubo ligado nesse bicho e juntava todo o ódio do país e o canalizava para dentro dele. Lembra quando ele estava falando da Caravana da Liberdade?

– Lembro.

– Bem, ele foi ao Sul a mando de uma organização. Sofreu humilhação com os outros, sua foto saiu no jornal e ele passou dois dias preso. O único problema era que toda aquela não-violência deixou os rapazes violentos. Quando voltaram para Nova York, deram uma festa. Um deles perdeu a cabeça e disse a Shago que ele queria se promover e que não punha sua emoção no movimento porque estava saindo comigo. Bem, a briga foi apartada antes que os dois saíssem para a rua. Mas Shago teve medo, e seus amigos notaram. Ele começou a falar mal de tudo. Tudo era ruim, e eu era ruim, e, bem, ele perdeu a dignidade. Fui fiel a ele durante dois anos, mas ele era tão malvado que acho que quando decidi começar com Tony devo ter lhe proporcionado uma primeira noite e tanto.

Agora eu voltava a entender por que as mulheres nunca falavam a verdade sobre o sexo. Era abominável demais quando o faziam.

– Precisa mesmo me contar?

– Preciso. Ou isso, ou volto para o meu analista.

Pensei em Ruta.

– Tudo bem, estou escutando.

– Bem, pensei que estava apaixonada por Tony. Tinha que *pensar* isso. E Shago apareceu como hoje à noite.

– Aqui?

– Não. Você é o único homem além de Shago que eu trouxe aqui – ela acendeu um cigarro. – Não, Shago nos pegou no outro apartamento. Shago tinha contatos no Harlem e Tony tinha medo daqueles contatos porque o tio Ganucci tinha acordos pendentes com eles. Então Tony desapareceu. Pode vomitar, benzinho. É uma história sem graça. E me senti um vômito. Porque Shago ganhou alguma coisa ao ver que Tony estava com medo dele, mas foi um péssimo reatamento. Nos últimos dois meses Shago fez com que eu me sentisse tão suja que quando você estava com ele no corredor, pensei: jogue esse negro escada abaixo.

– Sei.

– Jogue esse negro escada abaixo! Shago foi o único homem que conheci capaz de fazer uma coisa dar saltos dentro de mim quando entrava em uma sala. Não sei se vou voltar a sentir isso. Acho que uma mulher só sente isso com um homem na vida.

– Entendo. – Será que eu teria a gentileza de aceitar toda a verdade que Cherry tinha para me oferecer? – Entendo, sei o que quer dizer. Eu sentia uma coisa parecida com Deborah. Ainda assim – falei, sem animação –, nós temos uma coisa diferente.

– É verdade. Temos... Ah, querido, e aqui estamos nós.

– Tarde demais para salvar o país.

– Stephen, quero me tornar uma dama.

– Que é isso, criança?

– Não, uma dama de verdade. Não do tipo que participa de comitês e vai às compras. Uma dama de verdade.

– Damas gostam de ser más e extravagantes.

– Não, uma *dama*. Um dia você vai entender o que quero dizer. Você faz essa dama aparecer em mim. Nunca me senti tão bem. Quando você estava na delegacia, tive a sensação de que uma coisa o traria de volta para mim, porque podíamos ser bons de tantas formas. Então vi você brigando com Shago. Você precisava brigar com ele, eu sei, mas, ainda assim, fiquei nauseada. "Ah, meu deusinho", pensei, "é a máfia de novo."

– Bem, e era mesmo – concordei. – Estava pensando em Tony.

– Steve, não sei se nós prestamos – continuou ela – ou se somos uns merdas desprezíveis. Prefiro que a gente morra se for assim. – Aquela expressão de criança tocada por um anjo espalhou-se pelo seu rosto. – Quero que tudo dê certo.

Mas a lembrança da luta estava entre nós. Tínhamos conversado sobre o futuro, tínhamos conversado sobre o passado, havia a alusão ao tempo em que talvez estivéssemos casados e gastaríamos tempo discutindo ninharias, enquanto por sob a superfície do casamento, como o cadáver de uma lembrança enterrada viva, alguma coisa continuaria a apodrecer.

– Ah, benzinho, a briga fez um furo – disse ela.

Sim, o amor era uma montanha que se subia com um bom coração e um bom fôlego: um era corajoso, e o outro, sincero. A subida ainda nem começara, e eu já estava pronto a traí-la. O que tínhamos juntos já estava em parte estragado; e como todo amor estragado, agora estávamos mais ligados. Porque então ela me beijou, e a doçura de uma uva rara estava em sua boca, mas havia algo mais, um vestígio de febre e uma víbora traiçoeira, uma víbora traiçoeira em anos vindouros que vinha a mim do futuro e algo que vinha do seu passado: havia menos lealdade entre nós agora, e mais tesão.

Terminei meu drinque. Teria que sair em um minuto.

– Você vai ficar bem? – perguntei.

– Vou.

– Shago vai voltar.

– É pouco provável.

– Lá na rua, Shago me pediu para lhe desejar "boa sorte".

– Foi? – ela pareceu refletir. – Bem, se ele voltar, voltou.

– Você vai deixá-lo entrar?

– Se ele vier, vou ter que deixá-lo entrar. Não vou fugir de Shago.

– Então não sei se vou me encontrar com Kelly.

– Você tem que ir – disse ela –, ou não vamos ter a menor idéia do que vai na cabeça dele. E não quero ficar pensando nisso.

– Tem razão. – Na verdade, eu estava e não estava com vontade de ir. Talvez fosse melhor eu sair um pouco dali. Estávamos começando a nos sentir bem de novo, mas o clima não ia durar se não houvesse risco algum.

– Meu bem – disse ela.

– Sim?

– Cuidado com as bebidas quando estiver com Kelly.

– "Tire a mão da minha braguilha", disse a duquesa ao bispo.

Rimos. Tínhamos voltado a nos sentir um pouco como antes.

– Meu anjo – perguntei –, você tem dinheiro?

– Quase quatro mil.

– Vamos comprar um carro e ir para algum lugar distante.

– Eu iria gostar.

– Podíamos ir para Las Vegas.

– Por quê?

– Porque se você vai ser uma dama e eu vou ser um cavalheiro, então tenho que conquistar o seu amor sob todos os aspectos.

Ela me deu uma breve olhada e viu que eu estava mais falando sério do que brincando: então sorriu.

– Divino – exclamou, esticando um dedo –, vamos fazer fortuna em Las Vegas. Eu sempre ganho nas mesas.

– É mesmo?

– Não quando jogo os dados. Você tem que me impedir de jogar os dados, porque aí eu perco. Mas quando os homens vêm e apanham os dados para jogar, chego quase a ser poderosa. Porque sempre sei quem vai ganhar e quem vai perder.

– Bem, tenho uma dívida de dezesseis mil – falei –, então é melhor você ser boa.

– Suas dívidas estão pagas – disse ela. E acompanhou-me até a porta, e me deu um beijinho chupado de despedida, mordiscou meu lábio e me fez promessas com a língua. Então me viu olhando para o guarda-chuva de Shago e entregou-o a mim. – Agora você tem uma bengala.

Desci as escadas sem ouvir eco da minha descida com Shago, mas no hall, ao pé do último lance, estava a poça de sujeira que ele deixara. Queria saltar por cima; preferia muito mais ignorá-la, em vez disso pus o guarda-chuva de lado, procurei e encontrei em uma lata de lixo atrás da escada uns pedaços de papelão encharcado e fedorento, e usei-os para raspar o melhor que pude aquele caldo, indo e voltando várias vezes em meio a ânsias de vômito. O odor do estômago dele, que certamente não era melhor do que o meu, não era isento de pobreza – lembrava os restaurantes negros baratos com suas frituras e o fedor de vísceras quase podres. Limpei tudo lentamente, com a ponta dos dedos, queria estar com a aparência impecável para ver Barney Oswald Kelly, mas de qualquer modo era um trabalho grosseiro, pois involuntariamente eu pensava em manifestações pacíficas estudantis e negros levando tiros durante a noite, e a possibilidade de fazer reflexões morais sobre a vítima nas escadas era afastada pelo cheiro que exalava da poça. Então continuei a limpar, raspando devagar e com cuidado com os pedaços de papelão molhados, expiando uma infinidade de já nem sabia do quê. Fiapos rudimentares de pensamentos se agitavam em meu cérebro. Eu tinha uma noção delirante de que espíritos poderiam sair dos alimentos expelidos. Houve um tempo em que pensava que havia algo excepcional ao meu alcance – o que vale dizer que precisaria apenas de genialidade para fazer uma apresentação lúcida daquilo que por vezes rondava o meu pensamento; atualmente as minhas idéias mais avançadas me deprimiam, porque a loucura estava vinculada à sua exploração. Um exemplo acadêmico – há graça nisso se você quiser vê-la –, restou-me uma sensação sinistra quando terminei, saí à rua, chamei um táxi e, impulsivamente, mandei o motorista ir primeiro ao Central Park e dar uma volta por ali. Pois não havia demônios no vômito, apenas tortura e medo, e senti um ímpeto de voltar – se houvesse demônios em Shago ainda estariam dentro dele, assim dizia o meu instinto –, seria tudo isso efeito de ter deixado Cherry sozinha? Mas o medo que sentia de Kelly se reacendeu e me deixou sem escolha.

Devo ter adormecido durante a corrida. Quando olhei pela janela estávamos quase no Harlem e mais uma vez houve um momento em que poderia ter acreditado que estava morto. O motorista estava calado, as ruas estavam molhadas, e o veículo lembrava um carro funerário. O cabo do guarda-chuva parecia vivo ao meu toque. Ocorreu-me um pensamento. Sugeria que eu fosse essa noite ao Harlem e bebesse até a hora dos bares fecharem. Era isso. Era a maneira de pagar. Já tinha feito isso algumas noites. Depois de noites muito ruins com Deborah eu tinha feito a ronda, andado pelas ruas laterais, de bar em bar, mas nunca acontecera nada. Os garçons tinham sido gentis, os bêbados tinham sido gentis, as ruas, silenciosas. Até as prostitutas se limitaram a me olhar de relance. Passara algumas das noites mais corteses da minha vida no Harlem, contudo, agora – não, eu acreditava em africanos e demônios. Se essa noite eu entrasse naqueles bares, o som da queda de Shago ecoaria da minha mente e eu não escaparia de um incidente diabólico. "Você quer que o seu amor seja abençoado?", indagava minha mente, "vá ao Harlem."

Havia algo muito, muito errado. Estivera certo por algum tempo, durante a hora que passara com Cherry naquele quarto estivera quase certo, eu me sentira seguro, mas agora deteriorara – uma atmosfera de furacão pairava sobre a minha cabeça. Mais uma vez senti um impulso de correr para ela – Cherry era simplesmente a minha sanidade –, então lembrei-me da promessa que tinha feito em sua cama. Não, quando se queria ser um amante, não se podia buscar a sanidade no outro. Esta era a lei de ferro do romance: prometíamos ser corajosos.

Assim sendo, eu tinha que ir ao Harlem. Podia ver Kelly mais tarde. Ou isso seria mais uma desculpa? Seria Kelly quem eu mais temia? E gastaria as primeiras horas da manhã em bar após bar do Uptown, minha carteira (com 75 dólares) segura, minha pessoa segura, sem correr risco de ser atacado, abordado, ou mesmo reconhecido como o último homem branco a se safar da culpa; será que entenderia às quatro da manhã, todos os bares fechados, que enganara a mim mesmo para evitar um encontro com o verdadeiro medo? "Vá ver Kelly", dizia agora uma voz em minha mente, e era uma voz praticamente indistinguível da outra. Qual era a verdadeira? Quando se ouvem vozes, como fazer a separação? "Aquilo que você mais teme é o que deve fazer", dizia minha mente. "Confie na autoridade dos seus sentidos." Mas eu me demorara demais para decidir: não tinha mais sentidos. Agora, eu era apenas medo. "Maldita seja a lógica dos sentidos", pensei, e o táxi, fazendo o circuito do Park, passou pela saída molhada para a 110th Street e a Seventh Avenue; estávamos fazendo o retorno para o centro da cidade. Tarde demais para o Harlem. O que sentia seria angústia, alívio ou uma náusea nas células? O cabo do guarda-chuva parecia irritado na palma da minha mão.

Abri a janela, recebendo uma névoa de chuva no rosto, e respirei fundo. O ar parecia quase livre de poluição, o uísque estava evaporando, pingando no meu estômago como a borra de uma lamparina. Fazia diferença aonde eu ia? Se havia um deslocamento no céu, ele me acompanhava: encontraria alguma coisa hoje à noite – não era essa a probabilidade? E a voz novamente: "Ainda assim, seria melhor ter escolhido".

Já estivera antes em estados como esse. Se tivesse o talento de Maomé ou de Buda, poderia ter fundado uma religião. Não restava dúvida. O problema é que não teria tido muitos seguidores. Minha religião não trazia conforto, ansiedade das ansiedades, porque eu acreditava que Deus não era amor, e sim coragem. O amor sobrevinha como recompensa.

A metafísica, no entanto, era vasta – entranhada nos vinte volumes que eu não escrevera. E naquele momento estava soterrado pelo medo. Já não confiava que meus pensamentos fossem segredos meus. Não, os homens temem ser mortos não por temerem a justiça, mas pela noção de que um matador atrai a atenção dos deuses; então sua mente não é mais sua, sua ansiedade deixa de ser neurótica, seu pavor se torna real. Os presságios eram tão tangíveis quanto um pão. A eternidade possuía uma arquitetura que nos abrigava enquanto sonhávamos, e quando ocorria um assassinato, um grito atravessava os mercados do sono. A eternidade perdia um cômodo. Em algum lugar a ira divina se defrontava com uma fúria. Tremi à janela aberta do táxi. Que havia dito Shago? "Cara, eu estava cuspindo na cara do Diabo." Ele estava enganado. Foi na da filha do Diabo. E tornei a me lembrar de Barney Oswald Kelly. Estávamos nos aproximando do Waldorf e eu podia sentir sua presença em um apartamento quase no topo das torres.

8

N'O leão e a serpente

O táxi deu a volta na Park Avenue e estacionou à entrada do hotel, o porteiro disse boa noite com um sorriso. Há muito tempo eu lhe dera cinco dólares em uma noite de nevasca em que conseguiu arranjar um táxi para Deborah e eu; a gorjeta era antiga, mas ele se lembrava, e eu, recordando aquela noite, senti um impulso inexplicável de não entrar no saguão principal vazio, não àquela hora tão adiantada. Chovia mais forte agora, uma chuva fria que me dava uma sensação de ter gelo sob os pés; abri o guarda-chuva de Shago. As hastes deslizaram pelo cabo sugando ar, produzindo um chiado asmático e rouco quando o pano de abriu. Uma voz passou pelo cabo e ressoou na palma da minha mão – ou assim me pareceu. "Vá para o Harlem", disse. Eu estava, porém, a caminho das torres. Havia uma entrada privativa na Fiftieth Street, a menos de trinta metros da esquina, e poderia pegar um elevador ali e evitar o saguão.

A rua da entrada lateral, porém, estava tomada por três limusines estacionadas em fila dupla e havia um pelotão de policiais de motocicleta parado à porta. Por um instante entrei em pânico – estavam ali por minha causa, com certeza estavam ali por minha causa –, só depois de acender um cigarro consegui me acalmar o suficiente para passar pela fila de policiais e pela porta; então, no salão de entrada, deparei com mais oito, cada homem com quase um metro e noventa, bonitos como uma manada premiada de touros de laboratório. O criador deles (quase esbarrei nele) era um detetive baixo e gorducho do escritório do comissário, bem-vestido, um rosto redondo e petulante e um cravo na lapela. Ele estava parado junto ao elevador e quando me aproximei fez duas coisas ao mesmo tempo: evitou olhar para mim, mas conseguiu analisar minhas roupas. Havia algum problema comigo – ele sabia –, uma leve lembrança da minha foto no jornal em sua memória. Desistiu porém dela e se dirigiu à ascensorista.

– Ela vai descer em três minutos. Mais um minuto e eu vou subir com você.

Entendi então que a polícia estava lá para escoltar a primeira-dama a uma limusine, ou para levar uma princesa em visita ao país para uma casa noturna – alguma mulher de importância institucional estava prestes a descer –, e eu não estava com a menor vontade de aguardar. O ar tinha a intensidade desconfortável e viril do guichê de um caixa. Então tornei a sair, abri o guarda-chuva, refiz o breve caminho até a entrada principal, sorri para o porteiro e subi os degraus de mármore que levavam ao saguão do Waldorf, sentindo uma fadiga de alpinista com o esforço. Fui assaltado por uma pontada entre o ombro e o peito, uma pontada tão forte que parecia capaz de romper o nervo – nada me salvaria, exceto a própria dor – atingiu o clímax, abriu sua mão de ferro, cedeu, sumiu e me deixou olhando para o saguão do Waldorf. Mas, por um instante, eu tinha morrido e estava na antecâmara do inferno. Já tivera uma visão do inferno antes: não-detalhada; do primeiro momento. Um gigantesco lustre de cristal no alto, papel vermelho aveludado nas paredes, carpete vermelho, pilares de granito (à medida que eu avançava), e então uma abóbada, seria folheada de ouro?, um piso preto e branco, em seguida uma sala verde e azul em cujo centro havia um relógio do século XIX, de dois metros e meio de altura, com rostos esculpidos em baixo-relevo: Franklin, Jackson, Lincoln, Cleveland, Washington, Grant, Harrison e Victoria; o ano era 1888: circundando o relógio havia um canteiro de tulipas que pareciam tão falsas que me curvei para tocá-las e descobri que eram vivas.

Precisava de um drinque, mas o Peacock Lounge estava fechado. Uma velha com um casaco de arminho passou deixando um rastro de perfume, tênue como o fantasma de uma caixa de jóias. Tive que deixar o relógio para trás. De volta ao saguão, no entanto, o Waldorf me lembrou uma daquelas salas silenciosas do cassino de Monte Carlo, um daqueles lugares vazios e sem vida que cercam a saída de um homem que perdeu um milhão em uma hora. Pensara em subir as escadas até o apartamento de Kelly, os trinta e tantos lances, uma idéia passageira, mas que não queria me largar. Tinha a sensação de que era o que eu devia fazer, talvez fosse equivalente a ir ao Harlem. Ainda assim, não conseguia começar. Parecia demasiado heróico subir aquelas escadas de incêndio, passar por cadeados e emboscadas, atravessar os vales da excomunhão que se desprendiam do sono dos ricos e ter que enfrentar os detetives noturnos. Eu via minha foto nos jornais, professor-preso-como-gatuno. Não! Estava certo, contudo, de que era melhor subir aquelas escadas, enfrentando o medo e a febre, e mesmo fracassar vitimado por uma parada cardíaca, do que ser flagelado no elevador pelos cinturões de magnetismo psíquico que protegiam a torre. Em um recesso do andar principal sobre a entrada do hotel havia mais carros particulares. Enquanto eu esperava, comecei a examinar as portas, um friso de ninfas e dríades esguias com cabelos de aço inoxidável e pequenos seios de aço. O elevador parou de má vontade, como se àquela hora já não devesse haver visitantes circulando no saguão. Dei à ascensorista – uma mulher socada que mais parecia um nabo – o nome de Barney Kelly, e ela me estudou como uma carcereira.

– O sr. Kelly está esperando o senhor?

– Está.

Enquanto subíamos, senti o ar sair queimando do poço e esvaziei com força os pulmões, como se tivesse adormecido em um quarto com lareira e acordado de um longo sonho erótico e descobrisse que o fogo consumira todo o oxigênio e o meu paraíso de sátiro era apenas sufocação. E, como um foguete, fomos subindo os andares do Waldorf, enquanto o guarda-chuva em minha mão tremia como uma varinha mágica, como se aqui e ali tivéssemos acabado de passar por um mal absoluto à esquerda e, à direita, por uma concentração desconhecida, criptas de claustrofobia, abismos de espaços livres e então por um destilado de tristeza – que depressão cercava os ricos –, e uma bússola enlouqueceu em minha cabeça; eu tinha a impressão física de que atravessávamos um túnel em vez de subir por um poço de elevador; mais uma vez senti algo começar a se apagar na própria luz de minha mente, como se as cores que iluminavam o palco dos meus sonhos fossem agora mais modestas, algo vital estava pronto para desaparecer para sempre, da mesma forma que a menos de trinta horas eu havia perdido outra parte do meu ser que partira em viagem para a lua, lançando-se no espaço no instante em que me faltara coragem para pular, algo me abandonara para sempre, aquela habilidade que tinha minha alma de morrer em seu lugar, assumir a derrota, partir com honra. Agora havia outra coisa se preparando para partir, a certeza do amor estava morrendo, a compreensão de que o amor era a recompensa pela qual viver – aquela voz que eu já não podia ignorar voltou a falar por meio do guarda-chuva. "Vá ao Harlem", disse-me, "se você ama Cherry, vá ao Harlem, ainda há tempo." Então percebi o medo que sentia do Harlem, e argumentei com a voz: "Me deixe amá-la de um jeito que não seja totalmente tresloucado e condenado ao fracasso. Não faz sentido ir ao Harlem. Deixe-me amá-la e manter a sensatez".

"Os sensatos nunca são livres", respondeu a voz.

"Me livre de você."

"Como queira", e alguma coisa saiu de mim, uma espécie de gravura do rosto de Cherry se desfez em névoa. E o cabo do guarda-chuva ardeu na palma de minha mão, quase perdi o equilíbrio. O elevador desacelerou, como se eu tivesse pesos de chumbo no peito; tínhamos chegado.

Saí pelo corredor, um corredor comprido, com um carpete em um tom civilizado de marrom, muito claro, e paredes verde-pálido claras, claras como uma folha nova. Eu conhecia a porta de Kelly, tinha um medalhão sob a aldrava, uma miniatura do brasão dos Mangaravidis e dos Caughlins, dividido em quatro partes, um e quatro, vermelhas, um leão rampante; dois, três, pretas, uma serpente prateada e coroada de azul, devorando uma criança – assim Deborah desenhara o brasão. E o lema: *Victoria in Caelo Terraque*. Por um momento comecei a tremer, como se sentisse um calafrio. Não por causa do lema (mas também por causa dele), mas por lembrar da meia dúzia de vezes que cruzara aquela porta. Então levantei a aldrava.

Ruta atendeu. Usava um vestido caro preto e um colar de pérolas, e seu rosto retribuiu o meu olhar, malicioso e maquiado, inquisitivo, voraz – meu sangue recuperou um pouco de energia –, ele já não parecia que ia voar para a lua, não, certa confusão parecia subsistir, e parei à porta, olhando Ruta frontalmente, uma sanidade condicional a se formar.

– Você está com boa aparência – disse eu.

Ela sorriu. Deviam ter passado duas ou três horas, e mais 24, desde que ela deixara o distrito, mas tivera tempo de ir a um salão de beleza, sem dúvida o melhor salão de beleza de Nova York. Agora o vermelho do seu cabelo estava tão perfeito quanto o vermelho e o marrom de uma boa madeira lambida por uma chama, lambida suavemente por uma chama, e o vermelho de uma boa argila para suportar o fogo e a madeira.

– Boa noite, sr. Rojack – ela me cumprimentou.

Da última vez que estivéramos tão próximos, os cabelos de Ruta estavam soltos até a metade do pescoço, as raízes à mostra, o batom se espalhara para fora da boca, as roupas estavam arregaçadas, abertas para os lados, sua bunda, entre meus dedos, e nós pingando ozônio na pressa de fazer amor de pé. Os cheiros de cio chegaram a mim na exalação do meu próprio odor, e a insinuação estava mais uma vez entre nós. Seu nariz arrebitado, sensível ao ambiente como os bigodes de um gato, se inclinou para o lado e apontou para o espaço desprotegido entre minha bochecha e minha orelha.

– Bem, Deus a abençoe por ter sido tão boazinha com os policiais.

– Ah, o senhor é muito gentil. – Os dois estávamos pensando que afinal ela não havia sido tão boazinha assim, não com os policiais. – Mas, na verdade, procurei não prejudicá-lo. Afinal, não desgosto do senhor.

– Eu creio que não.

Ela desfez a tensão que havia entre nós.

– É claro que não – disse –, claro que não. Mas que mulher se contenta apenas em gostar de um homem? Isso é *conversa fiada* – então sorriu com doçura, como se pensasse em segredos. – Aqui entre nós, seu sogro influiu na sua liberação.

– Por que será?

– Pergunte a ele pessoalmente – ela pareceu, por um instante, disposta a me revelar mais alguma coisa, mas sua expressão mudou. – Veja – falou –, está movimentado aqui hoje à noite. Tivemos visitas a noite toda. Acabaram de sair duas. Vou lhe dizer confidencialmente: elas são horríveis.

– Vamos entrar assim mesmo.

– Não gostaria de ver Deirdre primeiro?

– Ela voltou da escola?

– Claro que sim. Esperou o senhor aparecer até meia-noite. Então o avô mandou-a para a cama. Mas ela está acordada.

Senti uma tristeza absoluta, como se um avião despencasse de repente. O caminho era tortuoso demais. Reunira minha coragem para enfrentar Kelly; agora a preparação seria inútil. As lembranças recomeçariam. Eu não as desejava. De fato conhecera Deirdre no mesmo dia em que conhecera Kelly, havia nove anos, ali naquela suíte, e a lembrança não era agradável. Deborah também estava morrendo de medo do pai. Seus lábios tremeram quando Kelly falou com ela. Jamais voltaria a vê-la tão impotente, o que me deu um vislumbre da vergonha que sentia em se casar comigo.

Somente Deirdre fora capaz de salvar parte do encontro. Não via a mãe havia mais de um mês, fora trazida de Paris seis semanas antes para visitar Kelly, mas foi para mim que atravessou correndo a sala, na presença da mãe e do avô.

– *Moi, je suis gros garçon* – exclamou. Era muito miúda para uma menina de três anos.

– *Tu es très chic; mais tu n'as pas bien l'air d'un garçon.*

– *Alors, c'est grand papa qui est gros garçon*?

Rimos. Foi a única risada da visita.

Agora Ruta me despertou da lembrança pousando a mão no meu braço.

– Não sei – disse-lhe – se agüento ver Deirdre.

– Arrisque – falou Ruta.

Ela me puxou para um quarto.

– Escute. Vou tentar esperar por você. Preciso falar com você – ela deu outro sorriso, esticou o braço para abrir a porta e disse: – Deirdre, seu padrasto está aqui.

Ouvi alguém saltando da cama. Uma figura magra, um fantasma com braços, me abraçou com força.

– Acenda a luz – eu disse. – Quero ver como você está.

Na verdade, eu tinha medo de ficar no escuro com Deirdre, receando que meu cérebro se avivasse demais. Com as luzes acesas, porém, não havia imagens da noite anterior. Alegrei-me subitamente em ver Deirdre. Pela primeira vez desde que entrara no hotel, tornei a sentir-me eu mesmo.

– Ora, me deixe vê-la – falei.

Tinha crescido desde que a vira no Natal anterior, iria ser alta e muito esguia. Eu já não podia beijar o topo de sua cabeça. Macio como a plumagem de uma ave, os cabelos de Deirdre sugeriam a textura de uma árvore com passarinhos aninhados. Não era uma criança bonita, só tinha olhos – possuía um rosto magro e triangular com um queixo pontudo demais, a boca rasgada como a de Deborah e um nariz com narinas muito esculpidas para uma criança –, mas que olhos! Enormes, fitavam a pessoa com um olhar claro e luminoso, o olhar de um animal assustado, um bicho com olhos imensos.

– Estava com medo que não fosse ver você – disse-me.

– Claro que ia ver. Eu não ia desaparecer.

– Não consigo acreditar no que aconteceu – ela sempre falou como uma adulta. Tinha um daqueles sotaques charmosos de criança que cresceu em um convento; algo incorpóreo em sua voz evocava o tom preciso e arfante das freiras.

– Não parece que mamãe está morta.

– Não, não parece.

Lágrimas encheram os olhos de Deirdre como uma onda em dois buracos na areia.

– Ninguém lamenta sua morte. É horrível. Até o vovô está estranho.

– É?

– Ele está alegre – Deirdre começou a chorar. – Ah, Steve, estou tão sozinha – disse isso em uma voz de viúva, e então me beijou com uma tristeza física.

– O choque deve ter sido pior para o seu avô do que para qualquer outra pessoa.

– Não é choque. Não sei o que é.

– Ele está entorpecido?

– Não – a dor passou por ela como uma brisa. Estava novamente pensativa. De súbito, percebi que os seus nervos estavam em tiras: sua pele a mantinha inteira, mas os nervos falavam em pedaços separados. Um pedaço chorava, o outro pensava, um terceiro estava mudo. – Uma vez, Steve, quando vim aqui com mamãe, o vovô estava de ótimo humor. Disse ele: "Sabem, crianças, vamos comemorar. Fiz doze milhões hoje". "Deve ter sido um tédio", comentou mamãe. "Não", ele respondeu, "desta vez não, porque tive que me arriscar muito." Bem, é assim que ele está agora – ela estremeceu mais uma vez. – Odeio ficar aqui. Eu estava escrevendo um poema quando me contaram hoje de manhã. Depois disso não havia nada mais exceto a limusine do vovô para me trazer de volta.

Ela era uma poetisa de raro talento.

– Você lembra alguma coisa do poema?

– Agora, só do último verso. "E partilho minhas tolices como se fossem pães." Este é o último verso – um olhar tímido abriu os braços para mim. – Ainda não parece que mamãe está morta.

– Já falamos disso, não?

– Steve, eu costumava odiar a mamãe.

– Garotas às vezes odeiam as mães.

– Certamente que não! – ela se ofendeu com a minha observação. – Passei a odiá-la porque ela era horrível com você.

– Éramos horríveis um com o outro.

– Mamãe me disse uma vez que você era uma alma jovem e ela era uma alma velha. Esse era o problema.

– Você sabe o que ela queria dizer com isso?

– Acho que ela queria dizer que tinha tido outras vidas. Talvez tivesse vivido durante a Revolução Francesa e a Renascença, ou talvez tivesse sido uma matrona romana apreciando os cristãos serem torturados. Mas você era uma alma nova e não tinha tido uma vida antes desta. Era complicado, mas ela acabou dizendo que você era um covarde.

– Acho que sou.

– Não. As pessoas com almas novas se apavoram porque não sabem se vão nascer de novo – ela estremeceu. – Tenho medo da mamãe agora. Quando ela era viva, eu gostava um pouquinho dela, às vezes, quando ela resolvia ser boa, muito boa. Ainda assim, eu morria de medo dela. Quando ela se separou de você, eu disse o que pensava, foi aquela cena. Ela abriu o robe e me mostrou o lugar na barriga onde tinha uma cicatriz.

– Eu sei, conheço a cicatriz.

– Era horrível.

– Era muito visível.

– Ela falou: "Ganhei esta linda cesariana para dar à luz você, filhinha, por isso não reclame. Os césares sempre se revelam mais problemáticos do que os demais. No seu caso, Deirdre, você se revelou um morcego". E eu respondi: "Você tem uma cruz na barriga". E é verdade, Steve. Mamãe tinha uma ruga horizontal no meio da barriga, e a cicatriz da cesariana passava a noventa graus. – Alguma coisa sufocava-se nela, um desejo perspicaz de ser menos extraordinária. – Steve, aqueles minutos foram catastróficos. Mamãe fez questão de insistir. Repetiu: "Desculpe, Deirdre, mas você *realmente* se revelou um morcego". E fiquei muito magoada – porque é verdade, pareço mesmo um morcego. Você conhece a mamãe. Quando ela diz uma coisa às pessoas, a gente se sente como um inseto preso por um alfinete. Não se consegue escapar. Eu sabia que ia me ver daquele jeito pelo resto da vida. Ah, Steve, eu disse a ela: "Se eu sou um morcego, então você é a esposa do Drácula", o que era uma resposta fantástica, porque eu não estava me referindo a você, era ao vovô, e mamãe entendeu. Bem, ela ficou muito quieta... e começou a chorar. Eu nunca tinha visto mamãe chorar. Ela disse que havia em nosso sangue vampiros e santos. E também que tinha pouco tempo de vida. Tinha certeza disso. Disse que amava você de verdade. Você era o amor da vida dela. Nós duas começamos a chorar. Estivemos mais próximas do que nunca. Mas é claro que ela estragou o clima. Falou: "Bem, afinal, ele é *virtualmente* o verdadeiro amor da minha vida".

– Ela disse isso?

– E eu disse que ela era uma besta-fera. Ela respondeu: "Cuidado com as bestas-feras. Algumas espécies continuam vivas três dias depois de morrer".

– Quê?

– Foi o que ela disse, Steve.

– Ah, não.

– Não sinto que já esteja morta.

Era como se uma porta muito acima de nossas cabeças tivesse se fechado. Corri os olhos pelo quarto.

– Vou acabar virando bebum, juro, minha querida.

– Você não pode. Me prometa que não vai beber hoje à noite.

Era um pedido impossível, não agüentaria o velório só com a bebida que já tinha tomado; ainda assim, prometi.

– Quebrar promessas é uma coisa horrível – disse-me, séria.

– Vou ficar longe das biritas. Volte a dormir.

Ela se deitou na cama como uma criança. Voltara a ser criança.

– Steve, posso ir morar com você?

– Você quer dizer, imediatamente?

– É.

Fiquei calado por um momento.

– Sabe, Deirdre, isso pode levar um tempo.

– Você está apaixonado por alguma mulher?

Hesitei. Mas podia-se contar tudo a Deirdre.

– Estou.

– Como ela é?

– Ela é meio loura e mais ou menos bonita. Tem um senso de humor engraçado e canta em boates.

– Verdade? – Deirdre estava encantada. – Ah, Steve uma cantora de boate. É o máximo encontrar uma garota assim – estava profundamente impressionada. – Quero conhecê-la. Posso?

– Talvez daqui a uns meses. Começamos a nos ver ontem à noite.

Ela balançou a cabeça compreensiva.

– As pessoas gostam de fazer amor depois de uma morte.

– Quieta, *gros garçon.*

– Jamais poderei viver com você, Steve. Agora eu sei.

Uma nuvem de tristeza se concentrou em uma lágrima, uma lágrima pura que passou o sentimento do peito magro dela para o meu. Eu estava novamente apaixonado por Cherry.

– Deus te abençoe, criança – falei e, para minha surpresa, comecei a chorar. Chorei um pouco por Deborah, e Deirdre chorou comigo.

– Vai levar anos até tudo isso parecer minimamente real – observou Deirdre. Ela deu um beijo molhado e adolescente no meu ouvido. – "As florestas são concebidas na tristeza." Esse é o primeiro verso do meu poema sobre tolos e pães.

– Boa noite, Deirdre querida.

– Me ligue amanhã – ela se sentou em súbita agonia. – Não, amanhã é o enterro. Você vai?

– Não sei.

– O vovô vai ficar furioso.

– Meu anjo, confie em mim. Acho que não vou conseguir ir a esse enterro. Não beberei hoje à noite, mas não me espere no enterro.

Ela se deitou e fechou os olhos agitando, tensa, as pálpebras.

– Acho que sua mãe não iria querer que eu fosse. Acho que iria preferir que eu pensasse nela. Acho que é melhor assim, eu acho.

– Tudo bem, Steve.

Foi assim que a deixei.

Ruta me aguardava.

– Então – perguntou –, foi muito ruim?

Assenti.

– Você não devia sair por aí matando mães.

Não respondi. Eu era um lutador que tinha apanhado demais. Tinha um sorriso no rosto, mas o fim do assalto seria bem-vindo, e um drinque para encarar o próximo também.

– Escute – murmurou Ruta –, conversaremos mais tarde, você e eu. Ele está ficando impaciente.

Saímos pelo corredor da suíte até uma sala de estar. Kelly estava lá com uma velha que reconheci. Tinha a reputação de ser a mulher mais diabólica que já viveu na Riviera, uma reputação e tanto. E Eddie Ganucci estava lá. Mas eu mal acabara de vê-los e Kelly se dirigiu a mim. Estendeu os braços e me abraçou, um abraço forte e surpreendente, pois ele nunca fizera mais do que apertar minha mão durante os anos em que estive casado, mas agora ele me abraçava com uma profunda propriedade de sentimento. Algumas vezes Deborah tinha me cumprimentado assim, invariavelmente quando eu chegava sozinho e atrasado em alguma festa e ela estava bêbada. Abraçava-me então com solenidade, o corpo imóvel durante vários segundos, como se fosse culpada de sórdidas traições naquela tarde e as expiasse agora com essa manifestação de devoção. Mas sempre havia um traço de zombaria na solenidade que aparentava, como se diante de uma dúzia ou de uma centena de pessoas prometesse uma fidelidade que eu jamais encontraria em outras vezes. Em raros momentos, quando o tom gélido e traiçoeiro que eu ouvi em tantas de nossas transas transitava para a repugnância da exaustão final, sobrevinha o instante em que fazer amor com Deborah era como atravessar um palácio, cada estocada um passo por uma passadeira vermelha. Eu estava preso em um abraço desses agora, sentia as batidas do coração de Kelly, uma poderosa sensação das forças em uma caverna, e então – exatamente como me sentia com Deborah – havia uma sugestão de traição, da qual só se podia recuperar em sonho, como se sozinho em um quarto, as janelas fechadas, um papel voasse de cima da mesa. Sob a água de toalete formal e comedida (uma mistura de colônia e água de cal que Deborah gostava de tomar emprestada), Kelly desprendia um cheiro forte, o fedor de um gatão imundo, sangrento como a carne no cepo do açougueiro, e algo mais, um quê de podridão e iodo gelados em um resto de alga marinha descorando na areia. Para completar o odor concentrado dos ricos, uma sensação olfativa de pó-de-arroz, perfumes de resinas que exalam da poção de uma bruxa, o gosto de moedas na boca, o miasma de um túmulo. Era Deborah inteira para mim.

– Deus o abençoe, Deus o abençoe – disse Kelly com a voz abafada.

E me soltou com o leve empurrãozinho de um banqueiro fazendo alguém passar pela porta antes dele. Havia lágrimas em seus olhos e, olhando para ele, havia lágrimas nos meus, porque ele possuía alguns traços de Deborah, a boca grande e curva, os olhos verdes com um pontinho de luz – um pouco do amor que nunca fui capaz de dar a minha mulher cresceu naquele momento, fazendo com que, terminado o abraço, eu quisesse abraçá-lo novamente e com sinceridade, como se pudesse encontrar algum conforto em sua carne, como se de fato fôssemos Deborah e eu em uma daquelas raras ocasiões em que, exaustos e machucados de tanto brigar, nos agarrávamos com uma espécie de tristeza, a idéia que eu fazia de mim apagada, a idéia que ela fazia de si mesma como mulher também apagada; ambos reduzidos à condição de crianças que choram e infelizes, com aquela dor no coração que deseja um bálsamo e iguala por um momento a carne de um homem e de uma mulher. E desse modo terminou o abraço, eu poderia tê-lo abraçado por mais um instante, sua presença mais real para mim como uma personificação de Deborah do que como ele próprio. Minhas emoções, porém, estavam como as de Deirdre, percebi de repente que – sua seqüência fragmentada –, se era pesar o que eu sentia, ele explodira como uma pequena bomba. Senti-me rígido e frio no momento seguinte, e desconfiado, porque, uma vez enxugadas as lágrimas em seu rosto com um gesto elegante, ele me deu um olhar que me penetrou como um feixe de luz e extraiu o segredo – se havia a menor dúvida em sua mente, ela deixara de existir: ele sabia o que eu tinha feito a Deborah.

– Então – disse ele –, ah, meu bom Deus, bem, que hora terrível para todos nós. – E eu podia sentir sua emoção se retrair. Como um touro, eu avançara para a ondulação quente de uma capa e, enganado, via que não havia nada por trás.

– Perdoem-me – Kelly se dirigiu aos convidados.

– Oswald, não se preocupe – disse a dama. – *Eu* já estou indo embora. Você quer conversar com o seu genro. É natural.

– Não, não quero saber de ninguém indo embora – disse Kelly. – Pelo menos por enquanto. Vamos tomar um drinque – e fez as apresentações. – Você já conhece o sr. Ganucci... Ele estava me contando como se encontraram. Deve ter sido divertido. E Bessie... Você conhece Bess?

Inclinei a cabeça. Seu nome era Consuelo Carruthers von Zegraide Trelawne, era uma prima distante da mãe de Deborah. Fora uma beldade no passado – ainda era. Tinha um perfil magnífico, olhos azul-violeta, cabelos pintados em um tom entre prata e bronze. A pele tinha uma textura cremosa e havia uma maquiagem de tom morango em suas faces. Mas sua voz era estridente.

– Deborah e eu a visitamos uma vez – falei.

– Sim, claro, estive falando sobre isso com Oswald agora há pouco. Oswald, se quer que eu beba, me sirva mais um pouco do Louis Treize – Ruta se levantou imediatamente e foi à mesa preparar o drinque. Bess se virou para mim.

– Você melhorou desde a última vez que o vi.

– Melhorei um pouco, piorei um pouco – respondi. Estava tentando lembrar o que Bess tinha feito: havia um episódio em sua história que era famoso – era uma das piores histórias que eu já ouvira –, mas minha memória não estava ajudando.

– Ah, esqueça, não se esforce para conversar – disse-me.

– Cuidado com o excesso de conhaque para o coração – murmurou Kelly.

– Não quero saber de conhaque – replicou ela. – Bebo uísque com gente chata, Coca-Cola com os netos e deixo o conhaque para as horas sinistras.

– Por favor, pare, Bess – disse Kelly.

– Não. Chorem, vocês dois. Gritem o quanto quiserem. A garota mais divina deste glorioso mundo nos foi arrebatada. Não consigo sufocar tanta mágoa.

– Ela era uma uva – disse Ganucci com a voz rouca.

– Está vendo? – comentou Bess. – Até esse velho carcamano reconhece.

Kelly descansou a cabeça entre as mãos por um instante, depois ergueu o rosto. Era um homem forte, com o corpo sem pêlos e a pele muito branca, não pálida, branca, de um branco leitoso ligeiramente rosado, todo carne. Dava a impressão de ser um pouco largo na cintura, mas a transição era tão suave que o corpo parecia ter a forma perfeita para sua cabeça. Sua cabeça era grande, começava em um queixo pequeno e pontudo e continuava até um nariz elegante e uma testa larga. Uma vez que era meio calvo, a largura de sua testa parecia igual à distância dos olhos ao queixo. Às vezes ele parecia um daqueles bebês muito bonitos que aos três meses vira um homem robusto e amável de 55 anos. Na verdade, ele tinha 65, e impressionava fisicamente, uma vez que transpirava o bom humor vigoroso característico dos generais, magnatas, políticos, almirantes, editores de jornal, presidentes e primeiros-ministros. Kelly tinha de fato uma marcante semelhança com determinado presidente e determinado primeiro-ministro, mas também era fato que Kelly tinha dois estilos diferentes, um britânico e outro americano; era preciso aprender a distingui-los. O britânico enunciava claramente as palavras, alegre, um perfeito magnata; ele poderia mandar esfaqueá-lo, mas certamente você receberia um olhar simpático enquanto estivesse ordenando o serviço. O americano tinha olhos duros – passavam do verde ao cinza, e seu rosto ficava impassível –, aqueles olhos poderiam comprar, vender, levar você à falência e cumprimentar sua viúva; avaliavam você cara a cara, pertenciam a um irlandês sujo – podiam misturar areia suja no seu concreto.

Sua voz, porém, era cheia, um instrumento; ronronava de bom humor. Somente no fim de uma frase dela ele alterava o sentido e o liquidava. Já ouvira gente dizer que Kelly tinha o fascínio para cativar qualquer coisa viva de que gostasse – ele jamais gostou de mim.

– Vamos tomar um conhaque, Stephen – disse.

– Não tenho feito nada além de beber.

– Não me admiro, também tenho bebido muito.

No silêncio que se seguiu, ele afastou Ruta com um gesto, foi ao bar, serviu um pouco de Rémy Martin em um copo de conhaque e entregou-o a mim. Ao fazê-lo, sua unha tocou de raspão a minha e deixou uma sensação elétrica de perda, como se uma beldade tivesse roçado minha mão e me passado uma mensagem às escondidas de belos mistérios à espera de serem descobertos. Aceitei o copo, mas me mantive fiel à promessa que fizera a Deirdre; nem provei. Então, seguiu-se outro silêncio. Fiquei ali sentado com o copo na mão, naquela opressão que se instaura no momento em que todos se calam em um velório; a felicidade que sentira pela breve conversa com Deirdre desapareceu.

– Sabe, sr. Kelly – disse Ganucci, a voz farfalhando, como um punho raspando a casca de uma árvore –, quando comecei eu era um homem pobre.

– Por Deus, eu também – falou Kelly, saindo de um devaneio.

– E sempre me senti como um homem pobre – disse Ganucci.

– Isso eu já não sei – atalhou Kelly.

– Ainda me sinto como um homem pobre neste ponto: eu adoro classe. Sua filha tinha a classe dos anjos. Era capaz de tratar a pessoa com igualdade, sem esforço. É por isso que vim apresentar os meus pêsames hoje à noite.

– Sinto-me honrado pela sua presença, sr. Ganucci – disse Kelly.

– É muita gentileza. Sei que todo o tipo de gente esteve aqui esta tarde e esta noite, e o senhor deve estar cansado, mas vim aqui lhe dizer o seguinte: aos olhos de certas pessoas sou um homem importante, mas não me engano, o senhor é mais importante, o senhor é um homem muito importante. Vim apresentar meus pêsames. Sou seu amigo. Faria qualquer coisa pelo senhor.

– Querido – disse Bess a Ganucci –, você já escreveu sua carta. Agora despache-a.

– Querida – falou Kelly –, foi esta a noite que escolheu para ser indelicada com o sr. Gannuci.

– Estou prestes a explodir – replicou ela.

O telefone tocou. Ruta se levantou e foi atendê-lo.

– É Washington.

– Vou atender na outra sala.

Assim que Kelly saiu, Ganucci disse:

– Não sou indelicado nem com o negrinho que engraxa os meus sapatos.

– Bem, ele é o futuro, querido – retrucou Bess.

– Isso mesmo – respondeu Ganucci –, e eu e você já morremos.

– Alguns estão mais mortos do que os outros, benzinho. Existem rosas e ervas daninhas no mundo inteiro.

– Não – Ganucci repetiu para Bess –, nós já morremos.

– Rosas e mato – repetiu Bess.

– Você sabe em que se transformam os mortos – disse Ganucci. – Em concreto. Você vai dar um belo quebra-molas na Rodovia 4 em New Jersey.

– Essa é a que sai para Tuxedo Park? – perguntou Bess.

– Essa mesma.

– Péssima estrada.

Ganucci recomeçou a tossir.

– E escute, por favor, não me chame de carcamano.

– Mas você *é*.

Kelly voltou.

– Era Jack – disse-me. – Pediu para lhe transmitir suas recomendações e condolências. Falou também que foi um choque brutal para ele, e que sabe que você deve estar se sentindo muito mal. Eu não sabia que você o conhecia.

– Nos conhecemos no congresso – falei.

– Naturalmente – disse Kelly.

– Por sinal, conheci Deborah por causa dele.

– É, é, agora estou me lembrando. Ela chegou a contar alguma coisa sobre você na época. Disse: "É melhor se cuidar – estou doida por um sujeito que é meio-judeu". "Que bom para você", respondi. Acredite se quiser, eu era contra Jack naquela época. Estava errado. Muito errado. E errado com relação a Deborah. Ah, Deus – ele berrou de repente, produzindo o impacto sonoro de um animal recebendo um tiro. – Com licença – falou ele se retirando mais uma vez da sala.

– Bem, agora é melhor irmos embora – disse Bess.

– Não – atalhou Ruta –, ele vai ficar muito zangado se os senhores não estiverem aqui quando ele voltar.

– Você o conhece muito bem, não é, querida?

Ruta sorriu.

– Ninguém conhece o sr. Kelly bem – respondeu.

– Tolice – disse Bess –, eu o conheço como a palma da minha mão.

– Verdade, sra. Trelawne?

– Querida, eu fui a primeira grande paixão dele. Ele só tinha 24 anos, mas era um verdadeiro tesouro. E eu o conheci. Se o conheci. Como a palma da minha mão. Vou lhe dizer, minha querida, ele não irá casar com você.

– U-lá-lá, sra. Trelawne – exclamou Ruta.

– Seja boazinha e coloque uma compressa de gelo na nuca dele. Diga-lhe que eu precisei ir embora.

Assim que Ruta saiu, Bess virou-se para mim e disse:

– Abra o olho, garotinho, Barney está a fim de acabar com você hoje à noite.

– Barney Kelly não é homem de ataques diretos – disse Ganucci.

– Não, sr. Ganucci. Tenho certeza de que o senhor também não. Só faz um dinheirinho com drogas e prostituição e jogando italianos em asfalto quente – falou Bess.

– Decrépita – disse Ganucci e tossiu.

– O senhor morre de medo de bater as botas, não é mesmo? – retrucou Bess.

– Os mortos – respondeu Ganucci – viram concreto. Fazem parte da calçada. É como são as coisas.

– Não, *tesoro*, você terá que prestar contas. Vão levá-lo à presença do seu santo padroeiro, e ele dirá: “Eddie Ganucci é execrável. Pendure-o em um gancho”.

Ganucci suspirou. Seu estômago fez um barulho triste, parecido com o gargarejo de uma velha máquina de lavar quando esgota a água.

– Sou um homem muito doente – disse ele com melancolia.

Infelizmente era verdade. Ele ficou ali, mergulhado em tristeza, e nós sentados, em silêncio, e Ganucci exalou uma pestilência, uma vibração do verme da vida aprisionado no cimento produzido por ele próprio. A morte já o invadira. Da mesma forma que se ouve no grito de um pássaro capturado por um pássaro maior um grasnido de agonia tirado do nervo da natureza, Ganucci liberava uma essência doentia, um bolor da árvore da morte. Eu sabia que de perto seu cheiro seria um evento, um daqueles odores que não têm fim, uma gangrena no firmamento. Desejei uma bebida, queria passá-la nos dentes com a língua; como se o álcool, e somente o álcool, pudesse limpar as partículas que voavam do hálito de Ganucci para o meu.

– Agora *eu* é quem vou lhe contar uma história – disse ele. – Uma vez uns amigos me deram um papagaio. Ensinaram-lhe a falar. "Eddie Ganucci, você é um convencido, você é cheio daquilo", e eu dizia, "Polly, se continuar a falar isso você vai acabar no forno". E o papagaio repetia, "Ganooch, você é cheio daquilo. Você é cheio daquilo". E eu falava: "Polly, continue a falar isso e você vai se dar mal", e o papagaio dizia, "você é cheio daquilo", então ele ficou doente e morreu. É uma história triste.

Bess tirou o seu lenço.

– A sala está absolutamente podre – disse.

Fui até as janelas francesas, abri-as e saí para o terraço. Era um terraço respeitável, devia ter uns nove metros de comprimento e uns seis de largura. Andei até o parapeito, um balaústre de pedra com pouco mais de um metro de altura, aproveitando a dádiva de contemplar a rua de uma altura de trinta e tantos andares, um mergulho e uma parada, uma parede lisa e um ressalto, nova queda, descendo uma infinidade de metros até o pavimento molhado, e renasceu em mim um desejo, débil como o primeiro acorde de um instrumento em um salão vazio. A lua forçava passagem entre nuvens, e fiapos de névoa passavam por sua face. Eu sabia que quanto mais me demorasse nesse parapeito, mais tentado me sentiria – ar fresco subiu à minha cabeça como um poema, e não me cansava dele. Ocorreu-me um pensamento repentino: "Se você amasse Cherry, pularia", o que era uma redução do pensamento completo de que havia uma criança dentro dela, e a morte, a *minha* morte, a minha morte violenta daria mais ânimo àquele feto recém-gerado, que eu talvez fosse de fato recriado, libertado do meu passado. O desejo de pular era claro, agudo e agradável, bom como as melhores coisas que eu realizara, e ainda era cedo para desistir – eu tinha a sensação de que voltar à sala seria o mesmo que abandonar o que havia de melhor em mim: pensei em subir no parapeito, como se desafiar o desejo aproximando-se dele fosse lógico, e o pavor que se seguiu a esse pensamento continha uma excitação pura como o momento da adolescência em que a gente percebe que finalmente vai conseguir, vai transar – mas que medo! Eu tremia. E então, como se fosse tomado por uma grande calma, como a calma que senti quando comecei a correr para subir o morro na Itália, subi em uma cadeira do terraço e dei o meio passo até o parapeito. Tinha trinta centímetros de largura, espaço suficiente para eu ficar de pé, e foi o que fiz, minhas pernas bambas, e senti uma parte dos céus, uma abóbada grande e fria à entrada, uma sensação de imensa calma e consciência de mim mesmo. "Deus existe", pensei, e tentei dar uma olhada para baixo, mas não estava preparado, eu não era bem um santo, a rua subiu com um movimento desarticulado e desviei o olhar, voltei-o para o terraço, a um passo abaixo, já ia descer e percebi que era cedo demais para abandonar o parapeito – apenas fortaleceria o desejo de pular. "Mas você não precisa pular", disse a voz em minha cabeça, "apenas ande um pouco pelo parapeito."

"Não consigo dar nem um passo", respondi.

"Dê um passo."

Empurrei o pé para frente, arrastei-o centímetro por centímetro; minha vontade, dividida a contragosto, tremia com o esforço: olhei para frente e gelei. Estava no meio, a quatro metros e meio do canto do terraço, quatro metros e meio de caminhada sobre um parapeito de trinta centímetros, e uma queda de trinta andares à direita; ali eu teria que me virar e voltar mais seis metros até o fim da varanda na parede da suíte. Estava além das minhas forças. Contudo, dei outro passo, e mais outro. Talvez pudesse. E então o vento soprou uma rajada repentina – como o deslocamento de uma carreta ao passar – e quase perdi o equilíbrio: a queda até a rua era cortante como uma lâmina, a do canivete de Shago, e saltei de volta à varanda, e olhei para as janelas francesas onde Kelly estava parado.

– Venha – disse –, entre.

A claridade da sala tornava o seu rosto visível, e não havia nada em sua expressão que indicasse que tinha me visto no parapeito, e talvez não tivesse, talvez tivesse saído no instante em que pulei para o terraço, ou não tivesse me visto logo no escuro, mas havia um sorriso em seu rosto, um sorriso duro e cordial como o de alguém que desvendou um mistério. E quando entramos emanou dele uma força, clara como uma ordem. Dizia aos demais que fossem embora. Soltas como o vôo da paranóia por uma tempestade, a intensidade das luzes da sala diminuiu quando pensei isso e tornou a aumentar.

– É – disse Ganucci –, está tarde. Quer que a leve até o elevador? – perguntou ele a Bess. Seu rosto era um show de máscaras, bases e pós caindo até deixar os ossos expostos. Era só um vislumbre, talvez uma visão da imagem que ela via de si mesma, mas a guerra parecia ter sido fatal.

– Quero, já estou indo – respondeu a Ganucci.

Kelly ficou parado à porta. Iria acompanhar os dois ao elevador.

Ruta demonstrou nervosismo quando ficamos a sós. Obviamente tinha muito a me dizer e muito pouco tempo para isso. Mas eu respirava aliviado. Os três passos no parapeito tinham me deixado fraco, mas era uma fraqueza agradável, eu tinha a sensação de que acabara de acordar de um sono profundo. É claro que permanecia o desconforto mudo de não ter concluído o que pretendera fazer no parapeito. Mas pelo menos eu voltara à sala, Kelly se ausentou por uns dois minutos, houve uma pausa: na sala aquecida, naquele momento, Ruta era quase uma velha amiga. Então um olhar seu, penetrante como uma lufada de amônia, me despertou inteiramente.

– Ruta, parece que sua vida dupla acabou.

– É uma pena – ela disse. – Eu gosto de uma vida dupla.

– Você não se importava de servir a Deborah?

– Ah, sua mulher não era asseada. Garotas ricas são porcas. Mas eu não sou apenas uma empregada, você sabe.

– Não, eu devia ter percebido isso.

– É claro que não é nada oficial. Eu levo um serviço a sério. Barney queria que eu o fizesse, então fiz. Fiquei atenta ao que acontecia.

– A que, exatamente?

– Ah, a algumas atividades de sua mulher.

– Mas há quanto tempo você conhece Barney?

– Há alguns anos. Eu o conheci em Berlim Ocidental em uma festa elegante. Não importa.

– E agora você é... – e quase disse "uma extraordinária espiãzinha".

– Não sou nada. Ajudo o sr. Kelly.

– Mas Deborah estava mexendo com espionagem... Estava mesmo?

– Uma absoluta amadora.

– Você não espera que eu acredite nisso?

– Ela não tinha categoria – repetiu Ruta com orgulho.

– Ainda assim – falei –, Deborah deve ter causado alguma preocupação.

– Muita. Ontem, departamentos de governos no mundo inteiro devem ter trabalhado noite adentro. – Era como se estivesse falando de um banquete, havia gula em sua voz ao falar em todas aquelas horas extras. – É, tiveram de soltar você. Já que ninguém pode ter certeza se você sabia demais ou de menos, uma investigação a sério iria acabar só *Der Teufel* sabe onde. – Ela não pôde conter um sorrisinho. – Mas você é *o Teufel* – prosseguiu –, toma o que quer.

– Ruta, você não me disse nada.

– E se eu disser, você me ajudará com uma coisa?

– Tentarei responder às suas perguntas do mesmo modo que você responder às minhas.

– Pode ser uma boa coisa.

– Com o que Deborah estava envolvida?

– Ninguém sabe.

– O que quer dizer com isso?

– Ninguém tem certeza. É sempre assim. Acredite, sr. Rojack, quanto mais se descobre, mais se percebe que nunca há respostas, somente mais perguntas.

– Estou curioso para conhecer alguns fatos.

– Fatos – ela encolheu os ombros. – Talvez você já os conheça.

– Deborah tinha três amantes, isso eu sei.

– O senhor não sabe quem eram eles?

– Não.

– Muito bem, então. Vou lhe dizer. Um é um americano relativamente especial.

– Do governo?

– Vou fingir que não ouvi a pergunta, sr. Rojack.

– E o outro?

– O outro é um russo adido à embaixada na Park Avenue. O terceiro é um inglês que representa uma empresa escocesa de uísque e foi da inteligência britânica durante a guerra.

– Ainda é, pode ter certeza – observei.

– É claro.

– É só isso?

– Ela pode ter tido alguma coisa com um sujeito chamado Tony que veio vê-la uma ou duas vezes.

– Ela gostava de Tony?

– Não muito, eu diria.

– No que Deborah estava de fato envolvida? – perguntei.

– Se quiser que eu seja franca...

– Quero.

– Ela queria envergonhar profundamente o pai. Queria que ele fosse procurá-la e lhe implorasse para parar com aquela espionagem amadora antes que gente importante do mundo concluísse que Barney Kelly estava metido em alguma coisa prejudicial ou que não fosse capaz de controlar a filha.

– Mas quais eram as coisas que interessavam Deborah?

– Muitas. Coisas demais. Acredite, tudo e nada. Ela era uma central de fofocas e fingia ser importante. Se realmente quiser minha opinião, eu acho que sentia a maior excitação sexual com isso. Há mulheres que gostam de jóqueis, outras, de esquiadores, e ainda outras que só se interessam por brutamontes poloneses, e Deborah tinha uma *petite faiblesse* pelos melhores agentes. Fosse o que fosse, era muito ruim para o pai dela. Ele sofria muito com isso.

– Muito bem, Ruta, obrigado. – Apesar das três pontadas de ciúmes por causa dos três amantes, senti certa embriaguez no cerne da dor por finalmente descobrir alguma coisa.

– Mas – disse Ruta –, ainda não fiz a minha pergunta.

– Faça, por favor.

– Sr. Rojack, por que o senhor acha que trabalho para o sr. Kelly? Que acha que estou querendo?

– Casar com ele.

– É tão óbvio assim?

– Não. Mas eu acredito na sra. Trelawne.

– Então é evidente a minha ambição?

– Talvez um pouco. Naturalmente você é muito esperta.

– Mas obviamente não o suficiente para esconder isso. Isto é, sou suficientemente esperta, mas não obtive vantagens suficientes... Por isso queria uma ajuda.

– Ajuda?

– Um parceiro. Para me aconselhar.

– Bess está certa, minha querida. Ele não se casará com você.

– O senhor está falando como um tolo, sr. Rojack, e o senhor não é um tolo. Não sou egomaníaca a ponto de achar que o sr. Kelly não possa comprar e vender dez mil vezes garotas como eu. Mas alguma coisa eu sei – seus olhos saltaram um pouco, germanicamente, como se a pressão da idéia estivesse por trás deles.

– Sabe? – perguntei.

– Sei muita coisa. Tenho uma chance de que se case comigo. Se eu souber jogar bem as minhas cartas.

– E o que propõe pagar ao seu consultor?

– O senhor me disse que era duro de roer. Acredito. Eu não tentaria enganar um homem como o senhor. Além disso, o senhor pode confiar em mim.

Eu estava me divertindo.

– O truque – falei – é manter um senso de proporção. Por que eu deveria confiar em você? Certamente não pude confiar em você com os porcos.

– Porcos? Porcos? – A falta desse significado em seu vocabulário irritou-a como se procurasse uma ferramenta desaparecida.

– A polícia.

– Ah – exclamou –, a noite passada! O senhor me acenou com a promessa de que me engravidaria. Eu não queria necessariamente um filho, mas o senhor prometeu, e não fez. Isso é uma coisinha à toa, mas não garante a lealdade incondicional de uma mulher.

Deixei, no entanto, uma recordação da noite que passamos juntos.

– Mas houve uma segunda vez – falei.

Um sorriso de escárnio assomou à boca de Ruta.

– Sim, a segunda vez – disse ela. – Ardeu.

– Desculpe-me.

– Geralmente arde.

– Talvez você tenha uma infecção.

– Ha, ha, é só o que me faltava.

– Kelly não está demorando muito? – perguntei de repente. De repente sentira sua ausência.

– Foi dar uma olhada em Deirdre, suponho.

Fiquei tentado a perguntar se ele poderia estar nos escutando. A sala não tinha aquele ar tenso que os mecanismos de gravação geralmente emprestam ao ambiente, porém...

– Tem alguma escuta aqui? – perguntei.

– Ele mandou retirar.

– Foi? Por quê?

– Porque um dia tive a rara sorte de achar aberto o armário de Kelly no banheiro e ouvi uma conversa que ele estava tendo na biblioteca. E fiquei impressionada o suficiente para ligar o gravador no armário.

– Foi nesse dia que você descobriu o que sabe?

– Foi nesse dia.

– É suficientemente importante para conseguir casar com ele?

– Talvez sim, talvez não.

– Provavelmente o suficiente para você se machucar.

– Ah – respondeu ela –, tenho cópias da fita bem guardadas.

– Quero ser seu amigo – falei.

– Obrigada. Mas isso não me arranja um ajudante.

– Me conte a sua informação. Quem sabe o que isso poderá lhe arranjar?

Ela riu.

– Quem sabe? A informação é tão boa que você terá que confiar em mim.

Eu ri.

– Talvez eu não tenha que confiar em você. Talvez eu faça uma idéia do que seja essa informação.

– Talvez faça.

Um tiro no escuro. Não sabia a que estava se referindo; contudo, eu desconfiava que sim, como se mais uma vez, no fundo do meu íntimo, um mensageiro estivesse em ação. Não queria, porém, falar disso agora. Ou seja, havia uma proibição em meu cérebro que me impedia de prosseguir. Era como se eu tivesse passado a vida toda em um porão e agora as luzes estivessem sendo instaladas. Mas eu vivera muito tempo sem elas. O desejo de ir para o terraço e andar no parapeito voltou.

– Vamos adicionar conhaque à maldição – falei. Sem dúvida alguma coisa acontecera. Tranqüilamente, mansamente, sem lançar um olhar retrospectivo a Deirdre, decidi beber.

Estávamos assim, bebendo em silêncio – ambos esperando que o outro falasse primeiro –, quando Kelly voltou.

– Deirdre continua agitada? – perguntou Ruta.

– Muito.

– Vou ver se consigo fazê-la dormir – ofereceu Ruta.

Agora Kelly e eu estávamos sozinhos. Ele recuou a cabeça como se quisesse examinar o meu rosto.

– Vamos conversar?

– Está bem.

– Você nem pode imaginar o que foi o dia de hoje. – Ele esfregou os olhos. – Suponho que você também tenha tido os seus maus momentos. – Não respondi.

Kelly assentiu uma vez.

– Uma multidão de pessoas aqui. Amigos, inimigos, todo mundo. Acabei de avisar à portaria para não deixarem ninguém subir. Por outro lado também já é tarde. Que horas você tem?

– Passa das duas.

– Pensei que já era quase de manhã. Você está bem?

– Não sei.

– Eu também não sei direito. Não senti praticamente nada o dia inteiro. Caí no choro uma vez. Com toda aquela gente aqui, fiquei até esperando que Deborah aparecesse para tomar um drinque quando pam! – disse ele baixinho –, lembrei, não haveria mais Deborah – ele acenou com a cabeça. – Você ainda está dormente, não é, Rojack?

– Havia ressentimentos entre Deborah e eu, não posso fingir o contrário.

– Suponho que mereça elogios por admitir isso. Sempre achei que era louco por Deborah.

– Fui durante muito tempo.

– Difícil não ser.

– É.

– Todo mundo tem certeza de que você a matou. Passei o dia inteiro dizendo às pessoas que não.

– Não matei.

– Eu mesmo não tinha muita certeza.

– Não, eu não a matei.

– Que bom. Melhor assim.

– Concordo, considerando o favor que me fez.

– Vamos saborear a nossa bebida – disse Kelly. – Também me sinto dormente.

No silêncio que se seguiu, me servi de outra dose de conhaque. Estivera arrastando a minha sobriedade como um saco; no primeiro gole da nova dose, cheguei ao alto do morro: todo o peso da minha psique me puxava para baixo. De repente, me senti bêbado de novo, completamente bêbado – queria contar a Kelly a verdade.

– Na verdade – recomeçou ele –, não faria diferença se você a *tivesse* matado. Afinal sou igualmente culpado – ele esfregou o nariz com vigor. – Fui um bruto com ela. Ela revivia essa brutalidade em você. Então acaba tudo dando no mesmo, concorda?

Não consegui pensar em uma resposta. De fato não fazia a menor idéia do que Kelly pretendia.

– Você não disse nada sobre o enterro – disse ele.

– Não.

– Bem, deixe-me lhe dizer. Vai ser um enterro discreto, e enterraremos Deborah em um bom lugar que escolhi... você sumiu hoje de manhã, então precisei decidir. Não vai ser em solo sagrado, naturalmente, mas será em um lugar tranqüilo.

Trocamos um olhar. Quando o silêncio de minha parte não se alterou, ele prosseguiu:

– Você vai, é claro?

– Não.

– Era isso que estava preocupando Deirdre?

– Imagino que sim.

– Bem, quero que você esteja presente. Não concebo uma explicação para você não estar.

– Pode dizer às pessoas que estou abatido demais para comparecer.

– Não pretendo dizer nada. Quero que você deixe de ser um rematado idiota. Eu e você estaremos lado a lado no enterro. Se não for assim, será inútil. Todos se convencerão de que você é um assassino.

– O senhor não entende – falei – que realmente não me importo com o que as pessoas dizem? Já é um pouco tarde para isso – minha mão tremia. Para me controlar, continuei: – Além disso, mesmo que eu vá, ainda dirão que a matei.

– Não se incomode com eles, há uma diferença essencial na maneira como falarão – Kelly argumentava com absoluta calma, mas uma veia saltou em sua testa e começou a pulsar. – Nunca pensei que teria que explicar a você que não importa o que se faz entre quatro paredes. O que importa é o espetáculo em público, tem que ser impecável. Porque esse espetáculo é a linguagem que usamos para dizer aos nossos amigos e inimigos que ainda temos controle suficiente para projetar uma boa imagem. O que não é tão fácil se considerarmos a insanidade generalizada. Veja, não importa se as pessoas acham que você matou ou não Deborah, o importante é dar às pessoas a oportunidade de reconhecer que o assunto foi encerrado, e eu e você juntos temos o controle da situação. Se você não comparecer, vai provocar tanto comentário que jamais chegaremos ao que realmente importa.

– Que é?

– Nos tornarmos amigos.

– Kelly, eu entendo que teve um dia difícil...

– Tenho confiança. Temos mais em comum do que você imagina – ele olhou ao redor. – Venha, vamos para a biblioteca. – Era o maior aposento da suíte e servia de quarto, sala de estar e galeria de antiguidades para Kelly. – Venha – insistiu –, poderemos conversar melhor lá. É um lugar mais apropriado para o que tenho a dizer. Quero lhe contar uma longa história, entende. Uma história longa e terrível. E a biblioteca é o lugar certo para isso. Talvez não seja o seu aposento favorito, mas com certeza é o meu. É a única coisa em Nova York que ainda me pertence.

Na realidade Kelly tinha uma casa para os lados da East Sixtieth Street, mas nunca pusera os pés nela. A casa era uma espécie de hospital para a mãe de Deborah, que estava presa a uma cama, completamente separada de Kelly, e jamais falara com Deborah desde o nosso casamento.

– Muito bem. Vamos entrar, então – falei. Mas não queria. A biblioteca era um péssimo lugar para aquela noite.

Lá dentro, houve uma alteração na atmosfera precisa como o instante em que se entra em uma capela real, uma câmara escura repleta de relicários e ostensórios; de fato, ao entrar, via-se um ostensório à frente de um biombo, folheado de prata, cravejado de pedras, o biombo uma tapeçaria de mulheres com trajos elisabetanos falando com um cervo enquanto um cavalheiro se encontrava com uma donzela nua que crescia no tronco de uma árvore. Remontava a fins do século XVI. (Kelly, em um momento de cordialidade, passara uma noite catalogando as peças para mim. "Quem sabe, um dia, elas lhe pertençam?", dissera. "Não deve vendê-las barato demais.") Havia um cravo que refletia uma pátina reluzente de pele de cobra; uma mesa de canto em talha dourada com quatro jacarés dourados como pernas; cobria o chão um tapete com uma paisagem vermelho-púrpura de árvores e jardins que lembrava permanganato em fogo. Havia também uma moldura de espelho: cupidos de ouropel, conchas, guirlandas e pérolas ornamentavam os lados de um espelho irregular encimado por um penacho. Tinha quase dois metros e meio de altura. Assim, poderia um ratinho começar seu exame dos pertences de uma rainha.

E havia mais: uma cama Lucchese com um dossel em veludo vermelho-sangue e ouro; próximo, um trono veneziano. Sereias douradas se enroscavam pelos braços até o escudo no alto. A escultura era delicada, mas o trono parecia crescer à medida que a pessoa o observava, porque as sereias e os cupidos deslizavam uns sobre os outros como lagartos nos ramos de uma árvore: no silêncio solene daquele aposento ouvia-se apenas o farfalhar da vegetação à noite. Kelly se sentou no trono, deixando-me uma cadeira desconfortável mas excepcionalmente antiga, uma mesinha chinesa marchetada de marfim entre nós, e, como a iluminação no quarto era fraca, apenas um brilhozinho do fogo na lareira, e a luz de uma pequena lâmpada, eu mal enxergava, o quarto parecia suspenso ao nosso redor como o interior de uma caverna. Sentia-me infeliz, duplamente infeliz, em um nível de exaustão entre a apatia e a superexcitação. Nada parecia estar ali, presente, nem a morte de Deborah nem a culpa nem o sofrimento dele – se é que sentia algum –, nem o meu: eu já não sabia se era real, o que vale dizer que já não me sentia preso a mim mesmo. Minha mente atribuía muita febre a qualquer possibilidade. Sentia-me mais uma vez como me sentira ao entrar no Waldorf, em alguma antecâmara do inferno, onde os objetos se animavam e se comunicavam enquanto eu descia a cada drinque a uma condição próxima à dos objetos. Havia uma presença na biblioteca como a autoridade de um faraó morto. Aristocratas, donos de escravos, industriais e papas tinham cobiçado aquela mobília até que as súplicas de suas orações impregnassem aquele ouro. Da mesma forma que um ímã atrai cada partícula de ferro existente em uma limalha, um campo de força pairava sobre mim naquele lugar, um ar repleto de fartura e sussurros ao longo dos corredores, o eco de um salão de banquete onde se ingeriam Borgonha tinto e carne de javali. O mesmo campo de força me envolvera quando larguei o corpo de Deborah no chão e comecei a descer as escadas até onde Ruta aguardava.

– O senhor se importa que eu apanhe uma bebida?

– Sirva-se, por favor.

Saí da biblioteca e me dirigi ao bar no aposento ao lado e, depois de encher um copo alto com muitos cubos de gelo e vários centímetros de gim, tomei um longo gole, o gim desceu como um fogo purificador. Havia algo errado, mas não sabia o que: sentia-me particularmente desarmado. Então lembrei-me. O guarda-chuva de Shago. Estava a um canto do primeiro armário que procurei, e o cabo encontrou minha mão: segurando-o senti-me mais forte, como um vagabundo que tem cigarros, uma bebida e uma faca. Assim fortalecido, voltei. Ele me viu com o guarda-chuva. Não tentei escondê-lo, sentei-me com o cabo sobre o joelho.

– Está confortável agora? – perguntou-me.

Assenti.

Como se avaliasse o volume de um seio, ele segurou o copo de conhaque com as mãos espalmadas, então olhou para as sombras. Observei que uma tora ainda queimava na lareira, e foi Kelly quem se levantou para jogar uma segunda tora nela e atiçar a primeira com uma cutucada íntima, como se quisesse acordar um cão velho.

– Bess lhe contou sobre o romance que tivemos? – perguntou-me.

– Mencionou brevemente.

– Por causa de Bess, perdi a custódia de Deborah.

– Deborah nunca me contou isso.

– Nunca falei de mim mesmo para ninguém – disse Kelly. – Detesto isso. É desperdiçar semente. Mas tenho desejado falar com você. Deborah costumava me dar algumas pistas sobre as suas crenças, entende. Fiquei impressionado com a sua afirmação... você a fez mesmo na televisão?, de que Deus está travando uma guerra com o Diabo, e que pode perdê-la.

Senti de novo a opressão. Ocorreu-me a idéia de me levantar, sem me despedir, e sair, simplesmente. A biblioteca, no entanto, era um peso sobreposto à minha vontade.

– Não estou com vontade de discutir – falei. E não estava mesmo. Naquela noite, estava morrendo de medo de ofender a Deus *ou* ao Diabo.

– É claro – mas havia desdém em sua voz, como se o verdadeiro objetivo fosse conversar à beira de uma catástrofe. – Bem – ele suspirou –, sei que é uma coisa de gosto duvidoso, mas gosto de atiçar os jesuítas com a sua idéia. Faço-os admitir que em um esquema desses o Diabo precisa ter igual probabilidade de derrotar o Senhor, ou não há um esquema a considerar. E destaco que é claro que o desdobramento de tal hipótese é que a Igreja é um agente do Diabo.

Ele ergueu os olhos como se esperasse uma pergunta, e eu, para ser educado, respondi-lhe:

– Não sei se acompanho o que quer dizer.

– Uma vez que a Igreja se recusa a admitir uma possível vitória de Satanás, o homem acredita que Deus é todo-poderoso. E, portanto, o homem também presume que Deus está disposto a perdoar até a última traiçãozinha. O que pode não acontecer. Deus pode estar se saindo muito mal nessa guerra, suas tropas desertam por toda parte. Quem vai saber? A esta altura o inferno talvez não seja pior do que Las Vegas ou Versailles. – Ele riu. – Meu Deus, isso tira um jesuíta do sério. E devo dizer que eles não podem dar o troco com aquele contra-ataque tradicional, porque eu tenho dinheiro para gastar. Um deles, porém, foi corajoso o bastante para retrucar: "Se a Igreja é agente do Diabo, Oswald, porque você faz tantas doações?", e claro que não pude deixar de responder: "Bem, pelo que sabemos, eu sou um procurador do Diabo".

– Mas o senhor pensa realmente assim.

– Por vezes sou bem vaidoso.

Ficamos calados um momento.

– O senhor nunca se vê como um bom católico? – perguntei.

– Por que deveria? Eu sou um católico *magnífico*. É muito mais divertido. Mas não sou típico. Meus Kellys vieram da Irlanda do Norte. O Oswald vem dos presbiterianos. Somente quando surgiu o problema de me casar com a mãe de Deborah é que decidi que Paris valia uma missa. Sem a menor dúvida. Kelly se converteu e subiu a escada do altar. Agora sou dono de muitos andares – ele falou. – Uma vez que a pessoa está onde estou, não resta muita coisa a fazer senão balançar a teia. Na pior das hipóteses, sou uma aranha. Tenho fios espalhados por todo lugar, dos muçulmanos negros ao *New York Times*. É só perguntar. Tenho.

– Na CIA?

Ele levou um dedo no lábio diante da franqueza da observação.

– Fios.

– E com os amigos do sr. Ganucci?

– Muitos nós.

O fogo se avivou repentinamente e ele olhou para mim.

– Já reparou como os ventos aqui são predadores? Ventos de montanha. – Não respondi. Estava pensando no parapeito. Era possível que ele também. – Rojack, não sou tão poderoso quanto você pensa – disse Kelly. – Eu me distraio. É o sujeito esforçado que trabalha sentado à escrivaninha que detém de fato o poder. O homem que faz carreira. – Ele disse isso com uma candura natural, prestes a rir para mim, mas, se era por acreditar nele ou por não acreditar, isso era exatamente o que eu não conseguia perceber.

– Você está realmente confortável? – ele perguntou.

Mudei de posição na cadeira.

– Tem pouca coisa bonita na minha história – disse ele. – Mas eu avisei. E é um aviso sério. Estou colocando um peso nas suas costas. Acho que mais cedo ou mais tarde toda pessoa precisa contar sua historinha secreta. E precisa escolher a quem contar. Esta noite, quando você entrou na sala, tive certeza. Ocorreu-me de repente. Escolhi você – ele olhou para mim. Um vestígio de gelo cinza em um rio saiu de sua cordialidade. – Com a sua permissão.

Assenti. Novamente senti a escuridão. Sentamo-nos como dois caçadores na selva à meia-noite. A voz de Kelly, porém, era calorosa.

– Você sabe que eu fui um rapaz simples. Criei-me em Minnesota, o caçula de uma família grande, trabalhei em fazendas, em mercearias depois da escola, tudo. Deborah chegou a lhe contar isso?

– Outros me contaram.

– Eles não poderiam conhecer os detalhes. Éramos pobres como ratos de igreja. Mas meu pai tinha pretensões, afinal, éramos Kellys da Irlanda *do Norte*. Viva, tínhamos até um brasão. Vermelho, com uma criança ao natural. Você consegue imaginar um escudo com uma criança nua? Éramos nós. Consegui tirar a criança e colocá-la na boca da serpente dos Mangaravidi quando decidi unir os brasões. Leonora quase teve um chilique. Tentou levar a briga além-mar, ao Colégio de Armas. Mas àquela altura Leonora e eu já estávamos em pé de guerra há anos.

– Deborah nunca mencionou nada disso.

– Bem. Não vou cansá-lo demais. Vou dizer apenas que tinha um capital de três mil dólares quando terminou a Primeira Guerra Mundial, as economias de toda a família. Meu pai costumava guardar seus dólares dentro de uma caixa de queijo em uma gaveta trancada. Peguei o bolão e fui para a Filadélfia, rodei todas as lojas de sobras de guerra. Transformei três mil dólares em cem mil, nem digo como. Devolvi cinco mil de volta à minha família, já que fez a gentileza de não chamar a polícia. Então, em dois anos trabalhando o mercado, fiz os 95 mil virarem um milhão. Extrapole um sovina como o meu pai e se obtém um maluco genial como eu. Não há explicação para o meu talento, meus investimentos não eram brilhantes, simplesmente não paravam de se multiplicar. Fiquei apavorado. Eu não passava de um caipira presbiteriano.

Operara-se uma mudança nele. Era óbvio que adorava contar histórias. Sua voz oscilava entre humores, suas maneiras se tornaram envolventes, ainda que impessoais, como se ele fosse dono de um regalo excepcional que logo iria lhe oferecer.

– Bem, então conheci Leonora. A sede dos meus negócios era em Kansas City. Futuro de grãos, tinha participação em uma sala de cinema, investi dinheiro com um sujeito que estava começando uma empresa de transporte interestadual e ainda jogava pesado no mercado, pulando de uma ponta da gangorra para a outra. Entrei em um negócio com o pai de Leonora. Aquilo sim era um cavalheiro. Aristocrata siciliano, criado em Paris. Baseado na época em Kansas City. O pobre-diabo não tinha um tostão, compreende, quando casou e ficou rico. Assim, mesmo ele sendo um dos maiores figurões de Gotha, os Caughlins o mandaram para K.C. para tomar conta dos seus frigoríficos, havia dinheiro inglês na carne do Meio-Oeste na época. Bem, isso pode parecer enrolação, eu sei, mas não posso entrar de supetão na parte principal dessa historinha, é pesado demais – ele me lançou um olhar rápido e duro. – De qualquer forma, Signor e eu nos dávamos muito bem, e ele teve a idéia de me casar com Leonora, uma grande surpresa, pois ele era extremamente esnobe, mas eu apostava que essa era sua vingança contra os Caughlins. Eles só queriam o que havia de mais distinto para a neta. Da mesma forma que, tenho certeza, os Mangaravidis, mas ele conseguiu se convencer de que os Kellys dos Oswalds eram da linhagem dos Windsors. Não tentei mudar sua convicção de que não era um bastardo nobre.

"Por outro lado, não me afeiçoei a Leonora. Ela era devota. Bonita, mas muito esquisita. Costumava usar um perfume feito, eu juro, de óleo de linhaça e bolinhas de cânfora. Trazia um santo em cada bolso. Uma bacanal para um rapaz, não é mesmo? Mas eu aprendera a primeira regra sobre grana. Existem dólares que compram milhares de coisas, e dólares que têm influência. Os Caughlins tinham o segundo tipo de bem, eu tinha o primeiro. Então cortejei Leonora durante um ano e a conquistei com a minha conversão. Ao casar comigo, ela achava que estava trazendo uma alma para a igreja. Era a idéia que ela fazia do casamento. Casamos. E me meti até o pescoço em uma roubada. Não sabia bulhufas de sexo, mas sabia que alguma coisa estava muito errada. Ora, em menos de um ano de casamento, nossa antipatia mútua era tão absoluta que se eu ou ela ficássemos cinco minutos em um quarto estragávamos o ambiente para o outro. Para completar, pelo jeito Leonora não podia ter filhos – eu tinha pesadelos em que os romanos a abjuravam. Não há necessidade de entrar em detalhes, você pode imaginá-los muito bem; eu precisava ficar casado com ela tempo suficiente para estabelecer um circuito completo de contatos. Sem ela, eu era um aproveitador, enquanto com ela... eu adorava a vida que ela abria, gostava dos amigos de Leonora. Dinheiro que não consegue comprar o mais divertido dos mundos é lixo, lixo fedido, e isso eu sabia aos 23 – bebericou mais uma vez. – Bem, B. Oswald Kelly disse a si mesmo, 'Napoleão, o exército precisa ocupar o ventre'. E foi assim que aconteceu. Minhas tropas fizeram uma baita marcha. Uma noite, numa absoluta febre carnal, empolgado com a fantasia de estar metendo em alguma empregadinha, enterrei minha luxúria nela e mergulhei fundo em uma promessa. Disse mentalmente: 'Satanás, mesmo que você enfie um tridente na minha barriga, deixe-me fazer um filho nessa vadia!'. E algo aconteceu, não houve enxofre, mas Leonora e eu fomos parar lá embaixo, em algum charco, em algum lugar horrível, e senti algo tomar conta dela. Um hálito doentio saiu de sua boquinha pia. 'O que *diabos* você fez?', ela gritou, a única vez em que Leonora praguejou. E foi isso. Deborah havia sido concebida."

Não havia nada que eu pudesse responder. Sabia que a história era verdadeira. O guarda-chuva estava estendido como uma serpente adormecida nas minhas coxas.

– Li um pouco sobre santos – disse Kelly –, você ficaria surpreso. Assim que um santo tem uma visão, passa a ser atormentado por demônios. A maior alegria do Diabo é importunar um santo, pelo menos seria isso que eu faria. E o pagamento, imagino, é que a primeira atenção do Senhor será voltada para nós, os diabinhos. Só posso dizer que jamais gostei tanto de Leonora quanto durante a gravidez. "Ah, Deus", eu rezava antes de dormir, "tenha piedade da criança que cresce no ventre dela, pois condenei a criatura antes mesmo de ela nascer". E de vez em quando punha a mão na barriga de Leonora e sentia tudo que havia de melhor em mim passar através dos meus dedos à criatura adormecida nas águas de sua mãe. E qual acha que foi o resultado? Uma criança absolutamente maravilhosa. Por pouco não morreu no parto. Tiveram que cortar Leonora quase ao meio para tirar o bebê, mas Deborah tinha olhos que podiam colocá-lo em órbita! – ele riu. – Transportavam a pessoa por vales e ravinas, e um corpo de balé de elfos e espíritos passava diante dos seus olhos quando se penetra a neles. Aquela criança sabia rir como um cervejeiro de 55 anos, uma coisinha parruda. Nunca adorei nada da maneira como adorava aquele bebê. Perdoe-me – disse ele – por não respeitar o pacto. – E ele começou a chorar. Quando ia me esticar para encostar no seu braço, ele se levantou como se para evitar o gesto e andou em direção à lareira. Um minuto passou.

– Bem – ele falou por sobre os ombros –, se você fizer um pacto com o Diabo, o Diabo vai cobrar. É aí que mora Mefisto. Na arte da cobrança. Acredite-me: Leonora ficou mal depois do parto, deprimida e tudo o mais. Eu não ligava, tinha a criança, ela era meu elo com a boa sorte. Mas pensamos em ir para a Riviera enquanto Leonora se recuperava, e queria fazer muitos amigos naquele glorioso litoral. Então, pus os meus negócios em ordem em Kansas City, assumi um cargo menor na empresa de transportes, que, por sinal, ainda ocupo; ela se tornou uma empresa enorme, graças a mim, perdi dinheiro numa venda aqui, fiz lucro acolá, e partimos. Sabia o suficiente para investigar os lugares certos. E aproveitei aquilo, sim, aproveitei, a primeira vez que fiz negócios de frente para o mar e sentindo o cheiro do sol. Os gostos surgiam em você no Mediterrâneo. Todo mundo está procurando pelo seu pequeno prazer especial, e eu não estava disposto a achar todas as minhas alegrias no bebê, queria um pouco mais, com certeza merecia mais. Então Bess apareceu, o presentinho do Diabo. Ela viera de Nova York para passar uma temporada em sua *villa*. Na época, achei que era a casa mais impressionante que tinha visto na vida... tinha um Rafael, esse tipo de bobagem.

"Na verdade, a casa era uma exposição de mau gosto; muitos andares de mármore, quadros de Burne-Jones iluminados à vela, esculturas homossexuais – cupidos gorduchos com pauzinhos pontudos e bundas de corista –, frufrus no quarto, vitórias-régias no lago, seringueiras obscenas. Havia até um escorpião em uma gaiola de vidro. Ela não tinha gosto. Mas era majestosa, mais majestosa do que qualquer coisa que eu vira antes, e fiquei fascinado por ela. Ela já tinha seus quarenta anos, mas não parecia, e eu não tinha nem 25. Tinha uma péssima reputação: quatro casamentos, três filhos, amantes por todo o canto, de todas as espécies, desde um egípcio com um porão cheio de chicotes até um jovem piloto de corridas americano. E havia histórias inacreditáveis a respeito dela, além da minha imaginação, pois Bess era *mignon*, adorável como uma orquídea. Muito esquiva, é claro, ela podia sumir se você virasse para pegar um drinque, mas tinha um ar requintado. Possuía um senso de humor delicado. Não conseguia digerir as histórias sobre ela, mas precisava engoli-las em parte, pois Bess estava em comunhão com alguma coisa. Não havia *amour* com ela, e sim uma espécie de reciprocidade. Mensagens eram enviadas e recebidas – foi a primeira vez que percebi que existe dissimulação entre as células. Algo de astral nela, ou o que seja, estava ávido para arrancar pedaços de mim. Eu não conseguia interromper o processo. Ela não parava de roubar os meus pombos, por assim dizer. E então, depois, ela os mandava de volta – o empréstimo devolvido –, mas algo havia sido acrescentado, algo estranho. Sentia como se estivesse em contato com forças que preferiria deixar de lado. Mangaravidi tinha um pouco disso – sempre achei que ele era um hussardo dos fantasmas, mas Bess era a rainha dos feitiços. Nunca conheci alguém tão telepática. Se não tivesse sido Marconi, ela inventaria o rádio. Lembro-me de uma vez em que estávamos no jardim e ela pediu uma moeda de cinco francos. Assim que entreguei a moeda, ela a enfiou na bolsa, puxou uma tesourinha e cortou alguns fios do meu cabelo. Então se agachou, pegou uma pedra do chão próximo a uma árvore de plástico, botou os cinco francos em cima dos fios de cabelo e colocou a pedra de volta. 'Pronto', ela disse, 'agora devo poder te ouvir.' Bem, tentei rir na hora, mas não era engraçado – a árvore ficou parada como uma estátua. E então Bess começou a me contar tudo sobre conversas particulares que eu havia tido com Leonora, ou pior: começou a me contar meus próprios pensamentos. Por conta daquela maldita árvore, eu estava diretamente sob o controle dela. Considerava-me um sujeito competitivo, pense bem – eu tinha que ser tão supersensacional no sexo quanto era com o *dinero*, e Bess e eu nos divertimos bastante várias vezes seguidas; e assim decolava o ego masculino; um elogio dela era o mesmo que um louvor de Cleópatra; e então, *puff*!, ela desaparecia. Sumia por um dia ou uma semana. 'Tive que ir, querido', ela dizia ao voltar, 'ele era irresistível.' Só para levantar o meu ego novamente confessando que eu era *mais* irresistível, por isso ela tinha voltado. Ou, ao contrário, ela me deixava arrasado; falava: 'Bem, ele se foi, mas *ele* era inesquecível.' Era como se eu fosse um cão a meio caminho de um bife e me tirassem ele. Chegou ao ponto em que eu podia estar no meio de um serviço e de repente pensava, 'Bess está com alguém'. Meu cérebro saía correndo de mim com a rapidez de um monte de formigas comendo um pedaço de carne que acabara de ser chutado. Eu *era* a carne. Estava na mão dela. Intolerável. Tinha medo de Bess. Mais medo do que jamais sentira de outra pessoa. Sempre que estávamos juntos, eu me sentia como um cofre de porquinho: tinha que aceitar o que ela enfiasse em mim; sua moeda era poderosa. Meu faro para o mercado se tornou infalível. Deitado na cama, podia calcular o potencial de uma determinada ação como se estivesse mergulhando no pensamento de milhares de investidores-chave. Quase podia ouvir o som da fábrica. Era como impregnar-se de uma visão. Então ficava com a impressão final. 'A Artichokes vai estar em alta amanhã, Beethoven vai estar em baixa.' O que fosse! Recebia de bandeja a opinião de especialistas, é claro, era como uma câmara de compensação de dicas, mas isso ia além, eu juro. E havia outras intuições. Uma vez, um desgraçado estava me criando problemas, um promotorzinho pomposo. Quando ele estava indo embora, disse para mim mesmo, 'Caia morto, seu desgraçado', e ele teve um ataque epilético na minha porta. Um poder espantoso.

"Bem, *poco a poco*, comecei a me meter nas aventuras extras de Bess. Eram uma coisa de louco. Tive que me virar para sair de uma ou outra situação complicada – Bess era incorrigível. Só uma coisa a fazia desacelerar. Ela tinha uma sobrinha – a filha de sua irmã –, dezenove anos, virgem. Adorável. Bess era apaixonada por ela. A única coisa com que realmente se importava. A sobrinha vinha visitá-la e antes de você perceber as duas já estavam de braços dados. Inseparáveis. Havia o laço mais íntimo entre elas. Você pode imaginar como isso afetava Bess. Um divisor de águas em sua libido. Como Moisés, eu estava atravessando o Mar Vermelho timidamente, um pé na frente do outro. Fui direto para a raiz do problema, como se a maneira de segurar Bess fosse fazer sua menina se apaixonar por mim. Não sei se fiz isso a pedido de Bess, ou contra a vontade dela, mas certamente ficamos mais próximos. Então, uma noite, uma noite mais ou menos significativa no *boudoir* de Bess, ficamos juntos por horas. Bess estava bebendo um pouco, eu estava bebendo muito, a garota bebericava champanhe. Quanto mais tentávamos jogar conversa fora, maior era a vontade de começar um terremoto. Depois de um tempo, ficamos todos em silêncio. Havia cheiro de pólvora. E o odor de algo repulsivo. Como se balançássemos uma mortalha. Nunca sentira tanta vontade de dar o bote, porém meus ossos estavam moles... Veja – disse Kelly espalmando a mão –, deixe-me falar a verdade: a garota não era uma sobrinha, era filha, a filhinha de Bess que ela perdera no divórcio três anos antes. Tinha a sensação de que dizer uma palavra seria o mesmo que riscar um fósforo, e que desistir do jogo àquela altura me privaria de minha força. Com medo de continuar, com medo de prosseguir, ficamos sentados naquela fornalha. E a querida Bess derreteu primeiro. Ela me deu a piscadela. Levantei no ato, era demais, ela sugerira cinco minutos antes da hora. Saí em disparada. Desci correndo as escadas para tomar um drinque sozinho. Jurei abandonar Bess. Comecei a sair da casa. Mas, passando pelo jardim, pensei naquela seringueira, e sabia que não podia ir embora enquanto Bess ainda estivesse com aquela orelhinha debaixo da pedra. Então fiz menção de apanhá-la. 'Não se atreva', ouvi Bess falar claramente, embora ela nem estivesse por perto.

"'Maldita', respondi, e ergui a pedra, meti o franco no bolso, chutei o buraco com o bico do sapato para espalhar os fios de cabelo e parti. Dera menos de cinco passos antes de entender que jamais conseguiria, iria desmaiar. Então Kelly voltou, entrou no primeiro banheiro que viu e começou a vomitar como um garoto depois de beber sua primeira garrafa de uísque. Naquele momento, de joelhos, agarrando a moeda de cinco francos como se ela fosse todo o dinheiro que eu tinha, babando no vaso sanitário, ouvi claramente, cruzando a cidade, o som dos gritos de Deborah. E que gritos! Vi chamas nas paredes do banheiro de Bess tão vívidas quanto em um filme, chamas lambendo o berço de Deborah. Estava convencido de que minha casa estava pegando fogo. Bem, saí daquele banheiro rápido e cruzei a cidade o mais rápido que pude, e não sei se já tinha dirigido tão rápido na vida, e o que você acha? Nossa casa estava perfeitamente bem. Só a casa ao lado tinha pegado fogo. Um incêndio completo. Ninguém sabia como tinha começado. E Deborah estava gritando no berço.

"Aquele aviso foi o suficiente. Sentei-me com Leonora para fazer uma confissão completa. E ela – eu devia ter adivinhado – ficou histérica. A manhã seguinte foi um desastre. A filha de Bess tivera um colapso nervoso à noite: ela teve um acesso. Os criados ficaram sabendo de alguma coisa. Resultado: Antibes inteira ficou sabendo de tudo. Fomos *banidos*. Você pode fazer o estardalhaço que quiser no mundo, mas mantenha a água longe da lama. Leonora me deixou. Levou Deborah com ela. Negou um divórcio, negou qualquer direito meu em relação à criança. Impediram-me de ver Deborah até ela fazer oito anos, e então só por uma hora. Só fui vê-la direito quando ela tinha quinze – ele respirou fundo e olhou para o fogo. – Tinha muito que pensar. Jamais havia me sentido tão tentado quanto naquela noite. Era continuamente atormentado pelo pensamento que se tivesse me arriscado poderia ter tido a oportunidade de ser um presidente ou um rei – tomou um demorado gole de seu conhaque. – Concluí que a única explicação era que Deus e o Diabo prestavam muita atenção às pessoas que estavam no topo. Não sei se perderiam muito tempo com o homem comum, imagino que não seria muito divertido, mas você acha que Deus ou o Diabo deixariam Lênin, Hitler ou Churchill em paz? Não. Eles oferecem favores e exigem vingança. É por isso que homens poderosos às vezes fazem burradas tão grandes. *Kaiser* Guilherme, por exemplo. O topo é pura mágica. É o segredo que alguns de nós guardamos, mas esse, meu amigo, é um motivo por que não é fácil chegar ao topo. Pois você tem que estar pronto para lidar com um ou com outro, e isso é demais para o bom homem comum. Cedo ou tarde, ele decide ser medíocre e pára pela metade. Eu sabia que estava pronto. O incesto é a porta para as mais terríveis formas de poder, e eu me empanzinara dele cedo – Kelly suspirou. – A experiência me afastou do sexo durante anos."

– Essa não é a sua reputação.

– Tenho uma reputação tardia. Mas fui um bom menino por muito tempo. Muito bom mesmo. Então ganhei a custódia. Sabe por quê?

– Por quê?

– Leonora estava falida. *Figure-toi*. Todo aquele maldito catolicismo. Ela não podia fazer absolutamente nada sem meter os santos no meio; não obstante, a imbecil perdeu quase metade da herança na Bolsa! De repente, ela se viu obrigada a viver de renda. Ela nunca tirara um centavo de mim, e agora precisava da grana. Mas o negócio é que Leonora amava mais o dinheiro do que os princípios. Como recompensa por uma grande quantia em dinheiro, ganhei a custódia completa de Deborah. Na verdade, a garota e a mãe não se suportavam. Leonora a enfiara em um convento. E então Deborah e eu passamos a ter um lar.

– E o que veio em seguida? – perguntei.

– Uma época feliz – ele falou. Desviou o olhar. – É claro que não é bom falar sobre isso. Não hoje à noite. Mas fui feliz até Deborah se casar com Pamphli. Veja bem, eu gostava dele, Pamphli tinha um pouco do estilo de Mangaravidi. Mas ele era muito velho para ela e doente. Bem, não vamos falar sobre as partes ruins.

– Deborah me contou que Pamphli era um ótimo caçador – eu estava jogando conversa fora, estava aflito. Não sabia se a história tinha acabado ou se estava no começo.

– Pamphli tinha sido um bom caçador. E chegou a levá-la para a África em lua-de-mel, mas Deborah trepava mesmo era com o guia. Não ficaram lá muito tempo. Pamphli estava muito doente. Além do mais, Deborah estava passando muito mal com a gravidez de Deirdre.

– Então ela estava grávida quando eles se casaram?

– Receio que sim – ele mudou de posição, irritado. – Mas que diabo você quer saber? – perguntou. Estava prestes a deixar de lado o sotaque britânico.

– Quem seria o pai de Deirdre.

– Você imagina que Deborah fizesse propaganda de todos os seus casos e casinhos?

Ao dizer isso, porém, a morte dela ressurgiu entre nós.

– Está bem – disse ele –, ainda não acabei a história. Não posso escondê-la de você, não é? – lançou-me um olhar, quase zombeteiro. – Veja, quando Deborah veio morar sob o meu teto, eu já tinha endurecido. É impossível viver sozinho durante anos, dedicando-se somente à alma e aos negócios, sem ficar muito rico. Eu não fumava, nunca bebia. Vou lhe contar, rapaz, em uma situação como aquela, era difícil não enriquecer. Por um lado você tem clareza de raciocínio. Por outro, você teria de magoar muita gente para não topar com tesouros enterrados a cada seis meses, porque eles imploram que você se aposse de tudo, do dinheiro, da invenção, da licença de exportação, da mulher deles; são sórdidos de tão ambiciosos. Dá tédio. Um homem rico não pode chegar a esse ponto – o tédio dele é imensurável. Então procurei diversificar. Comprei uma revista, acho que você conheceu o sujeito que supostamente a edita. Não é ele. Alguns de *nós* a editamos. Deixamos a pregação por conta dele. Sujeitinho desprezível. Ele é apenas um missionário na estrada capitalista da vida.

O único sinal que Kelly dava de estar ligeiramente bêbado: rira de sua própria piada.

– Então – continuou ele –, a revista estimulou o meu interesse por aquilo que chamamos "os problemas dos governos", e os governos se interessaram por mim. Londres é o único lugar que tem uma central de operações para essas coisas, que lugar diabólico. Considerando a Europa e a América juntas, acho que eu era um dos cem sujeitos mais importantes ali. O que é mais do que posso dizer atualmente. Hoje, *todo mundo* é importante. E então, bum, Deborah aterrissou no meio de tudo. Quinze anos. Cheia de energia intocada, uma coisinha meiga e selvagem, gorducha, a chama irlandesa nos olhos verdes, todas as graças Mangaravidi. Não estava nem dois dias em casa quando apareceu com três jovens bolchevistas, estudantes de Oxford, comunistas. Tiveram taquicardia quando me viram, eu era o grande vilão, nunca fui tão sedutor na minha vida. "Você foi maravilhoso com eles, papai", disse-me Deborah mais tarde.

– Kelly, está ficando cada vez mais difícil escutar essa história.

– Então não me faça esperar. Você não pode estar gostando de ouvir como ela era aos quinze anos. Não quero continuar falando. Só quero que me diga que vai comparecer ao funeral, vai?

Eu sentia a pressão de seus motivos, mas não conseguia identificá-los. Para preencher o silêncio, tomei mais um pouquinho de gim e senti o bafo dos meus pulmões. Lembravam o ar do metrô em pleno verão. Uma compulsão se sobrepôs à minha embriaguez: tive certeza de que não devia sair da suíte de Kelly antes de ir ao terraço e dar uma volta no parapeito, nos três lados. *Nos três*. Comecei a tremer muito quieto diante da força desse desejo.

– Você vai comparecer ao enterro, não vai? – repetiu ele.

Senti-me como se fosse enfrentá-lo em uma briga de beco.

– Você ainda não me esclareceu – falei – por que esperou tanto tempo por Deborah...

– Sim?

– Para depois tornar a interná-la em um convento.

– Foi o que eu fiz.

– Você a recuperou depois de quinze anos e desistiu dela?

– Não imediatamente. Ela ficou um ano em Londres em minha casa.

– E então foi para um convento?

– A guerra tinha acabado de estourar eu comecei a viajar muito. Achei que ela estaria mais segura lá.

– Entendo.

– Olhe aqui, Stephen.

– O quê?

– Se você tem alguma coisa em mente...

– Me pareceu estranho – falei.

– Bem – disse ele com um profundo suspiro, como que aliviado que eu o obrigasse a prosseguir –, você adivinhou. *Havia* algo estranho. Escute só: eu não conseguia suportar nem que Deborah passasse a noite fora com uma amiguinha, tinha que ligar para onde estava à uma da manhã para perguntar se estava bem. Se a coitadinha fosse a um concerto com um rapaz, eu ficava apavorado. Pensei que fosse porque ela acabara de sair de um convento e eu me preocupava com sua inocência. Deus do céu, eu tinha mais ciúme daquela criança do que eu jamais tive de Bess. Então, uma noite, compreendi tudo. Deborah chegou vinte minutos atrasada de um jantar-dançante. Fiquei tão furioso que quis despedir o chofer. Levei-a para cima, comecei a ralhar com ela, Deborah tentou retrucar, dei-lhe um tapa. Daí ela começou a chorar. Daí, eu a agarrei, beijei, meti minha língua na dela – a língua de Kelly apareceu brevemente no canto de sua boca –, então empurrei-a para longe. Achei que ia ter um infarto – ela se aproximou de mim e retribuiu o meu beijo. Quer mais horror que isso? Mas não era exatamente horror que havia entre nós. Se assemelhava mais à tensão provocada por uma piada que pode revelar alguma verdade sobre o homem que a conta ou que a escuta, embora não se saiba ao certo sobre quem.

Kelly olhou para mim e disse:

– Afastei-me dela. Me tranquei em meu quarto. Todo tipo de pensamento passou por minha cabeça. Suicídio. Assassinato. Sim, pensei em matá-la. Foi a primeira vez que me senti desnorteado em quinze anos. Então senti um desejo terrível de ir ao quarto dela: meus dentes literalmente rangiam, minhas entranhas eram um ninho de cobras. Era como se o Diabo tivesse entrado no quarto naquele instante e me acossasse, dava para sentir o cheiro dele, um cheiro de bode, foi pavoroso. "Livrai-me disso, Senhor", gritei para mim mesmo. Então senti um forte impulso para chegar à janela e pular. Foi a mensagem que parecia receber – Kelly fez uma pausa. – Ora, eu estava no primeiro andar e o térreo ficava a uma pequena altura. Então, vamos dizer que a queda teria sido de uns cinco metros, ou um pouco mais. Nada fabuloso. Imagino que, na pior das hipóteses, eu quebraria uma perna. Mesmo, porém, que o Paraíso me esperasse lá embaixo, eu não teria coragem de pular. Entenda, já sentei à mesa com muita gente que poderia cortar sua garganta, que não me afetava, a maior parte da vida tive nervos fortes, mas eu estava... Você conhece aquela frase de Kierkegaard, é claro que conhece... Eu estava tremendo de medo. Fiquei parado à janela durante uma hora. Estava quase aos prantos pela minha incapacidade de dar aquele simples salto. E o bode insistia em voltar. "Ela está no hall", dizia, "está na cama, à sua disposição Oswald." Então eu respondia: "Salve-me, Senhor". Por fim, ouvi claramente uma voz dizer: "Pule! Isso vai esfriar o seu desejo, companheiro. Pule!". O Senhor, como você pode ver, tinha um senso de humor sacana comigo. "Senhor", eu disse por fim, "prefiro desistir de Deborah." Ocorreu-me o simples pensamento, "Deixe-me mandá-la de volta ao convento". No instante em que falei, percebi que estava desistindo de tê-la em casa. E a compulsão desapareceu.

– E Deborah voltou para o convento?

– Voltou.

– Desistiu de sua filha?

– Desisti. Você está entendendo agora por que tem de comparecer ao enterro? Tem algo a ver com o perdão de Deborah a mim, sei disso. Meu Deus, Stephen, você não vê que estou sofrendo? – Mas não parecia estar. Seus olhos verdes brilhavam, sua pele estava corada, ele nunca parecera tanto com um enorme animal. Uma descarga de voracidade emanou do ar ao seu redor

– Escute – disse ele ao ver que eu não respondia –, sabe por que Ganucci veio aqui hoje à noite?

– Não.

– Porque estava em desvantagem comigo. Os italianos são espertos. Compreendem a possibilidade de anistia quando ocorre uma morte na família.

Isso ficara bem claro.

– Mas será que eu quero anistiar *você*? – perguntei.

Eu finalmente provocara sua irritação. Seus olhos deixaram entrever uma tempestade assassina.

– É extraordinário – disse Kelly –, nunca se conhece inteiramente os italianos. Levei um século para entender que quando um italiano diz que alguém é maluco significa que a pessoa não é sensível ao medo, de modo que tem que ser morto. Ora, se eu fosse italiano, chamaria você de maluco.

– Eu sinto medo demais.

– Mas faz coisas estranhas para um homem amedrontado. Que loucura foi aquela no terraço?

– Uma expedição particular.

– Será que teria alguma ligação com a minha história?

– Talvez.

– Sei, Deborah uma vez me explicou que você gostaria de explodir o velho Freud demonstrando que a raiz da neurose é a covardia, e não o corajoso Édipo. Sempre digo que é preciso um judeu para liquidar outro. Minha Nossa Senhora, você estava fazendo pesquisa de campo no terraço? O teste deu certo, Stephen? Você agora já está pronto para dar um *passeio* pelo parapeito?

Podia ouvir as entonações de Deborah na voz dele: elas me obrigaram a responder rápido demais.

– Eu poderia fazer isso – falei, e falei demais.

– Poderia?

– Não neste instante.

– Por que não?

– Bebi demais.

– Então você não faria?

– A não ser que houvesse alguma coisa em jogo.

Ele ergueu o copo de conhaque e examinou-o por dentro como se os reflexos de luz no líquido fossem as vísceras de um sacrifício.

– E se houvesse alguma coisa em jogo? – perguntou ele.

– Não seria possível haver.

– Vou tomar mais um conhaque – disse Kelly.

Quando, porém, levei o drinque à boca, meu cotovelo escorregou do braço da cadeira e fez o líquido pular fora do copo e salpicar no meu rosto. Poderia ter sido sangue, aquele filetinho do sangue deixado por Deborah quando simulei um grande abraço ao encontrá-la caída na rua, e a sensação de uma coisa molhada em meu rosto me tirou a sanidade. Senti pavor de ser forçado a andar no parapeito – não tinha a menor confiança de que pudesse fazê-lo; ainda assim, o quarto me paralisou em um estado de espírito que eu não ousava romper, como se houvesse uma taxa a pagar com o meu corpo, um novo castigo sob a forma de náusea, excreção e doença se eu rompesse a força que pairava sobre nós me levantando e deixando o aposento. Além disso, eu não sabia a extensão do poder de Kelly. Talvez ele precisasse apenas dar um telefonema e um automóvel me atropelaria em um cruzamento. Tudo apresentava possibilidades. Eu só sabia que estava numa situação difícil e quase insolúvel em que ele conseguiria me fazer avançar, e novamente, como um mestre enxadrista preparando sua vitória, até que eu fosse forçado a admitir a inevitável necessidade de ir ao terraço. E isso eu não poderia fazer.

– Muito bem – disse Kelly –, vamos falar francamente, Rojack. Vamos colocar as armas na mesa. Há um motivo para você não ir ao enterro, não é?

– Há.

– É porque você de fato matou Deborah?

– É.

O silêncio me sufocou. O mensageiro chegou. Tudo chegou ao mesmo tempo.

– Matei-a, sim – falei –, mas não a seduzi quando tinha quinze anos, e nunca a deixei sozinha, e nunca terminei o nosso caso – e me inclinei para frente para atacá-lo, como se ele finalmente estivesse em minha mão e eu estivesse livre de excreções e culpas e das entranhas da terra, e encarando-o entendi que era exatamente isso que ele queria que eu descobrisse, era isso que ele passara a noite engendrando até que nem eu pudesse deixar de entender, e ele deu um sorriso, um sorriso meigo, seu sorriso mais bonito, que cintilou envolvendo-o como o farol de um porto: venha, diziam as sereias, você comeu nossa rainha e nós capturamos seu rei, xeque-mate, garotão, e caí pela borda de toda sanidade em um abismo de sereias eletrônicas e letras de música ditadas por máquinas de raios X, porque uma forte exalação do fedor resultante da devoção ao bode saiu dele em minha direção. Eu já não sabia o que fazia, nem por que, estava em águas profundas e sem alternativas exceto continuar nadando sem parar. A fatalidade acometeria meu corpo quando eu descansasse. Alguma coisa se agitou no quarto. Talvez fosse o barril de líquido na minha barriga, mas a sensação que tive foi que uma parte de mim estava atravessando um corredor e um sopro, um ódio, batesse em meu rosto, como se finalmente eu tivesse topado com uma barreira. Kelly estava chegando àquela violência que Deborah transpirava, aquele furacão emergindo de um pântano, aquela promessa de massacre, de canibalismo, de vísceras da morte saía dele para mim me sufocando. Mais um minuto e eu ia morrer; toda a ira de Deborah agora passava por Kelly, ele era o agente de sua fúria, e a morte me envolveu como uma sucessão de ecos no éter, luz vermelha e verde. Aguardei Kelly atacar – tão próximo ele esteve disso –, eu precisava apenas fechar os olhos e ele iria até a lareira, pegaria um atiçador – sua violência reprimida incendiava o quarto. Era como se estivéssemos envoltos em fumaça. Então a asfixia passou, foi substituída; no ritmo marcado pelo silêncio, sentindo a pulsação dele como se fosse minha, ouvindo seu coração como o vento em um microfone, flutuei dos vapores do álcool para uma promessa de poder, uma fria majestade de inteligência, um calor abrasado de luxúria. O corpo de Kelly liberava o calor de uma fogueira, havia excitação entre nós da mesma forma que tinha havido entre eu e Ruta no corredor da casa de Deborah; compreendi de súbito como fora entre Cherry e ele, nada muito diferente do que entre Ruta e mim, não, nada muito diferente, e compreendi como fora entre Deborah e ele, uma única besta ardente com dois lombos, e podia sentir o que me oferecia agora: trazer Ruta, para os três nos espojar e aviltar e agachar e lamber, nos fartar e deleitar naquela cama Lucchese, foder até os olhos saltarem das órbitas, enterrar o fantasma de Deborah devorando o seu cadáver, pois fora nessa cama, sim, nessa Lucchese que ele viajara com Deborah às profundezas tenebrosas da lua. Agora ele tinha necessidade de enterrá-la. O desejo de atacar o assassino de sua besta emanava de Kelly, um desejo desconhecido despertou em mim, um eco daquele desejo de cear com Ruta sobre o cadáver de Deborah.

– Ora, vamos – murmurou Kelly sentado em seu trono –, vamos fazer sacanagem? – e prosseguiu em um tom tão baixo que sua língua e seus dentes quase faziam parte da fala, eu me encontrava naquele vácuo onde se guardam o silêncio e o fedor dos assassinatos por cometer.

Então o guarda-chuva escorregou do meu joelho e o eco quase inaudível de sua queda no carpete passou pelo meu ouvido como asas batendo, uma morte passou por nós como asas batendo, e fui brindado com a visão de Shago batendo na porta de Cherry, e ela abrindo para recebê-lo, abrindo seu robe, abrindo o íntimo entre suas coxas, os lábios, os pêlos, a imagem tão nítida em minha mente quanto a casa em chamas que Kelly vira no banheiro em Antibes. Eu jamais perdoaria seu caso com Kelly, e com esse pensamento sobreveio o medo, tive certeza de que Shago estava com ela agora, fazia parte do equilíbrio das coisas, estava com ela desde que eu viera ver Kelly. Ou um homem estaria sendo morto no Harlem neste instante – a imagem em minha mente fragmentou-se com o choque –, eu estaria sentindo um morcego mutilado bater em um cérebro, um homem estaria morrendo, um grito (seria meu?) se elevaria em um beco na noite, cruzando quilômetros até este trigésimo andar – um assassino estaria fugindo e fora capturado pelas patrulhas dos deuses?

Então fui pego. Porque eu queria escapar daquela inteligência que me informava sobre assassinatos de um lado e visitas a Cherry de outro, eu queria me libertar da magia, da língua do Diabo, do temor de Deus, queria voltar a parecer um homem racional, preso a detalhes, promíscuo, sensato, ignorante da extensão dos mares. Mas não conseguia me mexer.

Abaixei-me para apanhar o guarda-chuva, e então recebi a mensagem claramente, "Caminhe no parapeito", "Caminhe no parapeito ou Cherry morre". Temia, porém, mais por mim do que por Cherry. Não queria caminhar naquele parapeito. "Caminhe", disse a voz, "ou você vai se sentir pior do que morto." Então compreendi: vi as baratas seguindo sua linha de ansiedade, subindo a parede do apartamento.

– Muito bem – disse a Kelly –, vamos para o terraço.

Falei isso claramente, devo ter esperado que Kelly implorasse para ficarmos no quarto – jamais sentira um sexo tão manietado ao seu desejo quanto o desejo que passara por cima da mesa vindo dele –, mas sua disciplina era de aço: não ganhara o que ganhara de graça. Ele assentiu e conseguiu dizer com a voz mais clara possível:

– Perfeitamente. Vamos para o terraço.

E ele transpirava uma confiança de que conseguiria o que queria por outros meios. Desencadeou-se em meu corpo um medo como a vacilação que se apodera de uma criança quando a forçam a entrar numa briga contra a própria vontade. Era um medo muito forte. Olhei para ele – não sei de que modo –, mas devia ter sido pedindo clemência, como se ele precisasse apenas dizer, "Bem, vamos parar com bobagens, isto já foi longe demais", e eu teria um adiamento. Seu olhar, no entanto, estava inexpressivo e nada me disse. Não pude mais falar. Como um paciente terminal cujas faculdades o abandonam uma a uma, minha voz se calou em minha garganta: compreendi os últimos momentos de um homem condenado ao fuzilamento e invejei esse homem – sua morte era certa, ele podia se preparar, enquanto eu tinha que esperar não sabia o que –, isso parecia pior do que qualquer certeza do meu fim.

Saímos pelas portas francesas da biblioteca para o ar livre. Estava chovendo mais forte, e o cheiro de grama molhada atravessava a noite, cavalgando o vento que soprava do parque. Eu não sabia se conseguiria subir ao parapeito, não tinha forças. O pensamento de usar a cadeira do terraço era agora uma ambição além da minha capacidade. Preferi começar pela parede próxima às janelas. Nenhum de nós disse nada. Kelly veio andando timidamente, como um capelão acompanhando um prisioneiro.

Contudo, era mais fácil agora, pelo menos estávamos em movimento. Deixara minha vida para trás. Somente um moribundo pode experimentar um momento em que penetra o manto de uma grande nuvem e, impotente, cheio de medo, sabe ainda assim que já adentrou a morte e, portanto, pode esperála, então minha força me abandonou e senti novamente a morte se aproximar como a sombra que aguarda quando a pessoa passa pelas primeiras sentinelas da consciência a caminho das ilhas do sono. "Tudo bem", pensei, "acho que estou pronto para morrer."

Quando Kelly viu que eu ia subir no parapeito, disse:

– É melhor me dar o seu guarda-chuva.

Aquilo me aborreceu como um médico incomodaria um moribundo em seu último devaneio com a picada de uma injeção. Eu não queria Kelly do meu lado, queria ficar sozinho; parecia-me absurdamente injusto, de um modo indizível, entregar o guarda-chuva, mas pior ainda discutir isso, como se eu fosse gastar algo vital. Então entreguei-o. Mas aquilo foi uma perda, e voltou-me o medo de subir no parapeito. Na verdade, não havia um jeito fácil de subir. Teria que levantar o pé até uma altura incômoda, levar o joelho quase até o ombro, e então, me apoiando com a mão direita no rebaixo da parede do prédio, dar um passo vertical e ágil como se procurasse alcançar um estribo muito alto, e, se desse um impulso forte demais, poderia cair pela borda. Recuperei, no entanto, a voz.

– *Você* já fez isso alguma vez? – perguntei.

– Não. Nunca tentei – respondeu Kelly.

– Mas Deborah tentou – falei de repente.

– Tentou.

– Ela conseguiu dar uma volta completa?

– Desistiu na metade.

– Coitada da Deborah. – O medo voltara à minha voz.

– Você não deve sentir pena dela – disse ele.

Aquilo me deu a força necessária para dar o passo. Meus dedos rasparam o muro, uma unha quebrou e soltou metade, e eu estava em pé no parapeito de trinta centímetros, e quase caí para os dois lados, pois um desejo de continuar mergulhando me fez balançar para fora e quase tornei a cair no terraço com o pânico que isso provocou. Fiquei parado, todo covardia mais uma vez, a mão direita tremendo descontrolada quando a retirei do muro e parei solto, sem apoio algum. Era impossível dar outro passo. Minha força de vontade me abandonou, e fiquei imóvel, trêmulo e choroso. Teria chorado como uma criança se não estivesse receoso até disso. Então senti um forte desprezo pelo meu medo. "Toda barata guarda a lembrança de um fracasso revoltante", algo murmurou, em algum lugar, eu nem sabia se dentro ou fora de minha mente eu estava encharcado, mas dei um passo, um passo inteiro, meu pé parecia uma bota de chumbo de dezoito quilos, e puxei para junto o pé de trás, e avancei mais um passo com o pé pesado como uma criança subindo a escada sempre com a perna direita primeiro; dei então um terceiro passo e parei, e senti a vasta massa inerte do hotel, a torre às minhas costas e paredes que se erguiam à direita e à esquerda do outro lado do abismo e, lá embaixo, paredes descendo até ressaltos e recomeçando a descer como uma cascata de pedra. Mas já não me sentia tão exposto – o equilíbrio parecia menos precário, como se as paredes dessem sugestões aos meus ouvidos sobre a linha vertical que meu corpo poderia manter. Dei um passo; e outro; e reparei que ainda não respirara e respirei, e olhei de relance para baixo e refreei o impulso de sair planando como um avião. E meus tremores voltaram. Levei um minuto até poder me mexer, então dei mais um passo e respirei, dei um passo e respirei: assim, dei dez passos ao longo dos trinta centímetros de largura do parapeito que se estendia diante de mim como uma longa prancha.

Seriam mais dez passos até o ponto em que o parapeito virava em ângulo reto para a esquerda e corria paralelo à rua. Consegui dá-los dizendo a mim mesmo que desceria assim que alcançasse o canto. Mas quando cheguei, não consegui descer – precisava dar a volta pelos três lados do terraço. Completara, portanto, apenas a primeira parte de três. Agora fiquei parado no primeiro canto. Tinha vislumbrado a rua, e ela me pareceu duas vezes mais distante e tornou a se abrir como uma fenda na terra, que se aprofundou enquanto eu a olhava e se fechou e se abriu, abissal.

Uma rajada soprou atrás de mim, um tapa do vento. Oscilante, fiz a curva e continuei seguindo, dois, três, quatro, cinco passos; estava quase na metade do caminho. Mas a chuva estava gelada – a temperatura caíra cinco graus enquanto eu contornava o canto. Por alguma razão sentia-me mais exposto. Dei um passo; e outro. Já não andava puxando uma perna após a outra, mas agora meu corpo insistia em pender para a varanda – ficar com o corpo reto me dava pânico como se aquilo fosse me fazer olhar involuntariamente para o lado de fora. Era extenuante. Vencera pouco mais que a metade do caminho e estava esgotado como um marinheiro que passara horas amarrado ao cordame de um barco fustigado pela tempestade. A chuva caía pontiaguda. Então o vento aumentou de repente com um longo grito de dor, estourando meu ouvido, e me atirou para a direita e para a esquerda, quase me empurrou de volta ao terraço e então me apanhou pelo outro lado, me dobrou, meu pé escorregou uns centímetros naquele instante, e tive outra visão da rua. Fiquei simplesmente parado, os joelhos tremendo, e ouvindo o vento, cujo grito vinha de todos os lados. Alguma coisa no vento estava lacerada para produzir aquele grito. Então quase caí sobre um joelho, pois fora golpeado não sabia pelo que, um soco nas costas, embora Kelly estivesse a três metros de distância. Precisava continuar andando, quanto mais demorava pior ficava, meus pés estavam outra vez rígidos. Arrastei um deles para frente, então bateu a pior rajada de vento – o olho verde solitário de Deborah bateu-me no olho. Apareceram mãos para me puxar, as mãos dela, senti um hálito

– seria real? –, que desapareceu. Dei mais dois passos e cheguei ao segundo canto. Estava voltando para a parede. Mas o vento se levantou. Minha visão começou a diminuir – ou seja, o estreito parapeito começou a balançar –, foi para a esquerda, foi para a direita, a pedra estava mexendo, não, era eu, eu estava oscilando, minha visão foi apagando, voltou, apagou, voltou. Tive vontade de deixar o terraço e voar, estava certo de que conseguiria. Sairia voando com um pouco de coragem, para longe, e então minha mente se desviou para um ponto na beirada, tão perto de apagar quanto um motorista exausto em uma estrada perto de dormir, e disse a mim mesmo: "Desça agora. Você nem consegue enxergar direito".

Mas outra coisa falou: "Olhe para a lua, olhe para cima, para a lua". Uma baleia prateada, ela irrompeu das nuvens nítida, emergindo de um mar de meia-noite, e ouvi seu canto débil, princesa dos mortos, jamais me livraria dela, e então a mais suave das vozes disse: "Você matou. Por isso está enjaulado por ela. Agora conquiste sua liberdade. Dê mais uma volta no parapeito", e esse pensamento foi tão claro que continuei andando pela terceira parte; e a parede foi se aproximando; minhas pernas se reanimaram; e a cada passo que dava, alguma coisa boa penetrava em mim, era capaz de andar, sabia agora que podia. Havia uma sugestão de quando chegaria ao fim – uma felicidade de infância fluiu destravando os meus pulmões. Quando fui me aproximando da parede, a três metros, dois metros e meio, dois metros, Kelly veio em minha direção, e parei.

– Parece que você vai conseguir – disse ele, se aproximando.

Não quis lhe contar que precisava fazer aquilo de novo em sentido contrário.

– Sabe, achei que você não ia conseguir – falou Kelly –, achei que você ia cair antes de terminar –, então seu sorriso meigo reapareceu. – Você não é mau, Stephen, é só que – seu sorriso era agradável – não sei se quero que se safe – e levou a ponta do guarda-chuva às minhas costelas e deu um empurrão para me derrubar. Desviei-me quando ele me empurrou, e a ponta do guarda-chuva resvalou, virei-me o suficiente para agarrar o guarda-chuva em movimento, o que evitou que eu caísse, e pulei para o terraço no instante em que ele o largava e bati com o cabo em seu rosto com tanta força que ele desmontou no chão. Quase tornei a lhe bater, mas se tivesse feito isso não teria parado, estava tão enfurecido que não poderia me conter, e sentindo um alívio, um alívio que não sabia se certo ou errado, virei-me e arremessei o guarda-chuva pelo parapeito – fora-se o guarda-chuva de Shago –, me dirigi às portas francesas, e atravessei a biblioteca, e atravessei o bar e estava quase na porta que dava para o corredor do edifício quando percebi que não dera a segunda volta no parapeito, e vi mentalmente o olho verde de Deborah. "Ah, não, ah, não", disse a mim mesmo, "já fiz o bastante, por Deus, já fiz o bastante."

"Não é o bastante. Não adiantará nada se você não fizer duas vezes", falou a voz.

"Dane-se", pensei, "já convivi demais com a loucura." E quando saía porta afora vislumbrei Ruta saindo de um quarto. Vestira um *négligé*. Mas eu já estava no corredor e tomei as escadas de incêndio dessa vez, descendo quatro lances, cinco, seis, sete, até chegar resfolegando no oitavo andar para pegar o elevador. Aguardei dez segundos, vinte segundos, lutando contra o impulso de voltar à suíte de Kelly e andar novamente no parapeito, e sabia que se o elevador não chegasse logo voltaria lá. Mas ele chegou, e me levou com um longo suspiro à entrada onde tinham estado os policiais. E havia um táxi esperando. Havia um táxi. Dei o endereço de Cherry; partimos. O sinal, porém, estava vermelho na Lexington, e o pavor retornou – contra a minha vontade, como a volta de uma doença, e meu pavor retornou. "A primeira caminhada foi para você", disse a voz, "mas a segunda foi para Cherry", e revi o parapeito e a chuva virando granizo e tive medo de voltar. "Vamos andando", falei para o motorista.

– Sinal vermelho, colega.

Então o sinal mudou, e descemos a Lexington Avenue a trinta e cinco quilômetros por hora sob uma iluminação ofuscante. Depois de quatro minutos, já não conseguia suportar o táxi.

– Que horas são? – perguntei.

– Quinze para as quatro.

– Pare aqui.

Entrei em um bar pouco antes que fechasse e tomei um *bourbon* duplo, a bebida desceu amorosa. Em poucos minutos estaria junto a Cherry, e quando amanhecesse compraríamos um carro. Faríamos uma longa viagem. Então, se Deus e os deuses permitissem, voltaríamos para buscar Deirdre. Podería roubá-la de Kelly. Tinha que haver um jeito. E senti o coração feliz com a idéia de estar com Cherry – havia uma promessa nesse pensamento. Erguendo a bebida nesse ritmo examinei minha mente – a lembrança de Deborah agora como um pergaminho a ser lido de trás para frente – e pensei, "Você se safou com facilidade", e me engasguei com a bebida, porque o pavor se ergueu como uma onda. Mentalmente vi um incêndio em um prédio barato no Lower East Side. E ouvi o lamento da sirene de um carro de bombeiros. Mas era um carro de bombeiros de verdade; sessenta segundos depois, ele passou pelo bar, um guincho e um risco vermelho.

Levantei-me e saí, tentei pegar um táxi. Nada mais se seguiu, porém, exceto a sensação de sono interrompido e pessoas cochichando em camas de casal. A cidade estava acordada. Havia uma besta-fera em Nova York, mas que às vezes dormia. Outras noites, não, e essa era a noite da besta-fera. De repente, tive a certeza de que alguma coisa dera errado, alguma coisa finalmente desandara: agora era tarde demais para o parapeito. A três quarteirões de distância ouvi a gritaria de uma gangue. Senti o meu estômago ser cortado do meu corpo, como naquelas longas noites do ano anterior, em que Deborah e eu nos afastávamos um passo em direção às trevas da nossa separação. Chegou-me uma exclamação cavalgando o vento. Depois um táxi.

Pouco antes do Gramercy Park, saímos da Lexington para a Second Street e continuamos para o sul, até o Lower East Side e a Houston Street e daí para a First Street. Quando, porém, rumamos para o norte na First Street, a rua estava bloqueada. Três carros de bombeiros ocupavam as pistas exceto uma, e uma multidão se juntara, apesar da hora. O incêndio era em um prédio barato a um quarteirão e meio do apartamento de Cherry, longe o bastante para ninguém notar que um carro de polícia estava parado em frente à porta dela, e também uma ambulância. Não havia testemunhas na rua, apenas rostos em cada janela, então meu táxi parou e eu paguei a corrida. Mais um carro da polícia chegou, e Roberts desceu e, ao me ver, deu um passo rápido e me agarrou pelo braço.

– Rojack, onde você esteve esta noite?

– Em lugar algum – respondi –, nada criminoso – o uísque trouxe bile à minha boca.

– Esteve no Harlem?

– Não, passei as últimas duas horas com Barney Oswald Kelly. Que aconteceu no Harlem?

– Shago morreu espancado.

– Não – exclamei. – Meu Deus, não – e tive um pressentimento. – Que arma usaram? – perguntei.

– Alguém rachou a cabeça dele com um cano de ferro no Morningside Park.

– Tem certeza?

– Estava caído ao lado dele.

– Então por que você está aqui? – as palavras saíram como se tivessem sido impressas em papel. – Por que aqui?

Agora ele podia começar a me pagar a dívida. Respondeu-me lentamente:

– Íamos dar uma passada aqui para ver se a ex-namorada de Shago saberia alguma coisa. Então recebemos uma chamada. A menos de dez minutos. Alguém informando que um crioulo estava virando fera no apartamento dela. Foi só o que nos disseram. Os porto-riquenhos estavam gritando.

Então a porta do prédio se abriu. Dois serventes procuravam manobrar uma maca pela porta da frente. Cherry estava na maca. Sobre ela um cobertor, e, o cobertor, molhado de sangue. Os enfermeiros apoiaram a maca na calçada e foram abrir as portas da ambulância. Um detetive tentou me afastar. Minha voz disse:

– Ela é minha mulher.

– Conversaremos com você mais tarde – respondeu ele.

Cherry abriu os olhos e me viu e deu aquele sorriso que ela me enviara através da sala no distrito.

– Ah, sr. Rojack – disse ela –, então voltou.

– Você está... bem?

– Bem, senhor, não sei direito – o rosto dela estava muito castigado.

– Saia do caminho, moço – disse um interno –, ninguém chega perto desta paciente.

Agarrei o cabo da maca e o enfermeiro procurou alguém para ajudá-lo. Ganhei outro minuto, ou mais.

– Chegue mais perto – pediu ela.

Curvei-me.

– Não conte à polícia – sussurrou. – Foi um amigo de Shago. Ele entendeu tudo errado, que imbecil.

Agora os mistérios eram trocados por outros mistérios.

– Querido?

– Que é?

– Vou morrer.

– Não – falei –, você vai ficar boa.

– Não, benzinho – ela falou –, isso é *muito* diferente. – E quando estiquei a mão para tocá-la, Cherry me olhou surpresa e morreu.

E Roberts me levou para uma espelunca aberta de madrugada e, bondoso como uma mãe, me deu uísque e confessou finalmente que, na noite anterior, voltando para sua casa no Queens depois de me interrogar, tinha acordado uma antiga amante para encher a cara – a primeira vez em três anos –, bebera até amanhecer, dera uma surra na amante e ainda não tinha ligado para a mulher. Então me perguntou se eu estava envolvido com o assassinato de Shago, e quando respondi que não, Roberts disse que não batera na amante na noite anterior, mas em sua mulher, e não sabia por que, e se Cherry tinha sido uma boa trepada, e quando o encarei indignado, ele comentou com aquele apetite pelo perigo que contamina os irlandeses como lepra:

– Você sabia que ela fazia uns servicinhos para nós? – disse isso de um jeito que eu jamais teria certeza, jamais, havia algo em sua voz que eu não poderia negar; e Roberts continuou: – Se não gostou, seu traidor, vamos resolver lá fora – e quando eu, com a coragem das cinzas, concordei e disse vamos lá fora, Roberts falou: – Sabe o que a frustração faz a um policial? Ora, nos faz perder – continuou ele – nossos padrões, nossa qualidade... – e suas feições se contraíram e Roberts caiu no choro. Os irlandeses são os únicos homens no mundo que sabem como chorar pelo sangue poluído de todo mundo.

Epílogo

Retorno às enseadas da lua

A caminho do Oeste, atravessando a paisagem da Super-América, dei uma parada no sul do Missouri, um descanso das estradas de mão dupla e auto-estradas, motéis e pousadas, as piscinas aquecidas e estradas quentes do país. Parei para ver um amigo do exército, agora médico, que tinha lido o meu livro, *A psicologia do carrasco*, e, de porre, ele me fez um desafio. "Você escreve muito sobre a morte, Rojack, permita a este soldado mostrá-la a você." O que ele fez. Na manhã seguinte, às nove, com cinco horas de sono e restos de bebida da noite anterior ainda nos barris do meu metabolismo, assisti a uma autópsia. Não tive como evitar. O homem tinha um câncer terminal, mas falecera na noite anterior de apendicite supurada e gangrena no peritônio; o cheiro que saiu da incisão foi tão forte que era preciso cerrar as mandíbulas para não vomitar.

Lembro-me que deixei o ar entrar na parte superior do pulmão e parei aí. Cortei-o na traquéia. Depois de respirar assim por meia hora, meus pulmões iriam doer pelo resto do dia, mas era impossível deixar que o cheiro do velho entrasse até o fim. Terminada a autópsia, meu amigo se desculpou pelo fedor, disse que tínhamos dado azar, e que aquele era o pior cheiro que encontrara nos últimos três anos. Eu não devia pensar que todo cadáver era assim, acrescentou, porque os corpos tinham um odor decente na morte e havia um tesouro na visão que os nossos órgãos nos ofereciam. Concordei prontamente – tinha havido um tesouro mesmo na escavação do horror daquele velho; e também tinha havido o fedor. Continuei sentindo-o nos dois dias seguintes, por toda a viagem pelas terras ressecadas de Oklahoma, do norte do Texas, Novo México, nos desertos do Arizona e sul de Nevada, onde Las Vegas está engastada no reflexo da lua. Durante semanas o cheiro não me largou. No começo, o morto reaparecia a cada curva, reaparecia no fosfato que fertilizava cada plantação, exalava de cada carcaça de coelho na estrada, de cada fantasma apodrecendo no toco de uma árvore, mais tarde resolvia reaparecer a cada indicação de uma brecha na emoção ou poço de desintegração, oferecia a informação de que esta seria a aparência dos seus órgãos ao fim de tanto abuso. O cadáver fora coroado com a cabeça de um velho; um rosto de cera sisudo retribuiu o olhar quando os tubérculos foram expostos. Poderia ter sido o rosto de um homem dono da própria fazenda ou do banqueiro local. Era lascivo e orgulhoso, revelava ódio, mas disciplina. Um general poderia ter sido parente daquele rosto. Talvez a disciplina o tenha matado; todo aquele desejo e toda aquela vontade recalcada, comprimidos um contra o outro em uma excreção das partes privadas, a pressão se mantendo até o instante em que o bisturi mergulhou em sua barriga. Ouviu-se um silvo, o apito de mais um fantasma libertado, psssssssssss, prolongou-se o som como um pneu no segundo antes de estourar. Então o cheiro subiu. Havia loucura nele. Era um odor tresloucado.

Em algumas pessoas, a loucura precisa entrar com a respiração, ser pulverizada no sangue e expirada novamente. Em outras, ela sobe para a cabeça. Alguns aceitam a loucura e conseguem contê-la com disciplina. A loucura fica trancada dentro. Penetra nos tecidos, é engolida pelas células. As células enlouquecem. O câncer é a bandeira delas. O câncer é o crescimento da loucura negada. Eu vi naquele cadáver, a loucura entrou no sangue – os leucócitos devoraram o fígado, o baço, o coração inchou e os pulmões ficaram preto-azulados, escavou os intestinos, germinou fedor.

Era ruim minerar aquela caverna. Algo mais que o odor da loucura penetrava o peito; um pouco da verdadeira loucura ela mesma penetrou em mim. O fedor do morto me acompanhou pelas terras secas de Oklahoma e do norte do Texas, atravessou comigo o deserto tórrido do Novo México, o Arizona, até os vales da lua.

Cheguei a Las Vegas às cinco da manhã, depois de dirigir durante duas etapas de dez horas em uma noite de calor, calor de julho no mês de março, negra e repleta de ondas. As luzes estavam acesas na cidade. O Fremont era um fogaréu elétrico, o Golden Nugget, outro, o céu estava escuro, as ruas, claras, mais claras do que a Broadway no Ano-Novo, o calor era fenomenal. Fazia realmente mais de trinta graus aos nove minutos para as cinco da manhã? O carro desceu o Strip amanhecendo, o carburador sugando o ar poluído, a loucura se formando, a loucura se consumindo. Um punhado da imensa loucura que é guardada para a eternidade se solidificou como uma pedra em minha traquéia. Com o cheiro da morte no nariz, encontrei um hotel, descarreguei as malas empoeiradas. O quarto estava frio, 21 graus, um porão, uma tumba, uma friagem de ar-condicionado. Mergulhei na inconsciência através de vórtices de estradas, calores de fornalhas e correntes de ar de Las Vegas que me transportaram em um sono tenso a Nova York, onde eu ia de amigo a amigo levantando dinheiro para comprar um carro. Afinal tinha ido a um enterro, mas o de Cherry. E queria ir a outro, mas era o de Shago, e deixei passar. Não queria encarar os negros chineses que estariam à espera, na porta.

Era março, quase abril. A onda de calor persistia. E eu transitava por duas atmosferas. Cinco vezes por dia, ou oito, ou dezesseis, ia do hotel para o carro, fazia a travessia de uma fornalha com o sol a quarenta e três graus, uma corrida pelo Strip (com outdoors do tamanho de um cânion), uma breve corrida para o carro, o melhor carro de passeio da América; em que a pessoa dirigia não só o próprio espécime da produção em massa, mas ia trocando de pista com seis ou sete carros em seu campo de colisão. Era o melhor exemplo de vida em comunidade, todos preparados para todos, e então uma curva de campeão para sair do Strip para o estacionamento do próximo hotel, os pulmões respirando os sopros do deserto, aquele ar de quarenta e três graus, mais quente do que uma flanela quente no pescoço, e mais uma vez era inútil saber se era possível chegar até o fim, ou se em duas horas, quatro horas, seis, ou seis horas e vinte minutos, o calor incharia uma articulação do cérebro e a loucura escaparia em chamas pela ruptura. Por cinco ou dez minutos, no entanto, o ar do deserto era suportável, uma moleza, quarenta e três graus em ascensão, meio convidativo – se é que a entrada de uma sauna pode ser convidativa – aquele calor, aquele forno do deserto, quente como a radiação de um fogo de madeira de lei. Por outro lado, havia sempre um hotel onde vigorava a segunda atmosfera, a atmosfera fria, os vinte graus de oxigênio do ar-condicionado, aquele ar que parecia ter viajado pelo espaço como se você estivesse na câmara de prazeres de um acampamento na lua e todos os dias o ar revigorante fosse trazido da terra por foguetes. Sim, a segunda atmosfera tinha um cheiro que não era o mesmo dos ares-condicionados de outros lugares: o vácuo extraído pelo aparelho deixava aqui um buraco mais profundo. Sentia-se o odor do espaço vazio onde alguma coisa estava morrendo sozinha.

Vivi nessa segunda atmosfera vinte e três das vinte e quatro horas – era a vida em um submarino, como nas câmaras de segurança da lua. Ninguém sabia que os desertos do Oeste, os desertos áridos, vazios, selvagens e cegos estavam produzindo uma nova raça de homens.

Ficava nas mesas de dados. Eu fazia parte da nova raça. Cherry me deixara um dom. Da mesma forma como no passado Oswald Kelly ia dormir sabendo quais ações subiriam pela manhã, eu sabia a sorte nas mãos de cada homem que chegava à mesa, sabia quando deixar passar e quando apostar. Eu era um fracasso quando jogava os dados, largava-os o mais rápido possível, mas ficava de olho nos perdedores e fazia minha fortuna ali. Em quatro semanas, ganhei vinte e quatro mil, paguei minhas dívidas, os dezesseis mil, mais o empréstimo para comprar o carro, e me preparei para continuar viagem. Havia uma selva na Guatemala que abrigava um amigo, um velho amigo, e pensei em ir até lá. E seguir para Iucatã. Na noite que antecedeu a minha partida de Las Vegas, caminhei até o deserto para contemplar a lua. Havia uma cidade cravejada de pedras preciosas no horizonte, flechas de torres que se erguiam na noite, mas as pedras eram diademas elétricos, e as flechas eram o néon dos letreiros de dez andares. Eu não era bom o suficiente para subir e arrancá-los. Então fui me embrenhando no deserto onde antes de mim tinham vindo os loucos, e pensei estar caindo em uma emboscada. Olhos haviam me observado durante quatro semanas, olhos que registravam cada vez mais – espalhara-se a notícia de quem eu era e os veredictos estavam pendentes. Contudo eu estava seguro na cidade – não me fariam mal ali –, somente no deserto a morte poderia se aproximar como um escorpião com o seu ferrão. Se alguém quisesse atirar em mim, poderia fazê-lo aqui. Ninguém atirou, porém, e segui caminhando, e achei uma cabine no acostamento de uma estrada vazia, uma cabine telefônica com o disco do aparelho enferrujado. Entrei nela, disquei e pedi para falar com Cherry. E ao luar, uma voz me respondeu, uma voz adorável, e disse:

– Ora, alô, benzinho, pensei que não iria me ligar nunca. Está tudo legal agora, e as garotas estão ótimas. Marilyn me pediu para dizer olá. Nos damos bem, o que é estranho, entende, porque garotas costumam se estranhar. Mas tchau-tchau, lindinho, e pode ficar com os dados de graça, a lua saiu e ela é uma mãe para mim.

Desliguei e voltei à cidade-jóia, e pensei que antes de deixar os arranhas-céus talvez pudesse ligar para ela mais uma vez. Pela manhã, porém, eu praticamente recuperara minha sanidade, arrumei as malas no carro e comecei a longa viagem para a Guatemala e Iucatã.

Provincetown,
Nova York,
Setembro de 1963 – outubro de 1964

Coleção **L&PM** POCKET (LANÇAMENTOS MAIS RECENTES)

123.**Taipi** – Herman Melville
124.**Livro dos desaforos** – org. de Sergio Faraco
125.**A mão e a luva** – Machado de Assis
126.**Doutor Miragem** – Moacyr Scliar
127.**O penitente** – Isaac B. Singer
128.**Diários da descoberta da América** – C.Colombo
129.**Édipo Rei** – Sófocles
130.**Romeu e Julieta** – Shakespeare
131.**Hollywood** – Charles Bukowski
132.**Billy the Kid** – Pat Garrett
133.**Cuca fundida** – Woody Allen
134.**O jogador** – Dostoiévski
135.**O livro da selva** – Rudyard Kipling
136.**O vale do terror** – Arthur Conan Doyle
137.**Dançar tango em Porto Alegre** – S. Faraco
138.**O gaúcho** – Carlos Reverbel
139.**A volta ao mundo em oitenta dias** – J. Verne
140.**O livro dos esnobes** – W. M. Thackeray
141.**Amor & morte em Poodle Springs** – Raymond Chandler & R. Parker
142.**As aventuras de David Balfour** – Stevenson
143.**Alice no país das maravilhas** – Lewis Carroll
144.**A ressurreição** – Machado de Assis
145.**Inimigos, uma história de amor** – I. Singer
146.**O Guarani** – José de Alencar
147.**A cidade e as serras** – Eça de Queiroz
148.**Eu e outras poesias** – Augusto dos Anjos
149.**A mulher de trinta anos** – Balzac
150.**Pomba enamorada** – Lygia F. Telles
151.**Contos fluminenses** – Machado de Assis
152.**Antes de Adão** – Jack London
153.**Intervalo amoroso** – A.Romano de Sant'Anna
154.**Memorial de Aires** – Machado de Assis
155.**Naufrágios e comentários** – Cabeza de Vaca
156.**Ubirajara** – José de Alencar
157.**Textos anarquistas** – Bakunin
158.**O pirotécnico Zacarias** – Murilo Rubião
159.**Amor de salvação** – Camilo Castelo Branco
160.**O gaúcho** – José de Alencar
161.**O livro das maravilhas** – Marco Polo
162.**Inocência** – Visconde de Taunay
163.**Helena** – Machado de Assis
164.**Uma estação de amor** – Horácio Quiroga
165.**Poesia reunida** – Martha Medeiros
166.**Memórias de Sherlock Holmes** – Conan Doyle
167.**A vida de Mozart** – Stendhal
168.**O primeiro terço** – Neal Cassady
169.**O mandarim** – Eça de Queiroz
170.**Um espinho de marfim** – Marina Colasanti
171.**A ilustre Casa de Ramires** – Eça de Queiroz
172.**Lucíola** – José de Alencar
173.**Antígona** – Sófocles – trad. Donaldo Schüler
174.**Otelo** – William Shakespeare
175.**Antologia** – Gregório de Matos
176.**A liberdade de imprensa** – Karl Marx
177.**Casa de pensão** – Aluísio Azevedo
178.**São Manuel Bueno, Mártir** – Unamuno
179.**Primaveras** – Casimiro de Abreu
180.**O noviço** – Martins Pena
181.**O sertanejo** – José de Alencar
182.**Eurico, o presbítero** – Alexandre Herculano
183.**O signo dos quatro** – Conan Doyle
184.**Sete anos no Tibet** – Heinrich Harrer
185.**Vagamundo** – Eduardo Galeano
186.**De repente acidentes** – Carl Solomon
187.**As minas de Salomão** – Rider Haggar
188.**Uivo** – Allen Ginsberg
189.**A ciclista solitária** – Conan Doyle
190.**Os seis bustos de Napoleão** – Conan Doyle
191.**Cortejo do divino** – Nelida Piñon
192.**Cassino Royale** – Ian Fleming
193.**Viva e deixe morrer** – Ian Fleming
194.**Os crimes do amor** – Marquês de Sade
195.**Besame Mucho** – Mário Prata
196.**Tuareg** – Alberto Vázquez-Figueroa
197.**O longo adeus** – Raymond Chandler
198.**Os diamantes são eternos** – Ian Fleming
199.**Notas de um velho safado** – C. Bukowski
200.**111 ais** – Dalton Trevisan
201.**O nariz** – Nicolai Gogol
202.**O capote** – Nicolai Gogol
203.**Macbeth** – William Shakespeare
204.**Heráclito** – Donaldo Schüler
205.**Você deve desistir, Osvaldo** – Cyro Martins
206.**Memórias de Garibaldi** – A. Dumas
207.**A arte da guerra** – Sun Tzu
208.**Fragmentos** – Caio Fernando Abreu
209.**Festa no castelo** – Moacyr Scliar
210.**O grande deflorador** – Dalton Trevisan
211.**Corto Maltese na Etiópia** – Hugo Pratt
212.**Homem do príncipio ao fim** – Millôr Fernandes
213.**Aline e seus dois namorados** – A. Iturrusgarai
214.**A juba do leão** – Sir Arthur Conan Doyle
215.**Assassino metido a esperto** – R. Chandler
216.**Confissões de um comedor de ópio** – T.De Quincey
217.**Os sofrimentos do jovem Werther** – Goethe
218.**Fedra** – Racine / Trad. Millôr Fernandes
219.**O vampiro de Sussex** – Conan Doyle
220.**Sonho de uma noite de verão** – Shakespeare
221.**Dias e noites de amor e de guerra** – Galeano
222.**O Profeta** – Khalil Gibran
223.**Flávia, cabeça, tronco e membros** – M. Fernandes
224.**Guia da ópera** – Jeanne Suhamy
225.**Macário** – Álvares de Azevedo
226.**Etiqueta na prática** – Celia Ribeiro
227.**Manifesto do partido comunista** – Marx & Engels
228.**Poemas** – Millôr Fernandes
229.**Um inimigo do povo** – Henrik Ibsen
230.**O paraíso destruído** – Frei B. de las Casas
231.**O gato no escuro** – Josué Guimarães
232.**O mágico de Oz** – L. Frank Baum
233.**Armas no Cyrano's** – Raymond Chandler
234.**Max e os felinos** – Moacyr Scliar
235.**Nos céus de Paris** – Alcy Cheuiche
236.**Os bandoleiros** – Schiller

237.**A primeira coisa que eu botei na boca** – Deonísio da Silva
238.**As aventuras de Simbad, o marújo**
239.**O retrato de Dorian Gray** – Oscar Wilde
240.**A carteira de meu tio** – J. Manuel de Macedo
241.**A luneta mágica** – J. Manuel de Macedo
242.**A metamorfose** – Kafka
243.**A flecha de ouro** – Joseph Conrad
244.**A ilha do tesouro** – R. L. Stevenson
245.**Marx - Vida & Obra** – José A. Giannotti
246.**Gênesis**
247.**Unidos para sempre** – Ruth Rendell
248.**A arte de amar** – Ovídio
249.**O sono eterno** – Raymond Chandler
250.**Novas receitas do Anonymus Gourmet** – J.A.P.M.
251.**A nova catacumba** – Arthur Conan Doyle
252.**O dr. Negro** – Arthur Conan Doyle
253.**Os voluntários** – Moacyr Scliar
254.**A bela adormecida** – Irmãos Grimm
255.**O príncipe sapo** – Irmãos Grimm
256.**Confissões** *e* **Memórias** – H. Heine
257.**Viva o Alegrete** – Sergio Faraco
258.**Vou estar esperando** – R. Chandler
259.**A senhora Beate e seu filho** – Schnitzler
260.**O ovo apunhalado** – Caio Fernando Abreu
261.**O ciclo das águas** – Moacyr Scliar
262.**Millôr Definitivo** – Millôr Fernandes
264.**Viagem ao centro da Terra** – Júlio Verne
265.**A dama do lago** – Raymond Chandler
266.**Caninos brancos** – Jack London
267.**O médico e o monstro** – R. L. Stevenson
268.**A tempestade** – William Shakespeare
269.**Assassinatos na rua Morgue** – E. Allan Poe
270.**99 corruíras nanicas** – Dalton Trevisan
271.**Broquéis** – Cruz e Sousa
272.**Mês de cães danados** – Moacyr Scliar
273.**Anarquistas – vol. 1 – A idéia** – G. Woodcock
274.**Anarquistas – vol. 2 – O movimento** – G. Woodcock
275.**Pai e filho, filho e pai** – Moacyr Scliar
276.**As aventuras de Tom Sawyer** – Mark Twain
277.**Muito barulho por nada** – W. Shakespeare
278.**Elogio à loucura** – Erasmo
279.**Autobiografia de Alice B. Toklas** – G. Stein
280.**O chamado da floresta** – J. London
281.**Uma agulha para o diabo** – Ruth Rendell
282.**Verdes vales do fim do mundo** – A. Bivar
283.**Ovelhas negras** – Caio Fernando Abreu
284.**O fantasma de Canterville** – O. Wilde
285.**Receitas de Yayá Ribeiro** – Celia Ribeiro
286.**A galinha degolada** – H. Quiroga
287.**O último adeus de Sherlock Holmes** – A. Conan Doyle
288.**A. Gourmet** *em* **Histórias de cama & mesa** – J. A. Pinheiro Machado
289.**Topless** – Martha Medeiros
290.**Mais receitas do Anonymus Gourmet** – J. A. Pinheiro Machado
291.**Origens do discurso democrático** – D. Schüler
292.**Humor politicamente incorreto** – Nani
293.**O teatro do bem e do mal** – E. Galeano
294.**Garibaldi & Manoela** – J. Guimarães
295.**10 dias que abalaram o mundo** – John Reed
296.**Numa fria** – Charles Bukowski
297.**Poesia de Florbela Espanca** vol. 1
298.**Poesia de Florbela Espanca** vol. 2
299.**Escreva certo** – É. Oliveira e M. E. Bernd
300.**O vermelho e o negro** – Stendhal
301.**Ecce homo** – Friedrich Nietzsche
302.**Comer bem, sem culpa** – Dr. Fernando Lucchese, A. Gourmet e Iotti
303.**O livro de Cesário Verde** – Cesário Verde
304.**O reino das cebolas** – C. Moscovich
305.**100 receitas de macarrão** – S. Lancellotti
306.**160 receitas de molhos** – S. Lancellotti
307.**100 receitas light** – H. e Â. Tonetto
308.**100 receitas de sobremesas** – Celia Ribeiro
309.**Mais de 100 dicas de churrasco** – Leon Diziekaniak
310.**100 receitas de acompanhamentos** – C. Cabeda
311.**Honra ou vendetta** – S. Lancellotti
312.**A alma do homem sob o socialismo** – Oscar Wilde
313.**Tudo sobre Yôga** – Mestre De Rose
314.**Os varões assinalados** – Tabajara Ruas
315.**Édipo em Colono** – Sófocles
316.**Lisístrata** – Aristófanes / trad. Millôr
317.**Sonhos de Bunker Hill** – John Fante
318.**Os deuses de Raquel** – Moacyr Scliar
319.**O colosso de Marússia** – Henry Miller
320.**As eruditas** – Molière / trad. Millôr
321.**Radicci 1** – Iotti
322.**Os Sete contra Tebas** – Ésquilo
323.**Brasil Terra à vista** – Eduardo Bueno
324.**Radicci 2** – Iotti
325.**Júlio César** – William Shakespeare
326.**A carta de Pero Vaz de Caminha**
327.**Cozinha Clássica** – Sílvio Lancellotti
328.**Madame Bovary** – Gustave Flaubert
329.**Dicionário do viajante insólito** – M. Scliar
330.**O capitão saiu para o almoço...** – Bukowski
331.**A carta roubada** – Edgar Allan Poe
332.**É tarde para saber** – Josué Guimarães
333.**O livro de bolso da Astrologia** – Maggy Harrisonx e Mellina Li
334.**1933 foi um ano ruim** – John Fante
335.**100 receitas de arroz** – Aninha Comas
336.**Guia prático do Português correto – vol. 1** – Cláudio Moreno
337.**Bartleby, o escriturário** – H. Melville
338.**Enterrem meu coração na curva do rio** – Dee Brown
339.**Um conto de Natal** – Charles Dickens
340.**Cozinha sem segredos** – J. A. P. Machado
341.**A dama das Camélias** – A. Dumas Filho
342.**Alimentação saudável** – H. e Â. Tonetto
343.**Continhos galantes** – Dalton Trevisan
344.**A Divina Comédia** – Dante Alighieri
345.**A Dupla Sertanojo** – Santiago
346.**Cavalos do amanhecer** – Mario Arregui
347.**Biografia de Vincent van Gogh por sua cunhada** – Jo van Gogh-Bonger
348.**Radicci 3** – Iotti

349.**Nada de novo no front** – E. M. Remarque
350.**A hora dos assassinos** – Henry Miller
351.**Flush - Memórias de um cão** – Virginia Woolf
352.**A guerra no Bom Fim** – M. Scliar
353(1).**O caso Saint-Fiacre** – Simenon
354(2).**Morte na alta sociedade** – Simenon
355(3).**O cão amarelo** – Simenon
356(4).**Maigret e o homem do banco** – Simenon
357.**As uvas e o vento** – Pablo Neruda
358.**On the road** – Jack Kerouac
359.**O coração amarelo** – Pablo Neruda
360.**Livro das perguntas** – Pablo Neruda
361.**Noite de Reis** – William Shakespeare
362.**Manual de Ecologia** – vol.1 – J. Lutzenberger
363.**O mais longo dos dias** – Cornelius Ryan
364.**Foi bom prá você?** – Nani
365.**Crepusculário** – Pablo Neruda
366.**A comédia dos erros** – Shakespeare
367(5).**A primeira investigação de Maigret** – Simenon
368(6).**As férias de Maigret** – Simenon
369.**Mate-me por favor (vol.1)** – L. McNeil
370.**Mate-me por favor (vol.2)** – L. McNeil
371.**Carta ao pai** – Kafka
372.**Os vagabundos iluminados** – J. Kerouac
373(7).**O enforcado** – Simenon
374(8).**A fúria de Maigret** – Simenon
375.**Vargas, uma biografia política** – H. Silva
376.**Poesia reunida (vol.1)** – A. R. de Sant'Anna
377.**Poesia reunida (vol.2)** – A. R. de Sant'Anna
378.**Alice no país do espelho** – Lewis Carroll
379.**Residência na Terra 1** – Pablo Neruda
380.**Residência na Terra 2** – Pablo Neruda
381.**Terceira Residência** – Pablo Neruda
382.**O delírio amoroso** – Bocage
383.**Futebol ao sol e à sombra** – E. Galeano
384(9).**O porto das brumas** – Simenon
385(10).**Maigret e seu morto** – Simenon
386.**Radicci 4** – Iotti
387.**Boas maneiras & sucesso nos negócios** – Celia Ribeiro
388.**Uma história Farroupilha** – M. Scliar
389.**Na mesa ninguém envelhece** – J. A. P. Machado
390.**200 receitas inéditas do Anonymus Gourmet** – J. A. Pinheiro Machado
391.**Guia prático do Português correto – vol.2** – Cláudio Moreno
392.**Breviário das terras do Brasil** – Luis A. de Assis Brasil
393.**Cantos Cerimoniais** – Pablo Neruda
394.**Jardim de Inverno** – Pablo Neruda
395.**Antonio e Cleópatra** – William Shakespeare
396.**Tróia** – Cláudio Moreno
397.**Meu tio matou um cara** – Jorge Furtado
398.**O anatomista** – Federico Andahazi
399.**As viagens de Gulliver** – Jonathan Swift
400.**Dom Quixote – v.1** – Miguel de Cervantes
401.**Dom Quixote – v.2** – Miguel de Cervantes
402.**Sozinho no Pólo Norte** – Thomaz Brandolin
403.**Matadouro Cinco** – Kurt Vonnegut
404.**Delta de Vênus** – Anaïs Nin
405.**O melhor de Hagar 2** – Dik Browne
406.**É grave Doutor?** – Nani
407.**Orai pornô** – Nani
408(11).**Maigret em Nova York** – Simenon
409(12).**O assassino sem rosto** – Simenon
410(13).**O mistério das jóias roubadas** – Simenon
411.**A irmãzinha** – Raymond Chandler
412.**Três contos** – Gustave Flaubert
413.**De ratos e homens** – John Steinbeck
414.**Lazarilho de Tormes** – Anônimo do séc. XVI
415.**Triângulo das águas** – Caio Fernando Abreu
416.**100 receitas de carnes** – Sílvio Lancellotti
417.**Histórias de robôs: vol.1** – org. Isaac Asimov
418.**Histórias de robôs: vol.2** – org. Isaac Asimov
419.**Histórias de robôs: vol.3** – org. Isaac Asimov
420.**O país dos centauros** – Tabajara Ruas
421.**A república de Anita** – Tabajara Ruas
422.**A carga dos lanceiros** – Tabajara Ruas
423.**Um amigo de Kafka** – Isaac Singer
424.**As alegres matronas de Windsor** – Shakespeare
425.**Amor e exílio** – Isaac Bashevis Singer
426.**Use & abuse do seu signo** – Marília Fiorillo e Marylou Simonsen
427.**Pigmaleão** – Bernard Shaw
428.**As fenícias** – Eurípides
429.**Everest** – Thomaz Brandolin
430.**A arte de furtar** – Anônimo do séc. XVI
431.**Billy Bud** – Herman Melville
432.**A rosa separada** – Pablo Neruda
433.**Elegia** – Pablo Neruda
434.**A garota de Cassidy** – David Goodis
435.**Como fazer a guerra: máximas de Napoleão** – Balzac
436.**Poemas de Emily Dickinson**
437.**Gracias por el fuego** – Mario Benedetti
438.**O sofá** – Crébillon Fils
439.**O "Martín Fierro"** – Jorge Luis Borges
440.**Trabalhos de amor perdidos** – W. Shakespeare
441.**O melhor de Hagar 3** – Dik Browne
442.**Os Maias (volume1)** – Eça de Queiroz
443.**Os Maias (volume2)** – Eça de Queiroz
444.**Anti-Justine** – Restif de La Bretonne
445.**Juventude** – Joseph Conrad
446.**Singularidades de uma rapariga loura** – Eça de Queiroz
447.**Janela para a morte** – Raymond Chandler
448.**Um amor de Swann** – Marcel Proust
449.**À paz perpétua** – Immanuel Kant
450.**A conquista do México** – Hernan Cortez
451.**Defeitos escolhidos e 2000** – Pablo Neruda
452.**O casamento do céu e do inferno** – William Blake
453.**A primeira viagem ao redor do mundo** – Antonio Pigafetta
454(14).**Uma sombra na janela** – Simenon
455(15).**A noite da encruzilhada** – Simenon
456(16).**A velha senhora** – Simenon
457.**Sartre** – Annie Cohen-Solal
458.**Discurso do método** – René Descartes
459.**Garfield em grande forma** – Jim Davis
460.**Garfield está de dieta** – Jim Davis
461.**O livro das feras** – Patricia Highsmith
462.**Viajante solitário** – Jack Kerouac
463.**Auto da barca do inferno** – Gil Vicente

464.**O livro vermelho dos pensamentos de Millôr** – Millôr Fernandes
465.**O livro dos abraços** – Eduardo Galeano
466.**Voltaremos!** – José Antonio Pinheiro Machado
467.**Rango** – Edgar Vasques
468.**Dieta mediterrânea** – Dr. Fernando Lucchese e José Antonio Pinheiro Machado
469.**Radicci 5** – Iotti
470.**Pequenos pássaros** – Anaïs Nin
471.**Guia prático do Português correto – vol.3** – Cláudio Moreno
472.**Atire no pianista** – David Goodis
473.**Antologia Poética** – García Lorca
474.**Alexandre e César** – Plutarco
475.**Uma espiã na casa do amor** – Anaïs Nin
476.**A gorda do Tiki Bar** – Dalton Trevisan
477.**Garfield um gato de peso** – Jim Davis
478.**Canibais** – David Coimbra
479.**A arte de escrever** – Arthur Schopenhauer
480.**Pinóquio** – Carlo Collodi
481.**Misto-quente** – Charles Bukowski
482.**A lua na sarjeta** – David Goodis
483.**Recruta Zero** – Mort Walker
484.**Aline 2: TPM – tensão pré-monstrual** – Adão Iturrusgarai
485.**Sermões do Padre Antonio Vieira**
486.**Garfield numa boa** – Jim Davis
487.**Mensagem** – Fernando Pessoa
488.**Vendeta** ***seguido de*** **A paz conjugal** – Balzac
489.**Poemas de Alberto Caeiro** – Fernando Pessoa
490.**Ferragus** – Honoré de Balzac
491.**A duquesa de Langeais** – Honoré de Balzac
492.**A menina dos olhos de ouro** – Honoré de Balzac
493.**O lírio do vale** – Honoré de Balzac
494(17).**A barcaça da morte** – Simenon
495(18).**As testemunhas rebeldes** – Simenon
496(19).**Um engano de Maigret** – Simenon
497.**A noite das bruxas** – Agatha Christie
498.**Um passe de mágica** – Agatha Christie
499.**Nêmesis** – Agatha Christie
500.**Esboço para uma teoria das emoções** – Jean-Paul Sartre
501.**Renda básica de cidadania** – Eduardo Suplicy
502(1).**Pílulas para viver melhor** – Dr. Lucchese
503(2).**Pílulas para prolongar a juventude** – Dr. Lucchese
504(3).**Desembarcando o Diabetes** – Dr. Lucchese
505(4).**Desembarcando o Sedentarismo** – Dr. Fernando Lucchese e Cláudio Castro
506(5).**Desembarcando a Hipertensão** – Dr. Lucchese
507(6).**Desembarcando o Colesterol** – Dr. Fernando Lucchese e Fernanda Lucchese
508.**Estudos de mulher** – Balzac
509.**O terceiro tira** – Flann O'Brien
510.**100 receitas de aves e ovos** – José Antonio Pinheiro Machado
511.**Garfield em toneladas de diversão** – Jim Davis
512.**Trem-bala** – Martha Medeiros
513.**Os cães ladram** – Truman Capote
514.**O Kama Sutra de Vatsyayana**
515.**O crime do Padre Amaro** – Eça de Queiroz
516.**Odes de Ricardo Reis** – Fernando Pessoa
517.**O inverno da nossa desesperança** – John Steinbeck
518.**Piratas do Tietê** – Laerte
519.**Rê Bordosa: do começo ao fim** – Angeli
520.**O Harlem é escuro** – Chester Himes
521.**Café-da-manhã dos campeões** – Kurt Vonnegut
522.**Eugénie Grandet** – Balzac
523.**O último magnata** – F. Scott Fitzgerald
524.**Carol** – Patricia Highsmith
525.**100 receitas de patisseria** – Sílvio Lancellotti
526.**O fator humano** – Graham Greene
527.**Tristessa** – Jack Kerouac
528.**O diamante do tamanho do Ritz** – S. Fitzgerald
529.**As melhores histórias de Sherlock Holmes** – Arthur Conan Doyle
530.**Cartas a um jovem poeta** – Rilke
531(20).**Memórias de Maigret** – Simenon
532.**O misterioso sr. Quin** – Agatha Christie
533.**Os analectos** – Confúcio
534(21).**Maigret e os homens de bem** – Simenon
535(22).**O medo de Maigret** – Simenon
536.**Ascensão e queda de César Birotteau** – Balzac
537.**Sexta-feira negra** – David Goodis
538.**Ora bolas – O humor cotidiano de Mario Quintana** – Juarez Fonseca
539.**Longe daqui aqui mesmo** – Antonio Bivar
540(5).**É fácil matar** – Agatha Christie
541.**O pai Goriot** – Balzac
542.**Brasil, um país do futuro** – Stefan Zweig
543.**O processo** – Kafka
544. **O melhor de Hagar 4** – Dik Browne
545(6).**Por que não pediram a Evans?** – Agatha Christie
546.**Fanny Hill** – John Cleland
547.**O gato por dentro** – William S. Burroughs
548.**Sobre a brevidade da vida** – Sêneca
549.**Geraldão 1** – Glauco
550.**Piratas do Tietê 2** – Laerte
551.**Pagando o pato** – Ciça
552.**Garfield de bom humor** – Jim Davis
553.**Conhece o Mário?** – Santiago
554.**Radicci 6** – Iotti
555.**Os subterrâneos** – Jack Kerouac
556.**Balzac** – François Taillandier
557.**Modigliani** – Christian Parisot
558.**Kafka** – Gérard-Georges Lemaire
559.**Júlio César** – Joël Schmidt
560.**Receitas da família** –J. A. Pinheiro Machado
561.**Boas maneiras à mesa** – Celia Ribeiro
562(7).**Filhos sadios, pais felizes** – R. Pagnoncelli
563(8).**Fatos & mitos** – Dr. Fernando Lucchese
564.**Menáge à trois** – Paula Taitelbaum
565.**Mulheres!** – David Coimbra
566.**Poemas de Álvaro de Campos** – Fernando Pessoa
567.**Medo e outras histórias** – Stefan Zweig
568.**Snoopy e sua turma (1)** – Schulz
569.**Piadas para sempre (livro 1)** – Visconde da Casa Verde
570.**O alvo móvel** – Ross MacDonald
571.**O melhor do Recruta Zero (2)** – Mort Walker
572.**Um sonho americano** – Norman Mailer
573.**Os broncos também amam** – Angeli
574.**Crônica de um amor louco** – Bukowski
575(5).**Freud** – René Major e Chantal Talagrand